D1096115

Beth Miller y Alfonso González

26 AUTORAS DEL MÉXICO ACTUAL

BETH MILLER Y ALFONSO GONZÁLEZ

26 AUTORAS
DEL
MEXICO ACTUAL

B. COSTA-AMIC EDITOR

MÉXICO, D. F.

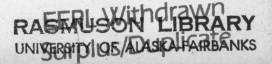

Derechos reservados conforme a la ley
B. Costa-Amic editor
Calle Mesones 14 — México 1, D. F.
Miembro de la Cámara Nacional de
la Industria Editorial. Registro Nº 313

ISBN 968-400-095-2

IMPRESO EN MÉXICO / PRINTED IN MEXICO

ÍNDICE GENERAL

PRÓLOGO

Gracias al movimiento feminista, el interés por la obra de las autoras se ha acrecentado notablemente desde los años sesenta. Este libro responde a mi interés por el feminismo y a la necesidad de difundir más ampliamente la producción e ideas de algunas intelectuales en México. El proyecto empezó como una investigación acerca de las escritoras mexicanas, pero al irlo desarrollando derivó hacia otras mujeres creadoras. Se ha hablado recientemente del "sexismo" en literatura para referirse a la marginación sistemática de las escritoras y también a los personajes femeninos creados por autores consciente o inconscientemente sexistas. Se podrá decir que este volumen, por incluir sólo a mujeres, cae en el mismo defecto e indudablemente el juicio sería acertado. En defensa propia, quisiera recordar que ya existen miles de libros, antologías y cursos académicos dedicados exclusivamente a escritores varones.

26 Autoras del México actual es el primero de dos libros proyectados sobre escritoras e intelectuales mexicanas. Entre las manifestaciones culturales representadas se encuentran la crítica literaria y del arte; la poesía y el drama; la dirección de cine, de revistas y de teatro; la novela nueva, la tradicional y la rosa; la tira cómica y la telenovela; el cuento; el periodismo; la educación superior; la pintura y la coreografía. Incluyo algunas autoras cuya obra no ha fructificado todavía y que, sin embargo, señalan un futuro prometedor. La selección hecha no implica crítica alguna sobre las autoras

7

excluídas por el momento. Estas entrevistas son muy amenas e instructivas por el contenido que tienen.

México ha sido siempre un centro intelectual que ha acogido a artistas de todo el mundo. Es más, en grado variable los ha mexicanizado. Varias de las autoras contemporáneas nacieron en otros países, Leonora Carrington llega a México de Inglaterra, Ulalume González de León de Uruguay, Raquel Tibol nació en la Argentina, Julieta Campos en Cuba, Maruxa Vilalta es catalana de nacimiento, y quizás el ejemplo más destacado sea el de Margaret Randall que, nacida en Nueva York, trabajó en México hasta que en 1968 salió hacia Cuba donde todavía vive y escribe. Con excepción de esta última lo que une a todas estas escritoras es que producen su obra más importante en México, concretamente en la capital. Sin embargo, han existido escritoras en México con anterioridad al siglo xx.

Ha habido algunas mujeres literatas en México desde la época prehispánica. Los poemas de MACUILXOCHILTZIN (mediados del siglo xv) han sido rescatados del olvido. Durante la época colonial surge la figura gigantesca de Sor Juana. En el siglo xix sobresalen Frances Erskine Inglis que vive en México de 1839 a 1842 y que, como esposa del Ministro de España en México, es más conocida por el nombre de la Marquesa Fanny Calderón de la Barca, y también la poeta romántica Isabel Prieto de Landázuri. Investigaciones que aún no se han hecho acaso darán a conocer más escritoras del siglo xix.

A principios de nuestro siglo florece un grupo de mujeres que ya manifiestan la influencia del movimiento mundial del feminismo de la pre-guerra y escriben en parte por exigencias internas, en parte como pasatiempo y en parte siguiendo el modelo de las grandes voces femeninas americanas como Juana de Ibarbourou, Alfonsina Storni y Delmira Agustini. Representantes de este núcleo mexicano son

Esperanza Zambrano, poeta, y Amalia Castillo Ledón, dramaturga y gran mecenas de las artes. Como directoras del Ateneo Mexicano de Mujeres a finales de los treinta, ambas alientan y ayudan a muchas escritoras jóvenes. La participación activa de la mujer en la educación superior, lo mismo que el aumento del público lector femenino después de la Segunda Guerra Mundial, pueden ser dos de las causas del advenimiento en mayor escala de la intelectualidad profesional y de las revistas dedicadas a la mujer. Ya alrededor de 1960 empiezan a surgir escritoras que tienen su propia voz. Es una voz a veces nueva y generalmente comprometida con la literatura y con la sociedad. Indudablemente Rosario Castellanos es de las principales. Además, la revista El Rehilete 1961, siguiendo el ejemplo de Rueca, les ofrece un foro del que muchas no disponían antes para sus obras. A pesar de esto y de que las oportunidades para las mujeres creadoras han mejorado algo, todavía, como en la época de los Contemporáneos, la mujer escritora sigue marginada. Muchas publicaciones permanecen inaccesibles para las escritoras con excepciones token. Julieta Campos publicó en la primera época de Plural, Esther Seligson y otras en Diorama de la Cultura. En este contexto es significativa la aparición en 1976 de la revista feminista militante fem. En el periodismo sobresale Elena Poniatowska, como antes Elvira Vargas o Adelina Zendejas. Incluso algunas mujeres han tenido puestos importantes en diarios capitalinos como Socorro Díaz y Sara Moirón en El Día.

La intención original de las entrevistas que llevé a cabo entre 1974 y 1976 era recoger las experiencias vitales de las entrevistadas como artistas-mujeres, las teorías que sustentan su obra, sus ideas sobre el movimiento feminista y sus opiniones sobre otras autoras. Además, quería conocer el punto de vista de las creadoras como mujeres sobre varios problemas cruciales en la creación artística y literaria: ¿Tiene importancia decisiva en cuanto a la obra de creación el hecho de ser mujer? ¿Determina el sexo del autor el punto de vista expresado en la obra, la elección del tema, la creación de personajes? ¿Existen diferencias básicas entre las carreras profesionales por el hecho de que un escritor sea hombre o mujer? En las conversaciones con las autoras trataba de revivir a algunas otras escritoras olvidadas y determinar por qué fueron olvidadas. Al mismo tiempo quería sacar a luz algunas tendencias en la literatura hecha por mujeres relacionadas con fuerzas históricas y eventos como el Año Internacional de la Mujer (1975).

Desde el ángulo de la historia literaria deseaba dar a conocer los hechos sociológicos a los que se enfrentaron las autoras para llevar a cabo sus obras. Y, por último, quiero poner al lector en contacto con las múltiples perspectivas que presentan estas mujeres que, a semejanza de la mayor parte de las mujeres artistas en otras regiones del mundo, han debido afrontar el problema existente entre el oficio de escribir, de seguir el propio camino profesional, o la atención que reclaman otros trabajos distintos del creativo. Cabe subrayar el hecho de que todas las entrevistas discurrieron en un ambiente de franqueza y amistad.

Las introducciones a las entrevistas fueron hechas por Alfonso González y por mí misma y contienen crítica e información bio-bibliográfica sobre las autoras hasta 1976. La preparación del manuscrito ha sido obra de ambos. Espero que el libro despierte, más que conteste, los interrogantes sobre el papel de la intelectual en la cultura mexicana y acerca del feminismo en México.

Quisiera agradecer a todos la ayuda prestada en la preparación del texto especialmente a mi colaborador, Alfonso González, y a mi ayudante del verano de 1977 Juan José García, y también a los que ayudaron de distintas maneras: a Martha Acevedo, Margo Glantz y Elena Poniatowska por sus sugerencias valiosas que me dieron pistas para seguir en el trabajo; a Pura García y Mirta A. González que ayudaron en la preparación del manuscrito; a Ramón Araluce, Margarita García Flores, Carmen Sadek y Richard Wood que leyeron partes del texto.

Agradecimiento especial va dirigido a Joseph Sommers por el permiso de incluir su entrevista inédita con Elena Garro y a Emmanuel Carballo, a Margarita García Flores y a Beatriz Espejo por el permiso de incluir porciones de sus entrevistas con Rosario Castellanos. También quisiera expresar mi deuda de gratitud por la ayuda económica que recibí del Rutgers University Research Council, de la University of Southern California Graduate Research Fund y de la Division of Humanities de la misma Universidad.

Y finalmente, a mi estimado editor B. Costa-Amic por el entusiasmo y la dedicación puestos en la edición de la presente obra.

BETH MILLER
Santa Mónica, 1977

11

GUADALUPE AMOR

GUADALUPE AMOR

Guadalupe Amor (1920) nace en la ciudad de México. La educación religiosa que recibe en Monterrey y en el Distrito Federal tiene una gran influencia en su obra. La poesía ha sido su vehículo de expresión favorito y cuenta con *Yo soy mi casa* (1945), *Puerta obstinada* (1947), *Círculo de angustia* (1948), *Polvo* (1949), *Más allá de lo obscuro* (1951), *Décimas a Dios* (1953), *Otro libro de amor* (1955), *Sirviéndole a Dios de hoguera* (1958), *Todos los siglos del mundo* (1959), *Como reina de barajas* (1966), *Fuga de negras* (1966), y *El zoológico de Pita Amor* (1975). También ha escrito una novela autobiográfica, *Yo soy mi casa* (1957), y una colección de relatos, *Galería de títeres* (1959).

Por su forma y contenido la poesía de Pita Amor tiene cierta afinidad con la de Sor Juana Inés de la Cruz. Los temas de la vanidad, de lo efímero de la vida y del acercamiento a Dios aparecen en formas tradicionales como el soneto, la décima y la lira. Sin embargo su novela *Yo soy mi casa* es bastante novedosa en cuanto a su estructura: en vez de capítulos, la división consta de las partes de una casa: recámaras, halls, corredores, jardín, patios, sala, comedor, baños, etc. Según Emmanuel Carballo, la protagonista narradora "es una pequeña encarnación de la desmesura: en vez de practicar virtudes, practica vicios... El mayor de ellos es la soberbia".[1]

[1] Emmanuel Carballo, "Yo soy mi casa", *México en la Cultura* (6 de octubre, 1957), p. 2.

15

El zoológico de Pita Amor (México: Ed. Siglos, 1975) es un libro de décimas dedicadas a animales reales e imaginarios (v.g., el animal de la luz). Si en la mayoría el tono es juguetón y reflexivo, en algunas como la XXXV es pesimista: "Un perro en la catedral / por la noche se paseaba / y y en el hocico llevaba / un Cristo abierto y bestial..." La última décima del volumen es interesante por la auto-concepción de la autora:

> La Pita es un animal
> lleno de alas celestiales
> de aladas alas cabales
> y tiene algo de infernal.
> La Pita es un pedestal
> donde el mundo va a rendirse,
> cuando ella tenga que irse;
> es mezcla de puma y gata
> y hasta los dioses desata
> cuando ella quiere morirse.

Un objeto de estudio interesante sería la imagen de la mujer en la obra de Amor. El relato "Margarita Montescos", por ejemplo, de *Galería de títeres* fue atrevido en un tiempo aunque no constituya un serio desafío al orden prevaleciente de la fantasía ni de la polaridad sexual.[2] Ofrece más bien una especie de intercambio de papeles en el cual una mujer de casi setenta años tiene su última reunión sexual (pagada) con un joven amante, un guapo "prostituto". Contando con dinero suficiente sólo para pagarle una vez más sus servicios, ella suplica: "¡Por piedad, por tu vida, por la mía! Olvida mis arrugas, perdona mis carnes lacias y tómame una vez más... Como si fuera la primera vez que estuvieras con-

---

[2] Ver Beth Miller, "Seducción y literatura", *Eros*, Nº 8 (febrero, 1976), p. 104; Guadalupe Amor, *Galería de títeres* (México: Fondo de Cultura Económica, 1959).

migo, como si yo fuera una virgen." El joven, indiferente, colocó el dinero en su cartera y "se hundió en Margarita como un fogoso marinero en un barco desvastado". Cuando la deja media hora más tarde, la anciana pide a su criada que le traiga un vaso de agua para colocar su dentadura postiza, y, "Con la boca vacía se quedó profundamente dormida, como si hubiera caído hasta el fondo de su última sonrisa." El fin del sexo es trágico para este personaje porque señala el fin de su feminidad, de su identidad, de todo su ser.

Antes de iniciarse en la poesía, Pita Amor se dedicó al teatro y al cine. Tal vez se deba a esto su gran talento y popularidad como declamadora. Ha ofrecido varios recitales de poesía de gran éxito. Su mayor contribución a la cultura mexicana quizá sea el haber resucitado y popularizado la poesía barroca. Alfonso Reyes describe a Guadalupe Amor así: "Nacer en cuna de seda, y afrontar con inconsciente arrojo el aire de la media calle. Conquistar por asalto y catástrofe el derecho a la libertad... Divagar entre balbuceos y tropiezos, con sagrado sonambulismo. Y una buena mañana, he aquí que todo eso era poesía, poesía que se ignoraba... aquí se trata de un caso mitológico..."[3]

Hoy día Guadalupe Amor vive en una especie de fantasía. Sus declaraciones, a veces contradictorias, se podrían atribuir a su casi constante estado de ebriedad. La gente atribuye su alcoholismo y desquiciamiento a la muerte de un hijo hace años pero en realidad se ignora el motivo de su desesperanza y desesperación. Al mismo tiempo desprecia toda vanagloria y anhela la fama. En una parte no citada de esta larga entrevista dice: "A mí, no me importa el éxito ni la fama. No me importa la eternidad. Estoy mucho más preocupada por mi *lover* que por mi poesía". Durante la entrevista recitó de memoria extensos poemas de Rosario Castellanos,

---

[3] Alfonso Reyes en *Veintiuna mujeres de México*, por Antonio Peláez (México: Ed. Fournier, 1959), folio 3.

Rubén Darío, Salvador Díaz Mirón, Enrique González Martínez, Pablo Neruda, Salvador Novo, Carlos Pellicer, Sor Juana Inés de la Cruz, Santa Teresa, Jaime Torres Bodet, Lope de Vega y Xavier Villaurrutia. También cita a José Gorostiza, Amado Nervo, Edith Piaf y Virginia Woolf. Sirva esto, y las muchas observaciones profundamente verdaderas que hace Pita Amor, como testimonio de su gran capacidad mental.

ENTREVISTA CON GUADALUPE AMOR

M: Me decías que Elena Poniatowska es tu pariente.

GA: Sí, es mi sobrina.

M: Ya ha publicado novelas y cuentos.

GA: Muy malos.

M: Tú sabes que a algunos les gusta mucho lo que escribe Elena Poniatowska. A mí, por ejemplo.

GA: Es algo terrible. Yo la quiero mucho y es sobrina mía, pero es una periodista, no una escritora.

M: ¿Por qué crees que habiendo tantos escritores de segunda categoría en México que tienen fama, no encuentro a escritoras fácilmente?

GA: Porque no hay.

M: ¿Crees que ha sido un obstáculo en tu propia carrera el ser mujer?

GA: No, yo no tengo problema.

M: Pero yo creo que, en general, la escritora, por ser mujer, encuentra obstáculos en México. Por ejemplo, muchas personas dicen que Alfonso Reyes escribió tu poesía. Yo sé que no, pero, ¿por qué dicen esas tonterías?

GA: Tal vez la gente es muy estúpida, ¿no?

M: Nunca se dice que una mujer escribió la poesía de

un hombre. Yo te pregunto si es un obstáculo en la carrera literaria el ser mujer. ¿Tú no quieres hablar de las mujeres escritoras?

GA: No puedo hablar. *I can't talk.*

M: ¿Conoces a Elena Garro? En general, las escritoras hablan muy bien de ella y de ti.

GA: *I live in a very hard world, too hard.*

M: ¿Conoces a Gorostiza?

GA: Tampoco.

M: ¿Me quisieras hablar de cualquier escritor o escritora?

GA: No. De lo que te voy a hablar es de mi poseía. Tú eres muy joven.

M: Tengo treinta y cuatro años.

GA: Yo, cincuenta y seis. No parece, ¿verdad?

M: Guadalupe, tú has escrito algunas cosas formidables.

GA: Nunca.

M: Entonces, lo que habían dicho de Alfonso Reyes... Alfonso Reyes escribió una reseña favorable de un libro de poesía tuyo.

GA: Yo nunca hice caso de esas cosas. Mi obra es filosófica, transcendente y terriblemente profunda.

M: ¿Tú me podrías decir una poesía?

G: Te iba a decir una de Alfonso Reyes, mi gran amigo: "Era un jardín, era un rosal / y era la fiesta de los pájaros hundida..."

M: ¿Te gustó la poesía de Jaime Torres Bodet?

GA: *Part of it. Part of it.*

M: ¿Lo conociste?

GA: Muchísimo.

M: Yo lo conocía también y escribí un libro sobre él.

GA: Fantástico.

M: ¿Conoces la poesía de Octavio Paz?

GA: Nada. Voy a platicarte algo de Sor Juana. (Sin duda alguna Juana de Asbaje, es el más grande ingenio que ha producido Anáhuac): "Siento una grave agonía / por tener un devaneo / que empiece como deseo..."

19

M: Yo quisiera saber cómo empezaste a escribir poesía.

GA: Yo hago sueños desde que tengo diecisiete años.

M: ¿Tus padres escribieron?

GA: Mi padre era muy distinguido, era un rey y un *gentleman* y escribía poesía en inglés. Era un hombre cultísimo que hablaba de tú con la gente.

M: ¿Tu mamá tenía alguna educación?

GA: No como mi padre, pero era una mujer muy bella, muy valiosa y muy valiente.

M: ¿Tú tienes hermanos?

GA: Seis hermanos y todos viven. Yo soy la frontera entre los mayores y los menores. Hay uno al que adoro. Tremendamente distinguido y culto y que por fortuna para él, no cree en el dinero. Como yo. Yo no creo en el dinero.

M: ¿No tienes ninguna copia de tus obras?

GA: Un día rompí y quemé toda la crítica literaria más ilustre que ha tenido mexicano alguno. Todos mis retratos y mi pasaporte los enterré en mi vida. De mí no tengo nada más que mi amor a la humanidad.

M: ¿Alguna vez has hecho traducciones de otra lengua al español?

GA: Hice unas traducciones malas.

M: ¿Cuáles?

GA: De Rilke y de Goethe.

M: Muy difícil, ¿no?

GA: Menos difícil que el amor.

M: Elena Poniatowska dice que a veces ella cree que en México todas las mujeres que han conseguido algo son o solteras o divorciadas o viudas.

GA: Eso es una estupidez.

M: ¿Sí, por qué?

GA: Es mi pariente y eso basta.

M: Dime cualquier cosa de los escritores o escritoras que has conocido.

20

GA: Soy amiga del genial cuentista Juan Rulfo. Y del talentosísimo Juan José Arreola. Fui íntima amiga de mi ilustrísima compañera Rosario Castellanos a quien escribí estos versos:
"Tenías la cara de esfera / y las manos de marfil / y es perfecto tu perfil..."

M: ¿Y tú piensas seguir escribiendo poemas?

GA: Ya no, pero aunque he escrito poco, mi obra está traducida a varios idiomas.

M: Sabes que Virginia Woolf tiene un ensayo pequeño sobre el hecho de que nunca ha habido una Shakespeare, cosa que no quiere decir nada. Si hubiera nacido una Shakespeare la habrían destruido debido a las condiciones sociales y culturales.

GA: Yo sólo sé de Virginia Woolf una frase que escribió, algo como, "esos hombres que tienen todavía el valor de salir por la tarde con una pluma azul en el sombrero". No quiero hablar de Woolf. Sólo puedo hablar de poesía y de pintura.

M: ¿Tú conociste a Frida Kahlo?

GA: Íntima amiga mía. Una genial pintora.

M: ¿Admiras a otras pintoras?

GA: Como a Frida, ninguna.

M: Mencionaste a Margarita Michelena.

GA: Muy valiosa.

M: ¿La conoces desde hace mucho tiempo?

GA: Muy amiga.

M: ¿También conoces a Emma Godoy?

GA: Menos valiosa pero muy valiente.

M: ¿Conociste a Concha Urquiza?

GA: No. Se suicidó en el mar. Casi todas las mujeres que escriben poesía se suicidan. Se suicidó Delmira Agustini, Alfonsina Storni y Concha Urquiza.

M: Muchas compatriotas mías también. ¿Quieres hablar de ti?

21

GA: No me gusta hablar de mí.

M: ¿Quieres hablar un poco más de Rosario Castellanos?

GA: No sé nada más.

M: ¿Conociste a Gabriela Mistral?

GA: Mucho. Mucho.

M: ¿Te gustó su poesía?

GA: Nada, pero fui íntima amiga de Pablo Neruda. Genial, extraordinario, sensacional, imponente, el más grande poeta latinoamericano que ha dado este siglo.

M: ¿César Vallejo te gusta también?

GA: No lo conozco nada.

M: ¿Y los modernistas?

GA: ¿Cuáles?

M: Como Rubén Darío.

GA: Estupendo. Se acabó Nicaragua y sigue viviendo él.

M: ¿Alguna vez leíste versos de Gertrudis Gómez de Avellaneda?

GA: Sí, pero no me acuerdo.

M: ¿Y Borges?

GA: Conozco muy poco.

M: ¿Crees que hay diferencia entre la poesía escrita por un hombre y la escrita por una mujer?

GA: Sí. En casi todos los casos es superior la del hombre.

M: ¿Por qué?

GA: Estoy segura y lo puedo probar. Los hombres son más inteligentes que las mujeres pero sin calidad humana. Son mucho menos valientes y heroicos. No he conocido casi una mujer que no valga la pena.

M: Hay poesía escrita por mujeres.

GA: Hay poesía que parece escrita por hombres, la de Sor Juana y la mía.

M: ¿Tú conoces la poesía de alguna mujer de otro país? Porque veo que hablas inglés estupendamente.

GA: De muchísimas españolas. Santa Teresa.

M: ¿Y de alguna otra española?

GA: Conozco españolas modernas pero no recuerdo su poesía. Pero sé que no hay nadie más genial que Santa Teresa. Nadie.

M: ¿Y Sor Juana?

GA: Sor Juana no es genial. Sor Juana es el más grande ingenio que ha dado México.

M: Sor Juana se emocionaba para poder escribir cualquier cosa.

GA: No, para poder pensar.

M: Sí, claro. Para poder pensar, porque si no, se habría casado y se hubiera dedicado a criar niños y a cuidar a su esposo, su casa. Eso hubiera sido lo normal, ¿no crees?

GA: De eso no puedo hablar.

M: ¿Y tú leíste en francés?

GA: Yo conozco algo de poesía francesa.

M: Yo no creo que haya poesía de poetas francesas importantes.

GA: Creo que estás en lo cierto.

M: ¿Qué va a pasar ahora? La moda es terrible.

GA: Eso es lo fácil. Lo imposible es hacer poesía bien hecha. La gente de ahora se va por lo fácil. No van a perdurar. Lo único que perdura es lo bien hecho.

M: ¿Cómo se distingue entre un poema bien hecho y otro mal hecho?

GA: Con conocimientos.

M: ¿Crees que es posible que haya grandes talentos sin descubrir?

GA: Sí.

M: ¿Crees que haya poetas que llegan a tener mucha fama sin ser grandes poetas?

GA: Sí.

M: ¿Qué crees de Gutiérrez Nájera?

GA: No existe.

M: Pero en los Estados Unidos y aquí en México hay muchos libros y estudios sobre él.

GA: También hay muchos "comics" y muchas historietas y mucha mugre.

M: ¿Y por qué hay tanto interés en Gutiérrez Nájera?

GA: Porque hay mucho imbécil en el mundo.

M: ¿Nos podrías decir algunas palabras de José Gorostiza?

GA: Las únicas que valen la pena: "Inteligencia, soledad en llamas". De mí misma no quiero hablar. Sólo quiero decir algo de mi poesía: "De mi empírica idea de las cosas / parten mis inquietudes y mis males..." *I am rather different*. Yo no me visto, yo me cubro. Yo no tengo nada. Yo no soy católica. Mi religión es cada día que vivo hacer algo por alguien. Si no puedo al menos invitar a un refresco, al menos decir a alguien una palabra bella. Esa es mi religión. Ser una gran humilde. Nunca puedo comprar un traje. Pero soy una gran soberbia y te voy a decir mi epitafio:

> Es tan grande la ovación
> que da el mundo a mi memoria
> que si cantando victoria
> me alzaste en la tumba fría,
> en la tumba me hundiría
> bajo el peso de mi gloria.

M: ¿Y conoces algún poema de Villaurrutia?

GA: ¿De Villaurrutia, mi maestro?: "Es mi amor como el oscuro panal de sombra encarnada / que la hermética granada la abre en su cóncavo muro..." Y te voy a decir también su epitafio:

> Aquí yace dormido y olvidado
> el que en vida vivió mil y una muerte.
> Nada quieras saber de mi pasado.
> Despertar es morir.
> No me despierten.

M: Me dice Bambi [de Excelsior] que tú has escrito unos poemas estupendos en su casa. ¿Es cierto?

GA: Leyendas. Yo ya no soy más que leyendas. Yo he sido muy bella, bellísima. *I was very, very beautiful.*

M: Sé que fuiste a Europa y que a tu regreso diste una serie de recitales en Bellas Artes.

GA: He dado muchos recitales en España y México. Han tenido éxito. Me quito el anillo, hago así y aúlla la gente, y hago así y aúllan. Son unos toreros.

M: ¿Sólo estuviste en España o también en Francia?

GA: En España, Italia, Inglaterra, Alemania, Holanda, Bélgica, Luxemburgo, Mónaco y África.

M: ¿En un solo viaje visitaste todo?

GA: En un solo viaje. Me debía haber quedado en África. Fui a África a ver los leones que no hacen daño. El que hace daño es el ser humano, no los animales.

M: ¿Te gustan los animales?

GA: Antes no, ahora los adoro. Yo tengo una gran admiración por las mujeres y un terrible desprecio por los hombres.

M: ¿A Rosario Castellanos la enterraron en la Rotonda de los Hombres Ilustres?

GA: Para mí eso no vale nada. Yo no creo en el honor ni en vida ni en muerte. Yo tengo el más profundo respeto por ella, por el espíritu que tenía y por lo valiente que fue. No me deslumbra la Rotonda de los Hombres Ilustres, ni el cielo. Me deslumbra un poco más el infierno porque en él vivo.

M: ¿Hay otra mujer en la Rotonda de los Hombres Ilustres, verdad?

GA: Ángela Peralta. ¡Pero cómo comparas a Ángela Peralta con Rosario Castellanos! ¡Qué maravilla que estén Diego Rivera y Alfonso Reyes. Rosario Castellanos y Torres Bodet! Pero no Agustín Lara y Ángela Peralta. Por favor, ¡estamos perdidos!

M: Quizás.

GA: Yo quiero a Elenita Poniatowska, le tengo gratitud. Pero Elenita es una periodista. Entre una poeta y una periodista hay la misma distancia que hay entre Neptuno y México. Y a mí no me toma el pelo nadie. Yo le puedo decir a Dios cómo es el hombre, y al hombre cómo es Dios.

M: ¿Cómo ves la relación entre Estados Unidos y México?

GA: Estados Unidos nos ayuda, nos mantiene. Somos un satélite de E. U. No hay un mexicano que haya obtenido su libertad. Pertenecemos a Estados Unidos. Todos los países nos ayudan. Estamos endeudados con todos los países. México es un país de cobardes.

M: ¿País de cobardes?

GA: De cobardes. No las mujeres, los hombres. Si hubiera habido un mexicano después de Tlatelolco, él hubiera armado una revolución.

(México, D. F., 17 de agosto, 1974)

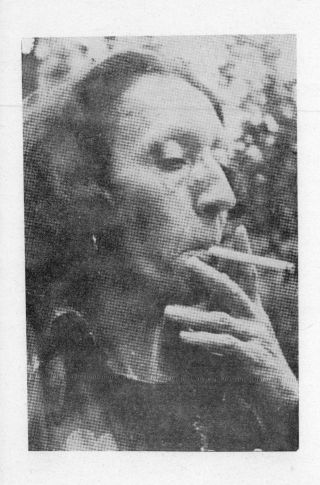

GUILLERMINA BRAVO

GUILLERMINA BRAVO

Guillermina Bravo (1923) nace en Chacaltianguis, Veracruz, y hace sus estudios primarios en la ciudad de Tampico y en el Distrito Federal donde estudia también música y danza. Recibe sus primeras lecciones de baile regional en la Escuela Nacional bajo la dirección de las hermanas Nellie y Gloria Campobello. Rompe con la danza tradicional en 1942 cuando se integra a un ballet que dirigía la maestra norteamericana Waldeen. Al establecerse por decreto el Instituto Nacional de Bellas Artes en 1946, su director, Carlos Chávez, llama a Guillermina Bravo para que funde y dirija la Academia de la Danza Mexicana. Independizándose de Bellas Artes en 1948 funda el Ballet Nacional de México del cual es su directora artística hasta la fecha. A este ballet se le atribuye el nacimiento y el desarrollo de la danza mexicana contemporánea. Aquí se iniciaron y formaron músicos como Rafael Elizondo y Guillermo Noriega y escenógrafos como Marcial Rodríguez, Raúl Flores Canelo, Guillermo Barklay y José Cuervo. Al frente del Ballet Nacional ha viajado por todo el mundo.

En 1963 Guillermina Bravo establece contacto con la Escuela Graham de Danza Contemporánea de Nueva York e introduce a México sus métodos y técnicas que son la base del Seminario de Danza Contemporánea y Experimentación Coreográfica de la UNAM, fundado en 1970. Ha impartido numerosos cursos y conferencias sobre danza contemporánea y su obra creativa es una de las más prolíficas y variadas en el ámbito de la danza nacional. Se reconocen en su obra las siguientes etapas: nacionalista (1951-1957) con obras realistas de temas sociales; no-realista (1958-1963) con temas mágico-rituales provenientes de las comunidades indígenas; exploración de los diversos usos del coro (1964-1967) con temas didácticos. A partir de entonces sigue dos líneas de desarrollo: una que enfoca al hombre en su vida interior, manifestada a través de sus relaciones eróticas, y otra en la que se explora el espacio escénico a través de formas geométricas (1967-1971). Integra ambas corrientes en *Homenaje a Cervantes* (1972), e inicia una etapa de composición de danzas para solistas.

Desde 1967 ha incursionado en el teatro colaborando con las puestas en escena de *Yo también hablo de la rosa*, *Acapulco los lunes*, *Silencio, pollos pelones, ya les van a echar su maíz* y *Cantata a Hidalgo*, todas con guiones de Emilio Carballido y música de Rafael Elizondo. Ha colaborado con Luisa Josefina Hernández en la Escuela de Arte Dramático de la Facultad de Filosofía y Letras de la UNAM poniendo en escena *Escenas escogidas* de O'Neill, *Escenas escogidas* de Shakespeare, *Totili Mondi* obra colectiva de los alumnos de la Escuela de Arte Dramático. Continúa con *El patio de Monopodio* y *Naná* en 1973, *Matka* (1974) y *El pájaro azul* (1975). Entre los varios premios y medallas recibidos quizá el más significativo haya sido el que lleva su nombre y que fue instaurado por la Asociación de Críticos y Cronistas Teatrales. Recibe el Premio Guillermina Bravo a la mejor coreografía para teatro por su labor en *Matka* en 1975.

Las raíces y el florecimiento de la danza contemporánea mexicana se le atribuyen justamente a Guillermina Bravo. Bailarina, maestra y coreógrafa, ha triunfado en una profesión en donde antes predominaban los hombres. Damos a continuación una bibliografía de sus actividades dancísticas.

1946:   *Cuarteto Op. 59 N° 3.* Música de Beethoven.
        Sonata N° 7. Música de Sergei Prokofiev.
1947:   *El Zanate.* Música de Blas Galindo. Diseños de Gabriel Fernández Ledesma.
        Preludios y Fugas. Música de Juan Sebastián Bach. Diseños de Guillermo Meza.
1949:   *Fuerza Motriz.* (Ballet de masas). Música de Carlos Chávez y Sergei Prokofiev. Diseños de Horacio Durán.
1951:   *Recuerdo a Zapata* (ballet-cantata). Música de Carlos Jiménez Mabarak. Diseños de Leopoldo Méndez.
1952:   *La Conquista del Agua.* Música de Carlos Jiménez Mabarak. Diseños de Raúl Flores Canelo.
        Alturas de Machu Pichu. Música de Beethoven. Diseños de Julio Prieto.
        Guernica. Música de Guillermo Noriega. Diseños de Fernando Castro Pacheco.
1953:   *La Nube Estéril.* Música de Guillermo Noriega. Diseños de Fernando Castro Pacheco.
1954:   *Rescoldo.* (Ballet suspendido por las autoridades) de Gabriel Fernández Ledesma.
1955:   *Danza sin Turismo.* Música de Silvestre Revueltas. Diseños de Raúl Flores Canelo.
1956:   *El Demagogo.* Música de Bela Bartok. Diseños de Xavier Lavalle.
1957:   *Braceros.* Música de Rafael Elizondo. Diseños de Raúl Flores Canelo.
1958:   *Imágenes de un Hombre.* Música de Silvestre Revueltas. Diseños de Raúl Flores Canelo.
1959:   *Los Danzantes.* Música de Concheros. Diseños de Xavier Lavalle.
1960:   *El Paraíso de los Ahogados.* Música magnetofónica de Carlos Jiménez Mabarak. Diseños de Raúl Flores Canelo.

1961: *Danzas de Hechicería.* Música de Rafael Elizondo. Diseños de Raúl Flores Canelo.

1962: *El Bautizo.* Música de José Pablo Moncayo. Diseños de Raúl Flores Canelo.

1963: *Margarita.* (Cuento para niños muy pequeños). Música de Rafael Elizondo. Diseños de Raúl Flores Canelo. Poema de Rubén Darío.
La Resortera de Oro. (Cuento infantil). Música de Carlos Jiménez Mabarak. Diseños de Raúl Flores Canelo.

1964: *La Portentosa Vida de la Muerte.* Música de Carlos Jiménez Mabarak. Diseños de Raúl Flores Canelo.

1965: *¡Viva la Libertad!* Música de Arthur Honnéger. Diseños de José Cuervo.

1966: *Pitágoras dijo...* Música de Carlos Jiménez Mabarak. Diseños de José Cuervo.

1967: *Comentarios a la Naturaleza.* Música de Benjamín Britten. Diseños de José Cuervo.

1968: *Amor para Vivaldi.* Música de Antonio Vivaldi. Diseños de José Cuervo.
Montaje. Música de K. Penderecki. Diseños de Henri Hagan.
Apunte para una Marcha Fúnebre. Música de Gustav Mahler. Diseños de Guillermo Barklay.
Juego de Pelota. Música de Rafael Elizondo. Diseños de Guillermo Barklay.

1969: *Los Magos.* Música de Gustav Mahler. Diseños de Guillermo Barklay.

1970: *Melodrama para dos hombres y una mujer.* Música de K. Penderecki. Diseños de Guillermo Barklay.

1971: *Interacción y Recomienzo.* Música de Gustav Mahler. Diseños de Guillermo Barklay.

1972: *Homenaje a Cervantes.* Música de Juan Sebastián Bach y Lucas Foss. Diseños de Guillermo Barklay.

32

1973   Estudio N° 1. *Danza para un muchacho muerto.*
        Música de Juan Sebastián Bach.
1974:   Estudio N° 2. *Danza para un efebo.* Música de Juan
        Sebastián Bach.
        Estudio N° 3. *Danza para un bailarín que se trans-
        forma en águila.* Música de Juan Sebastián Bach.
1975:   Estudio N° 4. *Lamento por un suceso trágico.* Músi-
        ca popular andaluza. Tres saetas.

ENTREVISTA CON GUILLERMINA BRAVO

M: El otro día te pregunté si te considerabas feminista y
    dijiste: "Me interesan los problemas de los pueblos,
    de la humanidad. Me parece que los hombres tienen
    tantos problemas como las mujeres".

B: Allí me equivoqué; ahora diría que el pobre hombre
    mexicano tiene más problemas que las mujeres.

M: Y luego dijiste: "No veo por qué encauzar una co-
    rriente política hacia un sexo solamente".

B: Sí. Es lo que pienso.

M: A mí me interesan mucho las mujeres. ¿Me podrías
    hablar un poquito de Nellie Campobello? Sé que hi-
    ciste tus primeros estudios en la Escuela Nacional de
    Danza que dirigían las dos hermanas Campobello.

B: La conocí en esa época antes de Cristo y luego real-
    mente perdí totalmente su pista. Sé que es una mujer
    interesante, más que como bailarina como escritora y
    muy pintoresca como mujer y como feminista y *avant-
    garde.*

M: También estábamos hablando el otro día de la coreo-
    grafía en México. Algunos me habían dicho que es
    un "campo de las mujeres". Pero tú no estás de acuer-
    do, ¿verdad?

33

B: Bueno, probablemente en sus primeras épocas fuimos las mujeres —cuando nos decidimos a liberarnos, somos muy agresivas— las que tomamos esa profesión, pero yo creo que en este momento los coreógrafos hombres están cobrando mayor importancia.

M: Y también las grandes compañías de danza, las famomosas, son de hombres...

B: Sí, las de Merce Cunningham, Paul Taylor, Alvin Ailey, Alvin Nikolai, Murray Louis. Y también en México, en el mundo contemporáneo de la danza de hoy, la mayor parte son hombres. Realmente yo soy la única mujer.

M: También dijiste que te interesaban, en la danza contemporánea, los bailarines hombres porque tienen más fuerza.

B: En el hombre se ha desarrollado con nuevo énfasis la profesión de la danza, que estaba relegada a las mujeres en el ballet clásico. Con grandes excepciones, como Nijinsky, las estrellas del ballet clásico son mujeres.

M: En 1963 estableciste contacto con la Escuela Graham —que no mencionamos hablando de las compañías— y tomaste algunos cursos. ¿Crees que la técnica Graham te ha influenciado mucho?

B: Pues, mira, creo que me ha influenciado, no sé hasta qué punto, porque me entreno, y el ballet al que pertenezco se entrena con esa técnica. Me parece la técnica más completa del mundo contemporáneo. Ahora, yo pienso que, al tener contacto el cuerpo mexicano con esa técnica, ha sufrido alteraciones la técnica. O sea, hay una readaptación al cuerpo del mexicano por un lado. Por otro, conscientemente nosotros estamos tratando de desarrollar la técnica. Ya no podemos dejar toda la tarea a Graham; es una pionera y una iniciadora de un concepto técnico muy valioso, pero

34

nosotros tratamos de enriquecerlo, de suplir sus deficiencias, tanto con cosas de nuestra experimentación como con otras técnicas— cosas que creemos que le faltan a la técnica para hacer un entrenamiento completo.

M: Una de las cosas interesantes que dijo Martha Graham, si no me equivoco, fue que en su método había tanta disciplina que no hacía falta que los bailarines estudiaran ballet clásico.

B: Yo estoy totalmente de acuerdo. Los bailarines de este grupo (el Ballet Nacional de México) nunca han estudiado ballet clásico.

M: ¿Entonces el entrenamiento es esencialmente técnica Graham?

B: Ahora, para hacer el desarrollo de la técnica, estamos confrontándonos por primera vez con la técnica cubana del ballet clásico, no para entrenarnos con esa técnica, sino para ver qué podemos darle a Graham que no se haya tomado en cuenta antes. Sin embargo, el grupo que tú viste nunca se ha entrenado en ballet clásico, jamás.

M: Cuando hablas del "cuerpo mexicano", ¿te refieres sobre todo a la altura?

B: A la proporción. Por ejemplo, la espina dorsal del latinoamericano está ligeramente echada para adelante. Termina la colita —el cóccix— en una cosa saliente que no tiene, por ejemplo, el cuerpo nórdico. No lo tienen los norteamericanos, ni la gente de Europa, que tiene más plana la espina. Entonces esta cosa ligeramente pandeada que tienen los latinoamericanos es lo que hay que tratar (los negros tienen el mismo problema). Por ejemplo, a nosotros nos cuesta mucho trabajo sentir el centro. Estas cosas son muy pequeñas, pero entran en la especialización de quien quiere desarrollar un método técnico. La técnica cu-

35

bana trabaja mucho esa particularidad de la espina.
Entonces para entrar en la disciplina del ballet clásico, tuvieron que hacer adaptaciones —por eso le
llaman técnica cubana— y están ayudando a los cuer-
pos del latino.

M: ¿Y no ayudan todas esas contracciones de la técnica
Graham?

B: Para nosotros eso es muy difícil porque somos de torsos cortos. Claro, lo que estamos haciendo es estirar
los torsos para alcanzar la contracción correcta.

M: Del '64 al '67 hiciste algunas obras didácticas, según
me dijiste. ¿Didácticas en que sentido?

B: Estaba muy influenciada por la corriente de Bertolt
Brecht, un hombre de teatro que inventó un método
didáctico para decirle al auditorio ciertas ideas que
le interesaban a él que entendieran. Entonces, la danza
didáctica es para hacer al público entender algunas
cosas que uno como artista quiere hacerle entender.
Hice obras como *La Portentosa Vida de la Muerte*, basada en la técnica de Bertolt Brecht. O sea, había un
distanciamiento, había un narrador que explicaba el
concepto. Hice obras obviamente didácticas como *Comentarios a la Naturaleza*, en la que participó Carlos
Gaona. En el caso de *Comentarios a la Naturaleza* quería enseñarle al pueblo qué es una orquesta sinfóni-
ca, cómo son las maderas, los metales, las cuerdas.

M: También has hecho coreografía para el teatro y has
trabajado con Luisa Josefina Hernández. ¿Quieres
hablar un poco de la colaboración que hicieron ustedes?

B: Trabajamos juntas varios años. Luisa Josefina, en primer lugar, es mi maestra, una de las personas que
más respeto en México. Fue a dar un curso al Ballet
Nacional de una materia que se llama "análisis de
composición". Es una materia de ella, del teatro. A

36

partir de eso, ella me invitó a hacer el movimiento de algunas obras y de algunos trozos de obras con sus alumnos de Filosofía y Letras en la Universidad Nacional. Hicimos un equipo muy bonito; ella me decía los significados y yo ponía el movimiento a los actores. Entonces de allí he derivado todo un método, posteriormente a esa experiencia, que se llama "expresión corporal para actores", encaminado a buscar físicamente el diseño del personaje de la obra de teatro. Por ejemplo, si un actor va a ser Ricardo III, necesita un diseño porque el personaje es jorobado, tuerto y cojo; si va a ser Hamlet, necesita otro diseño. Si se va a hacer una obra distorsionada de Ionesco, pues se necesita otro diseño completamente. Entonces mi método para actores es un entrenamiento corporal para que lleguen a dominar sus músculos dentro de la actuación.

M: ¿En tu escuela —la Escuela del Ballet Nacional— la mayoría de los estudiantes quieren ser bailarines de profesión?

B: Bueno, hay un seminario que se llama "Seminario de Danza Contemporánea" y sí es una escuela para especialistas. Nada más que admitimos primero a una gran población escolar y luego vamos seleccionando por facultades y fundamentalmente por interés. El que tiene interés profesional lo vamos promoviendo a grupos más desarrollados hasta que llega a ser bailarín. La nuestra es una escuela piloto, una escuela experimental para hacer bailarines con un programa de seis años.

M: Hace casi treinta años, cuando se fundó la Academia de la Danza Mexicana en 1946, te llamaron para ser directora. ¿Por qué a ti?

B: No tengo la menor idea. Fue realmente un gesto de gran progreso. La fundó Carlos Chávez, el músico.

Él acababa de ver un programa que yo había montado en el teatro que hoy es el Cine Prado. Allí puse yo un programa junto con Ana Mérida y un grupo de gente que luego fue muy prominente en la danza. Ya hacíamos Ana y yo cosas nuestras, modernas. Esto coincidió con el gobierno de Miguel Alemán que fundó el Instituto Nacional de Bellas Artes. Entonces Carlos Chávez, después de ver la función, me llamó para hacer la Academia de la Danza Mexicana, basada en conceptos modernos. Así que la primera escuela de danza que hubo en México fue una escuela de danza moderna.

M: Sin embargo, yo creo que en muchos países todavía es más conocido el Ballet Folklórico de Amalia Hernández, quizá por lo mexicano, lo exótico.

B: Sí. Yo creo que Amalia es una institución; es una persona que, lo que hace, lo hace muy bien y a nivel internacional. Pero realmente no es mi campo. Para mí el folklore es algo que debe verse en sus lugares de origen. El verdadero folklore es una creación del indígena nuestro, y para verlo hay que ir a donde ellos lo hacen. Como para ver las pirámides hay que ir a Teotihuacan. No es posible traer las pirámides al foro de Bellas Artes.

M: ¿Ni a París?

B: Ni a París. Tiene que venir el parisino a México a ver el folklore —si se quiere ver nuestro folklore— de otro modo, se ve el Ballet Folklórico de México. Es realmente un espectáculo, pero no enseña el mito y la mística que tiene el indígena mexicano. El folklore no es algo para llevarse al foro; es algo religioso, místico, y profundamente útil a la comunidad. El indígena baila para la cosecha, para la recolección, para la siembra, para el matrimonio, para la muerte, o sea, la danza es parte de su vida diaria, de su vida comunal. Entonces para mí, eso es lo que hay que ver si se viene de la Cochinchina y se quiere ver folklore. Si no ¡vaya! hay el Ballet de Amalia Hernández como folklore teatral, correcto. Yo soy muy radical en cuanto al folklore y creo que no podemos seguir explotando al indio.

M: Me dijo Raquel Tibol del cuerpo de tu obra, una linda frase: "Guillermina Bravo ha pasado por los estudios de desarrollo del arte en México; ha tenido su etapa nacionalista y luego su etapa de cierta combatividad, después se ha ido de manera radical al formalismo, y está ya, con mayor madurez volviendo a un arte más completo, expresándose con gran forma artística." ¿Qué te parece?

B: Respeto mucho a Raquel Tibol como crítica de arte. Yo no puedo decir nada de mi propia obra. Generalmente me gusta hacer danza; nunca hablo de danza. Sin embargo puedo decir esto, con relación a lo que dijo Raquel Tibol: Mis cambios de etapa, de conceptos, han sido siempre combatidos. Cuando yo fui nacionalista, en la época del general Cárdenas en que el nacionalismo redescubrió al indígena toda la época del moralismo mexicano nadie quería ver la danza nuestra. Cuando fui una persona terriblemente de izquierda que ponía a bailarines con overoles en el foro, pues todo el mundo estaba en contra, y me suspendía ballets el gobierno· Ahora, extrañamente, todo el mundo regresa a un nacionalismo cuando yo pienso que el nacionalismo en este momento es lo menos indicado. Estamos en una etapa en que el nacionalismo sirve los intereses del gobierno. Claro, en el caso del general Cárdenas, una época de ideas muy progresistas, pues creo que el nacionalismo servía esas ideas, pero si nuestro gobierno es una democracia burguesa, pues nuestro nacionalismo servirá a la burguesía. O

sea, no hay que confundir nacionalismo con revolu-
cionismo.

M: Hablando de eso precisamente, ¿por qué suspendió
el INBA tu obra del 64, *Rescoldo*?

B: Ah, pues porque hablaba de los intereses de los Estados Unidos en México. Así que se entiende por qué
la suspendieron.

M: ¿Entonces era una obra de tema político-

B: Era una obra básicamente de tema político, sí. La
primera parte era sobre la Revolución Mexicana, y
la segunda parte pasaba en una casa de las Lomas de
Chapultepec entre políticos de la época. Entonces me
parece perfectamente justificado que la haya supen-
dido el gobierno de Miguel Alemán.

M: Ahora se está formando en México un nuevo Consejo
de las Artes, y tú tienes un papel muy importante.
¿Podrías decir algo de eso?

B: Pues, mira, Beth, está apenas en embrión. Yo estoy
participando por primera vez en una cosa oficial. El
grupo al que pertenezco nunca ha sido oficial; siempre hemos sido un grupo independiente, y hemos
tenido choques fuertes con Bellas Artes en otras
épocas.

Nunca he querido yo estar cerca de los intereses ar-
tísticos, o aunarlos a los intereses del Estado. Siempre
hemos sido un grupo independiente, aunque cínica-
mente, porque siempre nos ha pagado el Estado.

Es una de esas contradicciones que se dan mucho en
nuestros países. Yo siempre he exigido tener miedo
del gobierno, pero nunca he servido sus intereses.
Entonces ahora el Presidente Echeverría ha lanzado
un decreto sobre un Consejo Nacional de Danza; que
sea parte, posteriormente, de un Consejo Nacional de
las Artes. La idea del Consejo Nacional de las Artes
nació de la ineficiencia de Bellas Artes en relación

a cómo ha aumentado y ha progresado el arte en el país.

El desarrollo del arte es muy claro. Bellas Artes no tiene ni el presupuesto, ni es el gran organismo para aplicar una política para las artes. Ha tenido muchas dificultades. Entonces el presidente Echevería ha creado este Consejo Nacional para ampliar el campo, y como dice el decreto, hacer posible la evolución del arte. Este corolario me entusiasmó y estoy participando, lo cual no quiere decir que nos quedemos allí. Pero si nos quedáramos, ten la seguridad de que sería para hacer un buen avance, basados en el decreto, si el decreto lo permite, para poder hacer buenas escuelas de danza, organizar las corrientes distintas, el concepto que hay en el país de danza moderna y probablemente tener un teatro para la danza, sobre todo para la contemporánea que me importa muchísimo. Entonces veremos más tarde si el Consejo funciona o no funciona. Pero ahorita hay todavía muchas dificultades.

M: ¿Por qué dices que no eres feminista?

B: Yo no acepto el feminismo como corriente política independiente. Problemas de trabajo que tú me planteas de las mujeres los reconozco, claro. Por supuesto, estoy de acuerdo que no es justo que las mujeres ganen menos que los hombres.

M: Pero también los negros y los mexicanos y los puertorriqueños ganan menos que los norteamericanos.

B: O sea, es un problema de explotación más que de mujer-hombre. Te admito que hay problemas, sobre todo del trabajo y sobre todo en Estados Unidos, que afectan específicamente a la mujer. O sea, respeto el movimiento, pero no soy precisamente feminista.

M: Lo que pasa es que, como clase, "mujer" es grandísima y hay, dentro del movimiento de las mujeres fe-

ministas marxistas, feministas conservadoras, burguesas, y feministas que se llaman radicales que dicen:
"Muy bien. Ya ha habido revolución en Rusia y todavía hay discriminación contra la mujer. Pero sigue
en pie la posición de las que dicen que hace falta una
revolución para cambiar las estructuras políticas y culturales, etcétera, pues vamos a tener que esperar quizá
otro siglo. Mientras tanto, vamos a trabajar por los intereses de la mujer y para cambiar en lo posible, las
concepciones de los papeles de los dos sexos."

B: En el momento en que la ciencia adelante más, Beth,
pienso yo que eso se equilibrará. Hoy estaba leyendo
un artículo muy interesante en *Excelsior*, en el nuevo
Excelsior, con el que no comulgo, que era un artículo
sobre experimentos de bebés mujeres y hombres. Están probando que genéticamente la bebé "mujer" es
mucho más inteligente que el bebé "hombre". Después, por causas que el artículo atribuye a la educación, el niño se desarrolla mucho más rápidamente y
con mayor brillantez que la niña. Pero la bebé y el
bebé están muy diferenciados. La bebé tiene más concentración, mucho más interés, aprende a hablar más
rápido, aprende a caminar más rápido que el niño.
Esto te lo paso, por si te sirve para tus fines políticos.

M: Gracias, pero ya lo sabía. Por eso tuve una bebé.

(México, D. F., 12 de julio, 1976)

42

CARIDAD BRAVO ADAMS

CARIDAD BRAVO ADAMS

Caridad Bravo Adams (1914) nace en Villahermosa, estado de Tabasco. Hija de padres cubanos que viajaban constantemente por su profesión de artistas, visitó todos los países de habla hispánica. A la edad de ocho años y bajo la dirección del poeta Hilarión Cabrisas, publicó sus primeros poemas en la sección cultural de un periódico de Matanzas, Cuba. A la edad de dieciséis años le fue publicado su primer libro de versos, *Pétalos sueltos* en Caracas, Venezuela. Continúa escribiendo versos y en esta misma ciudad sale *Reverberación* (1932) y más tarde *Trópico* (1934) en México, D. F., y en La Habana, Cuba, *Marejada* (1935). Durante su estancia en México forma parte de la mesa directiva de El Ateneo Mexicano de Mujeres. Reside en La Habana de 1936 a 1960. Durante este tiempo hace frecuentes visitas a México y mantiene un constante diálogo con su país natal. Desde 1960 vive en México donde escribe para la radio y la televisión.

En Cuba se dedicó a escribir primero para la radio y luego para la televisión. Haciendo adaptaciones de la literatura universal al principio y escribiendo sus propias radionovelas más tarde, mantuvo durante diecisiete años el programa radial *La Novela del Aire*. Obtuvo para este programa seis trofeos de la ACRI (Asociación Cubana de la Crónica Radial Impresa), ocho medallas de oro y dos de plata de la Asociación de Anunciantes de Cuba y el Premio García Huerta. Su primera radionovela *La Mentira,* se publica en

45

México en 1952. A ésta siguen unas treinta, todas publicadas por la Editorial Diana en México.

A su regreso a México continúa la excelente labor empezada en Cuba. Se han televisado en México su obras: *El otro, Pecado mortal, Estafa de amor, El enemigo, Encadenada, Adiós, amor mío, La mentira, Cita con la muerte, Corazón salvaje, Cristina, La desconocida, Más fuerte que el odio, Pecado mortal, Yo no creo en los hombres, El precio de un hombre, Agueda, Deborah* y *La hiena*. El cine mexicano llevó a la pantalla ocho de sus libros: *La mentira, La intrusa, Pecado mortal, Corazón salvaje, El otro, Alma y carne, Yo no creo en los hombres* y *Orgullo de mujer*. En 1971 recibió el Nezahualcoyotl, máximo trofeo de la Asociación de Escritores de Radio, Cine y Televisión de México. *La hiena* fue laureada como la mejor telenovela del año en 1973. También ha escrito una obra teatral, *Agustina Ramírez*, que versa sobre esta heroína de Sinaloa y que fue llevada a escena en puebla durante 1970.

Poeta, dramaturga y radiotelenovelista, Caridad Bravo Adams se ha labrado un nicho en la cultura hispanoamericana por su labor de pionera en los medios masivos de comunicación. No sólo popularizó las grandes obras de la literatura universal sino que escribió sus propias novelas. El título que encabeza un artículo sobre ella aparecido en *Claudia* (noviembre, 69) explica por sí solo la posición de Bravo Adams en el mundo hispánico: "La Papisa de las Telenovelas".

ENTREVISTA CON CARIDAD BRAVO ADAMS

M: Usted es mexicana pero pasó muchos años en Cuba y trabajó en radio y televisión.

A: Sí, cómo no. Mi familia era artista, gente de teatro.

46

Mi madre fue una gran actriz y mi padre también era actor. Así es que cuando llegué a la adolescencia también fui actriz. Con este motivo viajamos mucho por toda América y por España. Hacíamos una compañía de comedias en su mayoría españolas pero también hispanoamericanas e inglesas y francesas traducidas. La clase de Alta Comedia. Estando en México, mi padre murió y mis hermanos mayores de casaron. Aquí empecé a trabajar no sólo como actriz, sino como periodista. Sin embargo, siempre me gustaron las letras en general. A los nueve años me publicaron los primeros versos y a los quince saqué mi primer libro de versos en Venezuela y después otro en Cuba, otro en Caracas y dos en México. Cinco libros de versos tengo. Escribí poesía antes de escribir prosa.

M: Usted tiene mucha experiencia en la comunicación en general.

A: Sí, mucha. Siempre he estado en eso porque el teatro también es una forma de comunicación. En Cuba empecé adaptando grandes novelas. Tenía un programa de radio, llamado *Novela del Aire*, que duró diecisiete años y allí adapté casi todas las grandes novelas de la literatura universal, bajándolas de tono para que llegaran a la gran masa. La radio es un medio masivo de comunicación. Hay gran cantidad de gente que no lee, pero que oye radio. Entonces trabajé en Cuba con el señor Gaspar Pumarejo, gran amigo ya fallecido, que llevó la televisión a Cuba.

M: ¿Qué clase de programas tenían?

A: Algunos los hacía él y otros los tomaba de modelos de Estados Unidos, como *Reina por un día* y *Los 64 000 pesos*. Y después conmigo hacía uno que se llamaba *Problemas*, en que el público escribía y nosotros le contestábamos. A la gente que nos hablaba de sus problemas sentimentales le dábamos buenos consejos,

47

pero había muchos que tenían grandes problemas materiales. Entonces se hizo un programa aparte: *Ayúdame*. Por medio del teléfono la gente hablaba o iba personalmente al estudio y contaba su caso: Un señor que necesitaba una silla de ruedas o unas muletas o que tenía un pariente que necesitaba ingresar en un hospital de especialidades o de recuperación; un niño sin familia a quien tenía que buscársele beca. Teníamos seis teléfonos en la mesa, hablábamos del asunto si podíamos ayudar a la persona bien, si no, yo refería el caso. Claro, casos debidamente investigados.

M: ¿Y usted, trabajaba en ese programa también?

A: Sí. Ese programa era mío. Con Gaspar ayudaba yo, por ejemplo a *64 000 pesos, Reina por un día* y otra clase de programas. Yo era su ayudante. Pero *Ayúdame* y *Problemas* eran míos.

M: Y en México, ¿dónde escribía?

A: Cuando estuve en México escribía en *El Nacional,* en *Revista de Revistas,* en *Hoy,* que era del ingeniero Palavicini, que fue uno de los que me lanzaron al periodismo, y una revista que sacábamos se llamaba *Uno, dos, tres, cuatro* —tenía números de tipo social, que sacábamos en *El Nacional* de los problemas de fábricas y de obreros. Estábamos luchando mucho por salir de las heridas de la Revolución que duró casi veinte años.

M: ¿Usted ha hecho periodismo o televisión más o menos de tipo social?

A: Bueno, hasta cierto punto, *Ayúdame* y *Problemas* eran de tipo social, desde luego. Y el periodismo, no; era simplemente lo que se presentaba. Pero sí, tocábamos temas sociales con mucha frecuencia. Después venía mucho a México. Mis novelas, de las cuales tengo treinta y cinco impresas, siempre se publicaron en México en la Editorial Diana.

M: Son novelas de gran público, según me han dicho.

A: De gran público, sí, porque la televisión lo exige. Yo siempre tuve mi mensaje humano sin ninguna pretensión. Aunque la mía es una obra de entretenimiento, trato de dar un mensaje positivo en ella.

M: A propósito, hablando de Carmen Daniels, otra escritora de telenovelas que publica bajo el pseudónimo de "Mireya Reyes"...

M: Notamos que, ahora en la televisión, todas las novelas que se transmiten son de mujeres, menos *Ven Conmigo*.

A: *Ven Conmigo* es de Celia Alcántara que también es mujer, que yo sepa.

M: Pero está basada en la obra de un argentino, ¿no?

A: No lo sé. Eso sí puede ser, porque es a una hora tan temprana que no la veo. El productor, que es Miguel Sabido, interviene mucho, pero en realidad la que está o la que estaba escribiendo *Ven Conmigo* es Celia Alcántara.

M: Parece que la mayor parte de esas telenovelas son de mujeres.

A: Desde luego.

M: ¿Por qué será?

A: Pues, quién sabe.

M: Me parece muy bien, porque no es así con los libros.

A: Tal vez porque la telenovela va muy dirigida a la mujer, al ama de casa, a la señora grande que está en su casa. Allí tenemos a Fernanda Villeli, a Marisa Garrido, a la propia Carmen Daniels, a Estela Calderón.

M: Hay varias más.

A: Sí. Realmente, poco a poco, nos hemos ido quedando con la televisión.

M: Y también hablé con una señora que produce programas de radio que me habló de usted: Rosario Muñoz Ledo.

A: ¡Ah, sí, cómo no! Ella fue muchos años actriz, protagonista de ese programa de *La Novela del Aire* que se
pasaba en Cuba; también se pasaba en México. Hizo
muchas novelas de radio que las he llevado a la televisión con mucho éxito.

M: Entonces, usted no sólo ha adaptado novelas para la
televisión, sino también sus propias radionovelas.

A: Yo adapté durante cuatro años ese programa de *La Novela del Aire* que duró diecisiete años. Durante cuatro
años adapté casi todas las grandes novelas de la literatura universal. Después empecé a escribir radionovelas
de las cuales casi todas las he llevado a la televisión y
once de ellas al cine.

M: Eso no lo sabía. ¿Once guiones al cine?

A: Sí. En algunas empezaba por el libro; en otras por la
telenovela o por la radionovela y en otras hacía el guión
de cine.

M: Tiene una obra muy extensa. Voy a recomendársela a
alguna estudiante mía para que haga su tesis sobre su
obra.

A: Es usted muy amable.

M: No, en serio. Es una obra tremenda y popularísima. Si
le pregunto a un taxista si sabe quién es Julieta Campos, no lo sabe, pero Caridad Bravo Adams, sí sabe
quién es.

A: Sí, si le pregunta a cualquier muchacha que trabaje
en un banco, a las enfermeras del Seguro Social, las
mujeres todas me conocen. Los hombres me han oído
nombrar. También he hecho ese programa de respuestas y preguntas por correspondencia; lo he hecho personalmente.

M: Entonces muchas mujeres la conocen de nombre.

A: Y hasta hombres del pueblo. A mí me han pasado cosas
tan emocionantes. Por Tehuacán, estaba yo pasando por

50

el campo, y estaban oyendo una novela mía por radio. Entonces el hombre que la escuchaba, un indio de huaraches y calzón blanco, tenía un radiecito de pilas colgado al cuello. Le gustaba, la oía, la entendía. Mi radionovela llegaba a ese público tan apartado de la lectura, porque además el hombre era analfabeto.

M: En la radio tenía durante algún tiempo un programa con el nombre de la "Hora de Caridad Bravo Adams".

A: Sí. Todas esas radionovelas que yo había hecho en Cuba y algunas que hice aquí se repitieron con el nombre de la "Hora de Caridad Bravo Adams". Yo empecé escribiendo prosa original, pero como la televisión nos permite un margen de vida un poco más amplio, yo vivo de esto. Virtualmente con escribir para radio casi no se puede vivir porque es muy poco dinero.

M: Pero me parece que usted es una de las únicas que vive de escribir.

A: Todo el grupo que nombré antes vivimos de la televisión y de la radio y de las fotonovelas. Tal vez la única que tiene libros soy yo. También escribimos "scripts" para el cine. Así es que vivimos de la pluma.

M: ¿Diría que su novela está dentro del género de novela rosa?

A: No exactamente. La novela rosa es muy suave y empecé por escribir este tipo de novela. Pero después le he metido sentido social al asunto.

M: ¿Usted diría que en los últimos años ha habido un cambio en cuanto a la imagen de la mujer en esas novelas?

A: No. Bueno, yo siempre procuré levantar a la mujer, porque sé que las intelectuales no ven telenovelas ni oyen radionovelas. Las muchachas más sencillas, más humildes, necesitan hallar una imagen elevada de la mujer para que se estimen un poco más, para que consideren que su vida tiene más importancia de la que generalmente le dan.

M: Usted, por ejemplo, tendría...

A: Yo he fabricado muchas mujeres ideales y hombres ideales también, siguiendo la línea de la literatura romántica al embellecer los caracteres humanos, dándoles más fuerza, más dignidad, aun en momentos duros, como estímulo hacia la mujer en general. Siempre dejo bien a la mujer, aunque saque a algunas malas. Si no hay negro, el blanco no destaca.

M: Estoy pensando en cosas concretas, como en la enseñanza. No diría que usted fuera una escritora completamente didáctica, pero a veces creo en la posibilidad de "enseñar deleitando".

A: No puede ser porque entonces la gente no nos escucharía. Tenemos que dar una de cal y otra de arena. Siempre he disimulado lo más posible el mensaje didáctico que he puesto en todas mis novelas.

M: Bueno, estoy pensando en términos teóricos en los recursos de los medios de comunicación masiva para despertar en las mujeres su conciencia social. ¿Sería posible poner en una telenovela a una muchacha de clase humilde que empezara a buscar una superación a través del estudio?

A: Bueno, se está haciendo. Lo estamos haciendo en *Ven Conmigo*, por ejemplo. Pero la novela no le puede quitar su lugar a la escuela, a la universidad, a la preparatoria. Lo nuestro es una cosa de distracción. Escribimos con frecuencia novelas de escape para que la gente se refresque un poco la cabeza. Porque si una muchacha está trabajando o está estudiando, y luego se sienta a ver la telenovela, pues quiere una historia de amor que la distraiga, que le interese, y además si le colocan una tabla de multiplicación por la cabeza, pues es inaguantable. No la sigue.

M: No, yo no quería decirlo en ese sentido de enseñarle asignaturas, sino, como usted dijo, darles ejemplos. Pero dárselos de mujeres que signifiquen un cambio en los roles tradicionalmente concebidos de la mujer.

A: Eso sí. Yo, por mi parte, siempre lo he hecho casi instintivamente. He escogido muy cuidadosamente. Cuando yo adaptaba, escogía mucho las obras que pudieran ser las grandes obras de literatura universal que todo el mundo debe conocer, y las bajaba de tono. Por ejemplo, en una novela que pasa en España, empieza un narrador hablando del país, de cómo es, de dónde está, de su geografía, de sus costumbres y entramos suavemente a la trama amorosa. Yo escribí una novela así que ha sido llevada dos veces al cine y que se ha puesto cuatro veces aquí en televisión.

M: ¿Cómo se llama?

A: *Corazón Salvaje.* Se han vendido veinte ediciones casi y en esa novela aproveché para sacar de la oscuridad a la Martinica. Ocurre en el año 1902 cuando el famoso terremoto que viene a resolver la mayor parte de los problemas de los personajes. Entonces hago una descripción geográfica y hablo detalladamente de la catástrofe. Conseguí periódicos de la época que me permitieron explicar cómo se morían los peces en los arroyos, cómo llovían cenizas, cómo eran los gases que produjeron tantas víctimas. Describí lo que era la vida colonial francesa de la Martinica y las costumbres de la época. Mucha gente que no se interesaba por la Martinica, pues se ha interesado. Pero esto tiene que ser, desde luego, en una forma que el público no se dé cuenta que le estamos enseñando cosas, porque les choca. Les gusta la anécdota amorosa.

M: Me dijo que se gana la vida escribiendo para la televisión. ¿Nunca se ha casado?

A: No. Soy una solterona legítima. No he hecho más que trabajar toda mi vida. Por eso tenga una obra tan completa y amplia.

M: Elena Poniatowska dijo que a veces cree que las mujeres que han logrado hacer algo en este país son solteronas o divorciadas.

A: No creo eso: Fernanda Villeli, que tiene una obra muy bonita en la televisión, tiene cuatro hijos y está casada felizmente; Marisa Garrido es madre de tres hijos y comparte su casa con su esposo. Nuestros hombres no se dejan abandonar, hay que atenderlos. El señor es el señor.

M: Todavía le dicen a veces "el señor"...

A: Las mujeres del pueblo dicen "mi señor".

M: ¿Cree que las escritoras de México en general tienen dificultades por su sexo, no en la televisión, sino en cuanto a la publicación de su obra o a la recepción crítica? Porque parece que no hay tantas escritoras.

A: Yo no he tenido ninguna dificultad. Será porque he tenido suerte o audacia. Yo, cuando quise publicar mis novelas, la Editorial Diana me abrió sus puertas. Cuando vivía en Cuba yo les mandé unos originales con la intención de pagárselos, y con la segunda novela me vino una proposición de contrato para editarme por su cuenta todo lo que yo les quisiera dar. Y desde entonces, todo lo que les doy, me lo publican. No tienen dificultad conmigo, ni yo con ellos.

M: Sus libros publicados, son variados en cuanto al género.

A: Sí. Novelas, cuentos y versos.

M: ¿Puede nombrar a algunas escritoras mexicanas, además de las colegas de la televisión, que le gusten?

A: En México las tenemos ejemplares, bastante aparte de Rosario Castellanos que es tan famosa. Por ejemplo, tenemos una gran poetisa, Esperanza Zambrano, que tiene cuatro o seis libros de versos estupendos. Hace más de treinta años El Ateneo de hombres hizo una semana de poetisas mexicanas.

M: ¿El Ateneo de la Juventud?

A: No. El Ateneo de la Ancianidad era, porque eran señores bastante grandes. El señor Vicente Garrido Alfaro organizó la semana de las poetisas mexicanas hace más de treinta años. Entonces fue una cosa muy curiosa porque fuimos cinco: Laura Palavicini, Graciana Álvarez del Castillo de Chacón, Esperanza Zambrano, Concha Guerrero Kramer y yo. Hace aproximadamente un mes, con motivo del santo de Esperanza, nos reunimos. Las cuatro que estamos vivas hemos seguido escribiendo versos y otras cosas. Conchita Guerrero Kramer murió justamente hace treinta años. Murió en la semana de las poetisas, de repente, y entonces todas dijimos sus versos.

M: Usted es casi de la misma generación de Lupita Amor, ¿no?

A: Bueno, yo creo que ella es un poquito más joven que yo. Guadalupe Amor escribe muy buenos versos. Ha habido una gran cantidad de poetisas en México.

M: ¿Me puede nombrar algunas? Porque hay gente que dice que México no ha producido poetisas, aparte de Sor Juana Inés de la Cruz.

A: Bueno, Sor Juana Inés, Esperanza Zambrano, le repito que es mexicana y estupenda. Estas obras que le digo, Laura Palavicini, Concha Guerrero Kramer, Graciana Álvarez del Castillo de Chacón. Creo que María Luisa Ocampo fue una escritora interesante. Escribió versos, prosa y teatro. En el teatro tenemos también a doña Amalia Castillo Ledón que ha estrenado con éxito por lo menos tres o cuatro comedias.

M: ¡Qué bien que mencione a María Luisa Ocampo! Yo creo que es una escritora interesante.

A: Muy buena. No hace mucho murió; lo mismo su hermana Gloria, que fue actriz. Fuimos muy amigas.

M: Una amiga de ella me habló mucho de María Luisa Ocampo, porque ella murió como una semana antes que Rosario Castellanos. Su muerte pasó casi inadvertida porque no vivía en la ciudad de México.

A: No, antes ella vivió mucho en México y trabajó en bibliotecas. También Amalia Castillo Ledón ha sido conferencista. Ha estrenado por lo menos, tres obras de teatro muy buenas: *Cuando las hojas caen, Cubos de noria,* y por último una que pasa en Suecia, que se llama *Deshielo.* Ella fue embajadora de México en Suecia y en Suiza durante muchos años. Yo creo que doña Amalia es una persona sumamente interesante tapbién por su carrera. Ha sido la única mujer que ha sido subsecretaria de Educación de Asuntos Culturales en México.

M: También me habló de María Luisa Ocampo, Margarita Paz Paredes. ¿La conoce usted?

A: Sí, la conozco de nombre, cómo no. Y Margarita López Portillo, la hermana de nuestro Presidente conoce a todas las escritoras mexicanas porque ella es una devota de Sor Juana Inés y con ese motivo nos ha reunido muchas veces. Desde luego yo creo que Amalia y Esperanza son importantísimas. Yo he estado fuera de contacto con el medio literario. Esta cosa del radio, televisión y cine es tan absorbente, que sale uno del núcleo. Mire, una escritora que escribió mucho guión de cine y obras de teatro con gran éxito fue Catalina D'Erzell. Ella es tía de Yolanda Vargas Dulché, que también ha escrito mucho para televisión y para cine. Sé de dos telenovelas de Vargas Dulché que tuvieron gran éxito. Una de una gitana intitulada *Yesenia,* que se hizo cine y que llegó hasta Rusia. Una amiga mía que estuvo allá, dice que hubo un gran entusiasmo alrededor de

Yesenia. Escribió también *María Isabel.*

M: ¿Para cine?

A: No, la escribió para televisión. Ella se ha dedicado principalmente a la historieta. Tiene editorial de historietas con su marido y tienen como veinte historietas.

M: ¿Diecinueve además de *Lágrimas y Risas?*

A: Sí, además. Ella es una persona encantadora. También creo que en comunicación es importante.

M: Sí, tengo una cita con ella para mañana.

A: La saluda mucho, porque es una amiga muy querida mía. Pero no le estoy diciendo esto porque seamos amigas, sino porque de veras considero que ha hecho una labor de comunicación muy intensa.

M: ¿Hay otras latinoamericanas que le parecen interesantes?

A: ¡Cómo no! ¡Hay tanta gente interesante! Lo que pasa es que de pronto no puedo recordar todos los nombres.

M: ¿Cree usted que hay una diferencia entre las obras literarias para televisión escritas por hombres y por mujeres?

A: Desde luego. Es la diferencia de todo lo que hace el hombre o lo que hace la mujer, que siempre es un poquito distinto. Como decía el famoso francés: "¡Viva la pequeña diferencia!" Doña Emilia Pardo Bazán fue una de las pocas escritoras que escribía igual que un hombre. España también está produciendo en este momento muy buenas poetisas y novelistas. Yo las conozco más que nada de nombre; muchachas jóvenes.

M: ¿Hay mujeres que le hayan ayudado en su carrera?

A: Pues, en realidad, creo que no. Acá, uno nada como puede. Yo soy casi una decana en radio y televisión, por lo tanto, es a mí a la que me ha tocado impulsar a muchachas un poco desorientadas en esto, guiarlas, darles mi opinión sincera. Sí lo he hecho.

M: ¿Se considera usted feminista?

A: La mujer es un ser humano que tiene el derecho de realizarse. No veo diferencia. Desde luego las diferencias son las mismas que hay entre cada ser humano. La vida no se repite. No hay dos copos de nieve iguales, ni dos hojas iguales, ni dos huellas digitales iguales. La mujer tiene características distintas, pero dentro de su feminidad, creo que la mujer tiene los mismos derechos y los mismos deberes, salvo en la guerra. En casos extremos, como al ver invadido su hogar, tiene que luchar para defender a sus niños. En general, yo creo que la mujer se sacrifica y expone su vida al dar a luz y así compensa el servicio militar obligatorio. Yo he luchado mucho. He sido muy feliz, sobre todo de niña y de joven. He tenido una familia maravillosa, pero desde que tenía doce años estoy trabajando y ganándome la vida e interesándome en todo. Creo que eso no le hace daño a nadie: luchar y trabajar y salir adelante.

M: ¿Entonces, usted escribió una obra de teatro en verso?

A: Sí. *Agustina Ramírez*, sobre la heroína de Sinaloa. Es total y absolutamente pegada a la historia. La protagonista es mujer a las órdenes de los capitanes de Juárez. Peleó veinte años por las libertades de México y perdió a sus once hijos y a su esposo y los enterró con sus manos. En México había unos grupos de mujeres en la Revolución sobre todo, que iban detrás —en todas partes hay mujeres que van detrás de los ejércitos. Pero la soldadera se ocupaba de dar de comer al ejército. Cada una conseguía para darle de comer a su señor y cuando el hombre era herido lo curaba y cuando éste se moría lo enterraba. Y si el hombre caía en un momento muy duro, ella tomaba el fusil y su puesto. Estas son las soldaderas.

M: ¿Y en las cinco invasiones de México ha habido soldaderas?

A: No, porque imagínese, en la primera andábamos en taparrabos. En el prólogo de este libro tiene usted una síntesis de todo lo que fue y es la soldadera en México.

M: Esencialmente, ¿es poeta?

A: Sí, porque eso de poetisa no me gusta. Deberíamos ser poeta y poeto, pero como ellos no se van a dejar, pues, decimos poeta nada más.

M: Puesto que vivió tantos años en Cuba, debe conocer la obra de Gertrudis Gómez de Avellaneda.

A: ¡Cómo no, todas!

M: Ella siempre se decía poeta.

A: Y además sus obras y sus cartas. Era del pueblo de mi madre, de Camagüey. La mayor parte de sus obras famosas las adapté a la radio en programas de radioteatro. Por ejemplo, al adaptar *Baltasar*, su obra más famosa, tuve que hacer una osadía que ojalá no me la capte la máquina. Para adaptar a la radio una obra de teatro que no se ve y nada más se oye, hay que agregarle pequeños diálogos. Y como las obras eran en verso, yo me esforzaba terriblemente por imitar su estilo.

M: ¿En verso?

A: Pues, ¡claro! Es osadía de la juventud. Lo mismo hice con García Lorca y con todo el mundo. El agregadillo de todo el teatro en verso que caía en mis manos tenía que ser en verso. Entonces había que emitar el estilo de los autores. Desde luego no imité nunca el estilo de Shakespeare, porque estaba traducido.

M: ¿También hizo adaptaciones de Shakespeare?

A: ¡Cómo no! *Romeo y Julieta, Otelo, El Mercader de Venecia, Como Gustéis.*

M: Creo que Guadalupe Dueñas también hizo una variación de *Romeo y Julieta.*

A: ¡Ah, mire, a Guadalupe Dueñas no la había nombrado!

M: ¿Por que no le atraía a usted el teatro?

A: A Catalina D'Erzell, a María Luisa Ocampo y a Amalia Castillo Ledón y a otras les dio por escribir teatro, a mí no en aquella época.

M: ¿Ahora hay más que escriben para el teatro?

A: ¿Actualmente? No, pero vamos a hacerlo. Las gentes de televisión nos hemos decidido a incursionar en el teatro ahora. Para mí es fácil, porque yo nací en el teatro. Creo que tenía diez años la primera vez que me sacaron en calidad de muñeca de utilería.

M: Debe haber una gran diferencia entre el teatro y la televisión, porque una telenovela la pueden ver millones de gentes.

A: Sí, pero no tiene nada que ver. El teatro es muy seductor por la emoción que produce al público, los nervios de salir uno y que lo aplaudan o que no lo aplaudan. Escribí *Agustina Ramírez* solamente para darme gusto.

M: Usted la escribió cuando Agustina era desconocida, pero ¿ahora ya no lo es?

A: Era muy poco conocida. Yo fui a Mazatlán, estuve en Sinaloa y en Culiacán. En Mazatlán me hablaron de ella y entonces recogí todos los datos que pude. Me fui a Cuba y en mis ratos libres como un homenaje a esa mujer heroica y por mi propio placer escribí esta obra. Después me enteré, por casualidad, que le interesaba a Gabriel Leyva, que era entonces gobernador de Sinaloa. Le dijo a Amalia Castillo Ledón, que entonces era su secretaria, que le interesaba una obra que tratara de Agustina Ramírez. Amalia me la pidió —por cierto que se me había quedado en Cuba entre todos los papeles que se me quedaron, que fue absolutamente todo lo que tenía.

M: ¿Por la Revolución?

A: No por nada, pero yo soy apolítica. No me sentí cómoda y decidí volver a reintegrarme a la patria. Pero el reintegro era con lo puesto. Todo mi pequeño capital que tenía para descansar se quedó. Vine con lo puesto. Me mandaron el pasaje. ¡Y a trabajar!

M: ¿Le parece interesante la Güera Rodríguez o no tanto?

A: Pues mucho. Yo tengo pasión histórica. ¡Me encanta! Le encuentro un calor, una vida... a todas las cosas. Es muy interesante *La Güera Rodríguez* de Alice Penó.

M: Pero, ¿se ha hecho ya programa de televisión sobre ella?

A: Yo creo que sí; en el canal trece se ha hecho. Tuvo hasta su "flirt" con José Martí, creo. Fue una señora de muchas ponendas.

(México D. F., 12 de julio, 1976)

ANITA BRENNER

ANITA BRENNER

Anita Brenner murió el 30 de noviembre de 1974 en un accidente automovilístico cerca de Aguascalientes, ciudad donde naciera en 1905. Sus padres, emigrantes de Latvia, se conocieron en Estados Unidos y emigraron a México después. Brenner empieza a escribir a los once años de edad y estudia en el Colegio de Nuestra Señora de los Lagos en San Antonio, Texas y más tarde en la Universidad de Texas y en la Universidad Nacional Autónoma de México. Hace su doctorado en antropología en Columbia bajo la dirección de Frank Boas y Ruth Benedict y obtiene una beca Guggenheim. Se dio a conocer durante los años veinte y treinta como corresponsal y crítico de arte colaborando en *The New York Times, Brooklyn Daily Eagle, Holiday, Fortune, The National, Mademoiselle* y otros periódicos y revistas. Fue corresponsal para el *The New York Times* durante la guerra civil española y en el mismo periódico publicó numerosas reseñas de libros sobre Latinoamérica.[1] Durante 1955 en la ciudad de México fundó *México This Month* que editó y publicó hasta 1971.

Sus principales obras son *Idols Behind Altars* (1929), ensayo sobre la realidad mexicana, y *The Wind That Swept México*[2] (1945) que trata de la Revolución Mexicana entre

[1] Bambi, "Su libro *Idols Behind Altars...*", *Excelsior* (de diciembre, 1974), p. 28.

[1] Bambi, "Su libro *Idols Behind Altars* L", *Excelsior* (de diciembre, 1974), p. 2B.

[2] Existe una traducción, titulada *El viento que barrió a México*, de María Dolores de la Peña, publicada en edición limitada por el gobernador de Aguascalientes.

los años 1910 y 1940. Libro típico de los veinte por su visión del indio y del mestizo y por el gusto a citar profusamente sin dar la fuente, *Idols Behind Altars* es quizá una de las primeras tentativas de descifrar el carácter del mexicano a través de su historia. Compara la esencia del mexicano con la del artista y señala que en el México de los veinte se daba más énfasis a subvencionar las artes que a la reforma social. Asimismo, hace valiosas observaciones sobre artistas mexicanos. Sus descripciones son frecuentemente poéticas: "En el corazón de la capital, serpientes de piedra fijan la mirada en los autos y trenes que diariamente pasan en desordenado tropel".[3] Brenner ve la realidad mexicana con la objetividad y el asombro de un extranjero y con la pasión y el cariño de un mexicano.

También escribió varios libros infantiles de excepcional calidad. Entre estos se encuentran *The Timid Ghost*, relato folklórico sobre duendes mexicanos ganador de un premio del National Boys Club. *A Heroe By Mistake*, librito ilustrado por Jean Charlot que trata el tema del miedo de un indio mexicano. Durante varias décadas, Brenner dio brillo a la vida social y cultural de la ciudad de México y trabajó para incrementar y popularizar el conocimiento de México en el extranjero. Fue traductora de Mariano Azuela y Gregorio López y Fuentes. Al mismo tiempo dejó una valiosa interpretación de los judíos en México en varios de sus cuentos y en su ensayo "México —Another Promised Land" (*Memorial Journal*, 14: 330-41, April, 1928). En éste, probablemente su testimonio más autobiográfico, examina su propia herencia judaica. Anita Brenner recibió premios por su labor de pionera en el desarrollo de la industria turística del país y por sus esfuerzos en resolver problemas interamericanos y de los chicanos.

[3] Anita Brenner, *Idols Behind Altars* (New York: Biblo and Tanner, Inc, 1967), p. 30. La traducción es nuestra.

Periodista, antropóloga, crítica de las artes, intérprete y exégeta de la realidad mexicana son algunos de los epítetos que ha recibido esta gran mexicana que escribió en inglés y que, inexplicablemente, ha sido traducida muy poco al español.

ENTREVISTA CON ANITA BRENNER

M: ¿En qué estás trabajando ahora?

B: Estoy elaborando una versión infantil de Moisés y de otro libro más que comencé a escribir mientras trabajaba en los archivos de la Inquisición aquí en México.

M: ¡Pues sí que te mueves!

B: Yo había oído la historia de las grandes familias perseguidas. Y los asuntos tratados por la Inquisición eran tan nimios; eran iguales a los de la policía secreta rusa. Creo que todas las policías secretas del mundo deberían usar los manuales de la Inquisición para sus interrogatorios.

M: Nunca los había visto.

B: Todo está anotado allí: lo que llevaban puesto, dónde vivían y todos los demás detalles. Comencé trabajando sobre la familia Catalajara; es una historia muy complicada que contiene toda la gama de actitudes judías desde el principio de los tiempo hasta el fanatismo.

M: ¿Qué época es?

B: Es en el siglo xvi. Más tarde hablando con un editor de Doubleday, le conté otra historia que no tiene nada que ver con la inquisición pero que es absurda. Comienza a principios de la conquista y se trata de Gonzalo de Guerrero, primer líder de la resistencia india.

Era un español que naufragó junto con otros cinco y tuvo muchas aventuras. Por lo menos cuatro de los seis náufragos tuvieron aventuras. Creo que dos de ellos fueron inmediatamente sacrificados y devorados, pero los demás seguramente eran demasiado huesudos. Los metieron en una jaula y comenzaron a engordarlos. Lograron escapar, pero el siguiente cacique indio los agarró.

Gonzalo de Guerrero logró escapar otra vez y se dirigió a la costa donde cayó en manos de otro grupo de indios. El jefe de este grupo era muy rico y poderoso y tenía una hija, que, en cuanto vio a Gonzalo de Guerrero, dijo: "¡Ése es para mí!" Así que le preguntaron si estaba dispuesto a convertirse en maya para casarse con la muchacha y él dijo: "¡Claro!" Y la historia trata de este hombre, que se hace realmente maya.

M: ¿No es el de los aretes?

B: Sí, ése es. El otro es el que regresa con Cortés, para convertirse en su intérprete, y además odia a Guerrero. Estaba muy celoso de Guerrero por lo bien parecido y aguerrido que era. Apareció por aquí un manuscrito, que se supone que es un relato de Guerrero acerca de sí mismo, aunque algunos dicen que es una falsificación y otros más dicen que puede ser genuino, o copia de un relato genuino. Yo lo leí y, qué barbaridad, si esto es una falsificación, fue escrita por un gran novelista. Está realmente bien escrito y muy diferente de lo que nos cuentan los libros de historia (ya los he examinado todos), tanto como para decir "realmente un falsificador no se separaría tanto de lo que dicen los libros de historia". Esto relato contiene toda suerte de cosas.

M: ¿Cómo iniciaste tu carrera de escritora?

B: Siempre fui escritora. Debo haber comenzado a escribir

68

a los diez u once años. Siempre llevé libretas de notas y escribía en ellas, desde que tengo memoria.

M: ¿Tus padres llegaron a México directamente desde Europa?

B: No, mis padres fueron de Europa a Chicago, pero odiaban esa ciudad por los talleres donde se explotaba a la gente y ese tipo de cosas. Además, mi padre era un tipo algo aventurero y le gustaba la vida al aire libre. Venían de Latvia, que es un país agrícola. Estaban acostumbrados a la vida en el campo, una vida en el campo muy buena. No venían de ningún pueblo ruso, de esos pueblos miserables. Mi padre comenzó a vender mercancía por los pequeños poblados, junto con un amigo suyo, todo eso en bicicleta y la pasaba de maravilla. Cruzaron todos los Estados Unidos y tuvieron muchísimas aventuras.

M: ¿Llegaron hasta San Francisco?

B: No, se dirigieron a Texas.

Después de que mi abuelo llegó a los Estados Unidos, se dedicó a hacer pan agrio en San Francisco por algún tiempo, antes de radicarse en Chicago para poner una fábrica de maletas.

Mi padre y su amigo se asentaron en Iowa por cierto tiempo, les gustó mucho y prosperaron ahí. Tenían una tienda.

Porque aparentemente mi padre había estado manejado tiendas desde los doce años en Oregon. En Iowa se enamoró y se comprometió con una chica y estaba a punto de casarse con ella, cuando descubrió que los padres de ella le habían quitado cuanto tenía. Por eso volvió a irse y continuó así hasta que se radicó en El Paso, que en ese tiempo era bastante salvaje. Prosperó en el lugar, pero creo que tenía una cierta tendencia a sobreextenderse. Era un tipo muy optimista y le gustaba correr riesgos y una de las tantas depresiones lo afectó y lo dejó prácticamente en la bancarrota. Para entonces había regresado a Chicago, a la casa de huéspedes donde vivía la gente de su pueblo. Ahí conoció a mi madre, que también era de su pueblo.

M: ¿Sabes el nombre de ese pueblo?

B: Era Galdinger, cerca de Riga. No tenía mucho tiempo que perder y la convenció de que se casara con él. Todo esto ocurrió en una semana. Regresaron a El Paso, pero uno o dos años más tarde estaba en quiebra. Así que reunió todo el dinero que quedaba y se vino a México, para ver qué se podía hacer aquí. Viajó por todo México y llegó a Aguascalientes, que en ese tiempo era algo así como un centro comercial, un pueblo Guggenheim, había fundiciones y refinerías. Era muy próspero y ligeramente cosmopolita, a la manera de los pequeños poblados del siglo XIX. Tenía aguas termales y cosas —le gustó. El clima era absolutamente maravilloso y había norteamericanos y alemanes. Vivieron una vida muy feliz y alegre, con grandes reuniones sociales y carreras de caballos.

M: ¿Por qué época fue eso?

B: A principios del siglo XX. Decidió que le gustaba Aguascalientes, así que fue a ver al dueño de la hacienda donde estaba el balneario, que estaba siendo muy mal manejado, no dejaba utilidades, y le dijo: "Mire usted, hay esto, aquello y lo de más allá" y de inmediato hizo los arreglos, le dieron una concesión y se convirtió en director del balneario. Por eso nací en Aguascalientes.

M: ¿Y tu madre?

B: Mi madre se oponía a vivir en Aguascalientes. Decía que le era imposible vivir en un lugar extraño, donde la gente comía palos porque los veía caminar por la calle comiendo caña de azúcar. Pero mi padre era una persona muy activa, le encantaba la vida rural. Así

70

es que prosperó, quebró y volvió a prosperar ocho veces en su vida.

M: ¿Piensas que en el orden profesional las cosas hayan sido más difíciles para ti por ser mujer?

B: No, realmente, no creo.

M: Digamos, cuando los críticos reseñaban alguno de tus libros. ¿Notaste una actitud condescendiente? ¿O simplemente nunca lo viste desde ese punto de vista?

B: No, realmente no. Siempre estuve por encima de ellos. En Columbia University estudié antropología bajo Boas y allá no había ni asomo de lo que dices, ni por parte de Boas ni de Benedict. Y en el periodismo, tampoco lo creo. De haber existido, nunca me percaté de ello. Mi problema, cuando nacieron mis hijos, consistió en tener que ser ama de casa y madre, y al mismo tiempo tener que cumplir con los plazos de entrega de mis trabajos. Sí, ése fue el verdadero problema. Llegué a atrasarme un par de veces. Markel, soy una de las raras personas que sienten afecto por Markel, era el famoso editor dominical hijo de perra del *The New York Times*. Él me enseñó mucho y en el fondo solía preocuparse cuando le decían que había destruido a alguno por su dureza. Pero tenía muy buenos puntos que explicaban las cosas. Markel a veces hacía observaciones como ésta: "¿Cómo está la maravillosa Madre Americana?"

M: Pero probablemente eso no era tan grave, si no no lo habría dicho.

B: Pero era sarcástico cuando me atrasaba.

M: La otra pregunta que te quiero hacer se refiere a las mujeres escritoras en México. Creo que conoces a muchas de ellas.

B: Pero no hay tantas.

M: Bien, ¿de las escritoras que hay en México, admiras a alguna?

71

B: Admiro a Elena Poniatowska por un libro que escribió.

M: *¿Hasta no verte Jesús mío?*

B: Ese es un excelente libro. Debe haber usado grabadora. En el libro nos presenta una persona real y la presenta completa. Me pareció buenísimo y le insistí a Doubleday para que lo publicara. Dijeron que era imposible de traducir, y probablemente lo sea. Creo que otra editorial ya lo tiene.

M: Sí.

B: Es la historia de una mujer y es una historia increible. También se podría hacer una excelente película.

M: ¿Y las poetisas? ¿Te gusta alguna?

B: No, realmente no creo que las haya de ese calibre.

M: ¿Y no te parece que pueda haber otra explicación que no sea la de "simplemente no hay escritoras"? ¿No crees que les cueste más trabajo darse a conocer?

B: No, no lo creo. Más bien es una combinación de factores. En primer lugar, yo propugno la tesis de que cada pueblo se expresa en su propio medio. Como los ingleses en poesía, por ejemplo, tienen grandes poetas. Se puede hacer toda la historia de Inglaterra en términos de poesía.

M: Pero también hay grandes poetas españoles.

B: Es verdad, pero cada pueblo se expresa en su propio medio. Y México siempre se expresó a través de las artes, las artes plásticas, como la arquitectura, la pintura, la escultura. Ahí siempre han sido grandes, a todos los niveles. Los mexicanos no han sido un pueblo que se expresara mucho en términos literarios, tal vez a causa del trauma entre los indios y los españoles que acarreó una cultura separada por muchas generaciones. Y tal vez porque los escritores carecían de público.

M: Pues en teoría, algunos de ellos estarían dispuestos a escribir para el mercado internacional ahora. Como lo hizo Borges y antes Neruda.

B: Pero esa es una situación muy diferente. Borges es un hombre muy frustrado, a juzgar por sus últimas declaraciones. De todos modos, la sensación sería, ¿para quién se escribe? —porque siempre ha existido una especie de censura. Es sutil, pero existe, es real. Además, el mundo es muy pequeño. Por eso no es económicamente factible. Por eso sólo la gente de dinero lo puede hacer. Por eso no es realmente una profesión. No desde Sor Juana. Tú puedes comprender a Sor Juana.

M: Sí. Ahí estaba completamente en privado con todos sus problemas materiales resueltos en el convento. Pero tiene que haber alguien entre Sor Juana y Rosario Castellanos.

B: ¿Tiene que haber?

M: Es de esperar, en tres siglos.

B: Elena Poniatowska le dio al clavo con su libro. En todo caso, no es simplemente la situación de las mujeres, es toda la atmósfera, todo el mundo cultural, que es tan reducido. Y por otra parte, tampoco hay muchos buenos escritores.

M: ¿Qué piensas de Octavio Paz?

B: Pues desde un punto de vista literario, indudablemente es un gran escritor. Pero a la gente se le cayó cuando simplemente cedió bajo la presión política ¿me entiendes? Tal vez porque la literatura no da para comer. ¿Cómo se puede ganar la vida excepto siendo empleado público? Además, creo que tenía una mujer que lo impelía en ese sentido.

M: Elena Garro, su primera esposa, muy buena escritora.

B: Es escritora de primera línea, pero se dice que está medio loca, y esto probablemente se deba en parte a los problemas que surgieron en su vida emocional, privada y pública cuando la masacre de Tlatelolco y

Elena simplemente lo hizo pedazos a Octavio Paz...
Y luego está Lupe...

M: ¿Guadalupe Amor?

B: Sí. La última vez que la vi estaba totalmente loca. Pero es una gran poetisa, de primera.

M: Sé de otras mujeres mexicanas notables que se volvieron locas. Una de ellas era de la época de los "Contemporáneos", fue la que se enamoró de José Vasconcelos y se suicidó.

B: Ah, sí, Antonieta. No se volvió loca. Antonieta era una persona maravillosa y muy dedicada. Lo de ella fue una historia de amor. La generación de los años 20 vivió una gran época de la vida nacional, un tiempo en que el mundo apenas comenzaba y nosotros lo estábamos creando, lo estábamos haciendo en términos de "aquí por fin se puede hacer algo y nosotros lo podemos hacer". Era un momento muy bello, de mucho vigor. Antonieta era de ese periodo, en el que se pensaba que realmente era posible *hacer* algo. La revolución toda era algo real en todo el mundo. Los rusos todavía no tomaban su cariz de traidores. Antonieta era una mujer muy hermosa, dirigía una especie de salón. Era algo que se iniciaba y Antonieta creía en ello y Vasconcelos era el tipo limpio.

M: El visionario.

B: Bueno, no realmente visionario, sino más bien el tipo limpio. Estaba rodeado de un grupo de intelectuales y escritores como Mauricio Magdaleno, por ejemplo.

M: Y todos los jóvenes "Contemporáneos".

B: Todo el grupo. El grupo de los Contemporáneos y todos los pintores y todas esas gentes. Y ella creía en eso. Todos nosotros creíamos en eso. Luego Vasconcelos se postuló a la presidencia contra el General quién sabe quién y ganó las elecciones, las ganó definitivamente. Pero la maquinaria política se las robó. Para

Antonieta se acabó el mundo. Era como la gente que creía en la revolución rusa y de repente descubre que sólo son un montón de mentirosos.

M: Es igual que Berekely a mediados de los años 60. Realmente pensamos que el mundo estaba cambiando y que habíamos realizado algo y que habíamos ayudado al cambio.

B: Exactamente. Y que realmente se está haciendo algo. Luego, repentinamente, las cosas en las que crees simplemente resultan ser una enorme estafa. Así, Antonieta hizo lo que los monjes budistas. Pero en vez de prenderse fuego se suicidó de un tiro en Notre Dame. Es una historia mucho más dramática que una simple locura.

M: ¿Crees que las escritoras de México encuentran obstáculos a causa de su sexo?

B: El único problema serio que yo conozco es el conflicto que surge entre el trabajo y los hijos.

M: Creo que hay otros más, pero varían de acuerdo con las circunstancias de cada mujer, el tiempo y el lugar.

B: Alguien, creo que fue Laura Bergquist, estaba aquí cuando vino a comer Bambi. Laura le preguntó a Bambi precisamente esto (sobre el sesgo sexista) y Bambi le dijo: "No, nunca tuve problemas como reportera o como editora. Más bien es lo contrario. Siempre encontré simpatía y comprensión, una especie de disposición para ayudar. De cierta forma, a los hombres les divierte ver mujeres que tratan de hacer cosas, y te ayudan". Pero desde luego que la degradación de las mujeres en México no podría ser peor. Es algo psicológico.

M: ¿Psicológico? Me parece más bien cultural, indudablemente existe un aspecto sociocultural de este problema, aun en los Estados Unidos.

B: Muy cierto. Pero aquí es algo más profundo. Es feroz.

75

Me tuve que enfrentar a ello como granjera. Y ahí, en esa batalla que tuve que librar sobre tierras y cosas por el estilo en Aguascalientes, sí. Pero era una batalla hasta lo último. Y la sensación parece ser: "Es una mujer. Vamos a darle. Está entrometiéndose en nuestro mundo. Vamos a darle." Aguascalientes es una ciudad donde las mujeres son muy agresivas y muy activas, metidas en todo. Sin embargo. conozco una chica que maneja un rancho ganadero que tuvo que casarse con un torero para contar con la presencia de un hombre. Pero es ella la que lleva las riendas. Sabe mucho más de su negocio que él. Pero estaba en un mundo tan masculino, que encontraba dificultades a cada paso. Le sugería yo a un amigo que deberíamos hacer un reportaje, o tal vez una película sobre su vida.

M: ¿Así que has encontrado dificultades en Aguascalientes?

B: Sí. ¡Jesús! Se unen contra las mujeres.

M: Pero ganaste.

B: Sólo recurriendo a los métodos tortuosos, todas las cosas a que hay que recurrir para defenderse en una situación minoritaria.

(México, D. F., 30 de agosto, 1974)

JULIETA CAMPOS

JULIETA CAMPOS

Julieta Campos (1932) nace en La Habana, se doctora en Filosofía y Letras en su ciudad natal y becada hace estudios posgraduados en La Sorbona. Desde 1955 vive en México. Durante un tiempo es traductora del Fondo de Cultura Económica y de la Editorial Siglo XXI. Se da a conocer en 1965 con un libro que incluye ensayos críticos sobre la nueva novela francesa y sobre escritores contemporáneos, *La imagen en el espejo*. En ese mismo año publica su primera novela, *Muerte por agua*. A ésta siguen una colección de relatos, *Celina y los Gatos* (1968), y dos obras críticas, *Oficio de leer* (1971) y *Función de la novela* (1973). En estos años colabora en revistas como *La Cultura en México*, suplemento literario de *Siempre!*, con valiosos ensayos sobre las nuevas novelas de Mario Benedetti, Alejo Carpentier, Salvador Elizondo, Gabriel García Márquez y muchos otros. La faceta teórico-crítica y el aspecto creativo se conjugan en su última novela, *Tiene los cabellos rojizos y se llama Sabina*, libro co-ganador del premio Xavier Villaurrutia.

A Julieta Campos le interesa la novela como una enigmática forma de expresión que "no se limite a ilustrar lo más obvio, lo más visible y el aspecto menos secreto de las cosas, sino que se le permita incursiones en las zonas de experiencia que colindan con lo misterioso".[1] A ella le obsesiona la voracidad misteriosa del tiempo destructor de seres,

---

[1] Las citas aquí incluidas provienen de otra entrevista a Julieta Campos efectuada por Beth Miller el 5 de febrero de 1976.

de cosas y de la memoria. El escribir es para ella el "descubrimiento de ciertas señas, casi siempre ambivalentes, que aluden a la vez al paraíso y al infierno".

En su crítica y en su prosa de ficción la escritora cubanomexicana examina el tema del arte como un espejo que refleja u oscurece el mundo y su obra gira alrededor del motivo de la conciencia en el momento de contemplarse en el acto de mirar y recrear el mundo. Ella concibe el discurso literario, el texto, como aquel espacio imaginario en el que "los elementos se relacionan, se concilian y se integran, elementos que sólo el orden de la escritura puede rescatar del caos de la vida y de la amenaza de la muerte".

En "Historia de un naufragio", texto corto publicado en *Plural* (mayo de 1976), una situación que podría haberse desarrollado en un cuento se convierte en la repetición obsesiva del proyecto de un acto (el viaje) que nunca se completa si no es de una manera imaginaria o, como dice Julieta Campos, "en las múltiples faces de un poliedro de espejos hechos de palabras". De la misma manera que el tiempo circunda alrededor de sí mismo en sueños, las palabras hacen círculos concéntricos alrededor de una fantasía de escape que falla mientras las "cosas naufragadas" incitan al personaje a evadirse. La pregunta de la probabilidad o improbabilidad de la narración es, para ella, "implícita y problemática".

Hugo J. Verani, en un análisis de la novelística de Campos, la ha comparado con Flaubert: "la obra narrativa de Julieta Campos evoluciona, con *Tiene los cabellos rojizos y se llama Sabina*, hacia un tipo de literatura eminentemente intelectual que destruye tendenciosamente los esquemas narrativos tradicionales. *Sabina* se acerca al ideal irrealizable de Flaubert de escribir un «livre sur rien», un libro sin atadura exterior, una obra autosuficiente que se sostenga a sí misma por la fuerza interna de su lenguaje, un libro que casi no tenga tema, o al menos donde el tema fuera invisible".[2] Para Verani, *Tiene los cabellos rojizos y se llama Sabina* trasciende los límites de la escritura narrativa y lleva a su última consecuencia los principios de reflexividad y antirrepresentación que distinguen al arte contemporáneo. Como *El hipogeo secreto* de Salvador Elizondo, *Sabina* es un punto límite. Más allá nos espera la palabra que reflexiona con su propia sombra. O el silencio absoluto".[3]

En referencia a su primera novela, *Muerte por agua*, Huberto Batis ha escrito que Julieta Campos "ha conseguido mimetizarse completamente al *nouveau roman* y nos ha hablado con esa técnica feroz que exige del lector un heroísmo ocioso".[4] Aunque el mismo comentario podría hacerse de gran parte de su obra, vale la pena indicar que el "heroísmo ocioso" se ve recompensado al descubrir el lector que ha estado contemplando su propia imagen fragmentada y enigmática. Si su contribución mayor a la literatura hispanoamericana es la de una excelente crítica, su aportación creativa es la de una exégeta de la nueva novela francesa.

ENTREVISTA CON JULIETA CAMPOS

M: ¿Cuándo y cómo empezaste a escribir?

C: Creo que escribía yo siempre, desde que era adolescente, pero empecé a publicar cuando tenía veinticuatro o veinticinco años, no sé, ya después de haberme casado y después de nacido mi hijo. Mis primeros artículos, sobre autores franceses, me los publicó Fernando Benítez en el suplemento cultural de *Novedades,* allá por 1956 ó 57. También por esta época me pu-

---

[2] "Julieta Campos y la novela del lenguaje", *Texto Crítico*, Año 2, N° 5 (1976), p. 140.

[3] Verani, *Ibid.*, p. 149.

[4] "Los libros al día", *La Cultura en México* (9 de febrero, 1966), p. 16.

blicó Carlos Fuentes, en la *Revista Mexicana de Literatura*, un ensayo sobre el "Diario" de Samuel Pepys, que yo iniciaba con un epígrafe tomado del *Orlando* de Virginia Woolf. Siempre me ha interesado mucho la literatura memorialista, los diarios, las memorias y también la literatura epistolar y me pregunto por qué en español tenemos tan pocos ejemplos de esta escritura de primera mano, como si dijéramos, todavía no elaborada en otro nivel. ¿Será porque nos asusta exponernos tanto a la vista de los demás? Yo misma tengo un diario, pero no sé si algún día me decida a publicarlo.

M: ¿Cuál fue tu primer libro?

C: *La imagen en el espejo* fue mi primer libro donde reuní, en 1965, ensayos que había estado publicando durante varios años y en los cuales siempre me refería a novelas o novelistas. La posibilidad del relato, es decir, la necesidad de contar el mundo o más bien de sustituirlo con un mundo de palabras: las relaciones entre la realidad y la imagen que refleja el espejo del arte y específicamente de la novela me obsesionaban y yo buscaba en las novelas que otros habían escrito una manera de llenar un vacío que la realidad me dejaba y que sólo se empezó a llenar para mí, personalmente, cuando escribo mi primera novela, *Muerte por agua*.

Mi madre estuvo muriéndose de cáncer en el pulmón durante dos largos años. La muerte dejó de ser algo que sólo le ocurría a los otros para convertirse en una experiencia brutal. Fue como si se hubiera abierto una grieta enorme en el suelo, una fisura del tamaño del mundo por donde se escapaba toda la vida. El libro, la novela, fue un intento de llenar ese hueco, de encontrar un asidero, un equilibrio.

M: Dijiste que te habías casado joven...

82

C: Sí, me casé a los veintidós años.

M: ¿Estás casada ahora?

C: Sí.

M: Pero no es el primero...

C: Sí.

M: ¡Ah! Eso es excepcional.

C: No sé...

M: ¿Quién es tu esposo?

C: Mi marido es Enrique González Pedrero. Ahora es senador y dirige un canal de televisión que es una empresa estatal, pero durante quince años fue profesor universitario de Teoría del Estado y de Historia de las Ideas Políticas y durante cinco años dirigió la Facultad de Ciencias Políticas de la Universidad Nacional. Es decir, que la política le ha interesado siempre, en la teoría y en la práctica.

M: ¿Tú crees que tu esposo te ha ayudado o, al contrario, porque él ha tenido cosas importantes que hacer, tú has tenido que pasar mucho tiempo ayudándolo a él, o ni lo uno ni lo otro?

C: Bueno, entre mi marido y yo ha habido siempre una relación muy cercana. En cuanto a mi actividad literaria, él no ha pretendido nunca interferir en ella y me ha ayudado demostrando siempre aprecio y respeto por lo que yo hago. Creo que hemos hecho verdaderos milagros para conciliar su mundo y el mío, pero de alguna manera lo hemos logrado. Por otra parte, además de mi trabajo como escritora yo traduje libros durante más de catorce años. Creo que he traducido alrededor de treinta y ocho libros.

M: ¡No me digas!

C: Sí, y de todo tipo, porque casi nunca fueron libros literarios sino más bien cosas de política, de sociología, de economía, de psicología, de historia...

M: Es difícil vivir en México escribiendo libros, ¿verdad?

C: Sí, comprenderás que si uno recibe el diez por ciento de la venta de un libro cuya edición no pasa, por lo general, de tres mil ejemplares es muy difícil vivir exclusivamente de lo que se escribe. De mis libros, el que ha tenido una edición mayor fue *Muerte por agua:* seis mil ejemplares, y luego una reimpresión de cinco mil ejemplares, o sea, once mil en total.

M: Pero eso para México es mucho...

C: Sí, es mucho, si no pensamos por supuesto en los autores de grandes ventas, como Paz, o Rulfo, o Fuentes.

M: Quisiera preguntarte cuántos años tienes...

C: Tengo cuarenta y dos años.

M: Casi todas las mujeres a quienes he entrevistado tienen entre cuarenta y dos y cincuenta. ¿Y los hijos?

C: Tengo uno solo. Tiene diecinueve años.

M: ¿Y estás contenta de haber tenido un solo hijo? Yo tengo también una sola hija, que tiene cuatro años, y todo el mundo me dice que es malo para ella, que debería tener otro.

C: Bueno, desde *mi* punto de vista, yo sí he sentido, sobre todo últimamente, la nostalgia de la hija que no tuve. Y en cuanto al hijo, creo que el tener a alguien exactamente del mismo origen, con una experiencia familiar y una memoria de la infancia semejante debe ser algo extraordinario. Desgraciadamente, yo misma no tuve esa experiencia, porque fui hija única. Ahora, puedo decirte que la experiencia de tener un hijo, un ser al que se va viendo crecer por dentro —creo que es válido decir esto— es fantástica, es algo muy enriquecedor. Mi hijo Emiliano escribe. Lo hace desde que tenía doce o trece años y ya ha publicado cuentos, artículos y hasta una antología de cuentos de terror, con prólogo suyo, que se llama *Miedo en castellano.* Él creció en un medio donde todo era propicio para que se desarrollara su vocación literaria. Cuando yo tenía su edad no escribí ni una sola línea con la calidad y el nivel de las cosas que él ya escribe. Y esto a pesar de que en mi familia...

M: ¿Qué puedes decirme de tu familia?

C: ¿De mi infancia? Yo nací en Cuba. Sí, nací en La Habana. Soy mexicana desde que me casé, en 1954, y aquí he vivido toda mi vida adulta.

M: Hablas como mexicana.

C: Sí, hablo como mexicana porque tengo veinte años en México y era yo muy joven todavía cuando llegué aquí. El haber vivido en México desde los veintitrés años me marcó definitivamente, pero no hay duda de que en mi obra de ficción, en mis cuentos, en mis novelas, se siente por todas partes la huella de mi niñez y sobre todo del mar, que tanto añoro y que es para mí el espacio, el paisaje por excelencia, el ámbito más vital, el más cargado de sugestiones, el más estimulante. Por cierto que acabo de tener una sorpresa muy agradable. En las memorias de Neruda, que estoy leyendo, me he encontrado que él atribuye su propio amor por los caracoles a la misma persona que me transmitió a mí esa afición y ese amor. Neruda dice que se le abrieron miles de pequeñas puertas submarinas cuando don Carlos de la Torre, ilustre malacólogo de Cuba, le regaló los mejores ejemplares de su colección. Carlos de la Torre era mi tío abuelo y yo me pasé muchos días, desde que era muy chica, escudriñando con él unas grandes gavetas llenas de caracoles del Caribe. Cuando cumplí quince años, me regaló una colección de *polimita picta,* que sólo se encuentran en una región del oriente de la isla, y desde entonces he andado buscando caracoles por todas partes. En mi casa de Cuernavaca, tengo mi colección de caracoles sobre un arcón antiguo, al lado de unos barcos de esos que están metidos en botellas y de un libro de Neruda que se llama

Una casa en la arena. Por eso cuando me encontré esta alusión en sus memorias tuve una sensación muy rara, muy placentera, de haber tenido esa experiencia en común con alguien como Neruda.

M: Pero decías algo, hace un momento, de tu familia, me parece que en relación con la vocación literaria.

C: Ah, sí. Creo que estaba pensando que yo tuve a mi alcance muchos libros, porque a mis padres les gustaba mucho leer. Y mi madre escribía un diario donde yo he descubierto, creo, el origen de mi vocación literaria. Ella tenía una figura para percibir y describir sus propios sentimientos verdaderamente notable. Y traducía cuentos de autores franceses para una revista que se publicaba en La Habana por los años veinte.

M: Bueno, y volviendo a los maridos. ¿En tu generación los maridos sentían la responsabilidad de la casa y de los hijos como algo exclusivamente de la mujer?

C: Sí, creo que sí. Me parece que los jóvenes tienen ahora una noción mucho más solidaria en ese sentido. Aunque debo decirte que mi marido nunca se quejó demasiado de que yo fuera mucho más hábil para escribir un artículo que para hacer unos huevos con chorizo. Y me acuerdo de esto precisamente porque él, que había vivido solo de estudiante y sabía lo elemental para no morirse de hambre en un caso de apuro, me enseñó a hacer ese platillo cuando nos conocimos en París. Porque no sé si he dicho que los dos, cada uno por su lado, habíamos ido a estudiar a París, él Ciencia Política y yo literatura francesa, y allí nos conocimos, en la Casa de México donde estábamos residiendo.

M: Ahora, pasando a otra cosa, me gustaría preguntarte si te consideras, sobre todo, novelista.

C: Sí. Bueno, yo creo que la novela es una manera de integrar algo que en la vida no se puede integrar. Entonces, hay ciertos momentos en que la única manera de llenar ese hueco que hay entre el escritor y el mundo es escribiendo una novela, quizá porque la novela es lo que más se parece al relato de la vida y, sin embargo, no es igual al relato de la vida: es una manera de modificarlo y de sustituirlo.

M: Entonces, sí te consideras novelista.

C: Sí, pero me considero fundamentalmente escritora. Los géneros no me importan mucho. Me interesa la escritura como una manera de integrar, en palabras, algo que en el mundo está desintegrado. Para mí la escritura es un modo de poner un orden, de organizar la vida; la única manera, porque si tuviera otra no escribiría, seguramente. Es decir, yo creo que uno escribe porque tiene cierta inhabilidad, o cierta falta de destreza o de capacidad para poder vivir como vive todo el mundo, de una manera práctica y satisfaciéndose con esa vida práctica. Como a mí no me satisface, como hay un hueco, un vacío que percibo en la realidad, eso lo lleno con la escritura, ya sea novela, o cuento, o ensayo, lo que sea, el género no me importa tanto.

M: Me decías hace un rato que acaba de salir tu último libro, una novela que se titula *Tiene los cabellos rojizos y se llama Sabina*, y que ahora tienes otro proyecto, que es un ensayo.

C: Sí, este proyecto de ensayo surgió antes de la novela y de él hablo en la novela, que está llena de referencias a mi propia obra anterior, a libros que me han dejado alguna o muchas huellas, a autores, a cuadros, en fin, a datos tomados no de la experiencia directa, sino, ¿cómo podría decir?, datos culturales si tú quieres. Bueno, pues también hablo de este ensayo que ahora estoy escribiendo. Originalmente se me ocurrió comprar dos libros que tienen un tema parecido y un modo de plantearlo completamente distinto: uno es de Julio Verne y se llama *Dos años de vacaciones*. Otro es *Lord of the Flies* de William Golding. En los dos casos se trata de un grupo de niños náufragos en una isla desierta. Sólo que la isla de Verne es el paraíso y la de Golding el infierno. Es Rousseau y Hobbes, los dos polos de la idea que el pensamiento occidental se ha hecho del hombre. Ahora bien, ya metida en esto, se me ha ocurrido que hay algo más y que en el fondo lo que me interesaba era rastrear en el mito de la isla, averiguar por qué las grandes utopías casi siempre se han situado en islas, y por qué la isla que idealmente debería albergar el paraíso suele a veces encerrar el infierno. Esto me sugiere mucho sobre la ambigua dualidad de la condición humana y quizá en definitiva sobre esto sea este ensayo que podría convertirse también (¿por qué no?) en una próxima novela.

M: ¿Quizás podrías decirme algo sobre el paraíso de Paz, que siempre está en el pasado?

C: ¿El paraíso de Paz?

M: Sí, él dice que el fin, la salida de la soledad es en parte un paraíso perdido. Yo sé de dónde viene esa teoría pero no estoy de acuerdo.

C: ¿No estás de acuerdo? A mí me parece que la nostalgia de la Edad de Oro, del paraíso perdido sí explica muchas cosas. ¿No crees, por ejemplo, que toda la literatura que pretende de alguna manera reconstruir la infancia, el universo de la infancia, es también una manifestación del mito del paraíso, del tiempo perdido que tendría que ser recuperado?

M: Creo que todo esto es muy interesante, pero podría llevarnos a una disgresión de una hora. Dime, mejor, qué otras cosas prácticas o soñadas te gustaría hacer.

C: Pues me gustaría vivir en una isla del Mediterráneo. Seguramente es mi nostalgia del paraíso perdido.

M: ¿Y te imaginas en una isla con tus libros o sin tus libros?

C: Quizá con mis libros, pero creo que inclusive sin ellos podría yo estar muy bien en una isla.

M: ¿Tú crees que en *Muerte por agua,* por ejemplo, un lector que no te conociera podría saber que el libro fue escrito por una mujer?

C: Yo creo que sí. Pienso que en la escritura de las mujeres, sobre todo cuando éstas no tratan deliberadamente de borrarse como tales y de escribir siguiendo los patrones masculinos, hay algo, un matiz distintivo. Estoy pensando escribir un libro sobre la mujer en la literatura, precisamente para determinar qué es lo que la mujer aporta de distinto a la literatura y quiero remontarme a Safo, a las mujeres que escribieron en la Edad Media y en el oriente (hay textos fabulosos de una japonesa que fue dama de la corte de la emperatriz), a Santa Teresa, Sor Juana. Ahora, sin haberme puesto a trabajar en serio sobre esta cuestión pienso que el "modo de estar en el mundo" de la mujer es distinto del modo del hombre. No se trata, por supuesto, de una dosis mayor de sentimentalismo o de cursilería. Es acaso un modo más íntimo de relacionarse con la realidad, no sé. Es un modo de ver, es una visión del mundo distinta. Quizá esto es así porque la mujer tiene un contacto más directo con ciertas esencias de la vida y con ciertas cosas concretas, terrestres. Todo esto tiene que expresarse forzosamente en la literatura.

M: ¿Tú te consideras feminista?

C: Pues no, estrictamente feminista no.

M: ¿Qué entiendes tú por feminismo?

C: Bueno, creo que hay toda una gama de manifestaciones y de niveles de feminismo, de los cuales el más activo es sin duda el llamado movimiento de liberación femenina. Pero creo que hay cierta confusión en algunos planteamientos y que no siempre las expresiones de feminismo "a ultranza" tienen la sutileza o la lucidez que serían deseables. Hace algunos años participé en un debate sobre la condición de la mujer que organizó Margo Glantz en el Instituto Israelita. Estuvimos Rosario Castellanos, la China Mendoza, la doctora Hofs, que es psicoanalista, la maestra Diamant, socióloga, Norma Castro, periodista, y yo. Me acuerdo que yo me preguntaba entonces si no había en la mujer de nuestra época, más bien, cierta tentación de una feminidad pasiva y un tanto irresponsable. Hay una frase de Sartre que lo expresa bastante bien: "Las mujeres son mitad víctimas y mitad cómplices, como todo el mundo." La indiferencia, la seducción de la facilidad que permite "realizarse" sin esfuerzo, pasivamente, a través del hombre, procreando la vida sin crearla, sin producir algo que la trascienda, no ha desaparecido con la igualdad política ni con los demás cambios exteriores que se han dado en la situación de la mujer. No me malinterpretes. Sé que hay muchas mujeres, especialmente de las nuevas generaciones, que tienen una actitud completamente distinta, pero me estoy refiriendo a otras que no la tienen y que se dejan seducir por la posibilidad de llevar la vida como una fiesta, sin asumir la responsabilidad de un destino propio. Y sé también que muchísimas mujeres, por una situación social y económica muy precaria, no tienen más perspectiva que la de trabajar en condiciones doblemente desventajosas que las del hombre, porque a la carga del trabajo exterior tienen que añadir la del interminable y poco gratificante trabajo doméstico.

M: ¿Tú no has tropezado con obstáculos en tu carrera por el hecho de ser mujer? Y en cuanto a la crítica, ¿cómo han sido recibido tus libros?

C: Yo no he tenido nunca problemas para publicar, por el hecho de ser mujer. Y en cuanto a la crítica, creo que los vacíos que sentimos los escritores, la dificultad para encontrar interlocutores válidos, para que la escritura no sea sólo un monólogo solitario, es un problema que afecta tanto a los hombres como a las mujeres que escriben. Quizá un poco más a las mujeres, porque algunos lectores masculinos pueden tener alguna dificultad para entrar en la literatura escrita por mujeres.

M: ¿Algunos hombres piensan que una obra escrita por una mujer es "literatura femenina", es decir, de segunda categoría?

C: Quizá, pero no es el caso por supuesto de los hombres más inteligentes o más sensibles. Aunque no hay que olvidar que existe también eso que suele llamarse "literatura femenina" que es, más bien, una subliteratura y que está siendo sustituida cada vez más por la telenovela, esas madejas simplistas de sentimientos y de situaciones estereotipadas y esquemáticas.

M: ¿Podrías decirme cuáles son las mujeres escritoras que más te han gustado o te han interesado?

C: Tendría que hablarte, sobre todo, de Virginia Woolf. La leí, como a Katherine Mansfield, cuando yo tenía dieciocho años y fue una experiencia decisiva en mi formación literaria. Por primera vez me encontraba yo, en libros de una altísima calidad literaria, una manera de ver el mundo que me era muy afín: descubrí con ellas que se podía dar en la literatura una cierta luminosidad, ese resplandor que ilumina la realidad sin la obviedad de un gran reflector. Eso lo volví a encontrar en la chilena María Luisa Bombal, en la brasileña Clarice Lispector. Hace poco, el año pasado, descubrí a una escritora extraordinaria, con la que siento una gran cercanía: Anaïs Nin. La lectura de su *Diario*, que me parece uno de los testimonios más geniales y auténticos de nuestro siglo, fue una de las más entrañables experiencias, experiencia literaria y humana, de comprensión de la condición humana y de la mujer misma, que he tenido en mucho tiempo. Desde entonces he mantenido con ella una correspondencia que, por lo que va de ella hacia mí, siempre resulta enriquecedora.

M: ¿Y entre las escritoras mexicanas?

C: Creo que Rosario Castellanos tiene una obra de mucha calidad, sobre todo su poesía, que es muy importante y que me gusta mucho más que su obra narrativa. En cuanto a las escritoras más jóvenes, me interesó Esther Seligson. Pero últimamente no he estado muy al tanto de lo que se ha estado publicando, quizá por estar demasiado metida en mi propio mundo. Ahora que me ponga yo a trabajar en ese libro del que te he hablado, podré opinar con más conocimiento de causa, porque me pondré a estudiar, naturalmente, la producción de las mujeres que han escrito y escriben en México y en América Latina y las de habla española en general.

M: Rosario Castellanos fue enterrada en la Rotonda de los Hombres Ilustres. ¿Qué otra mujer piensas que podría recibir ese honor?

C: No sé. Yo pienso que esos honores son una especie de ritual con el que los vivos, los que todavía estamos de este lado, nos hacemos la ilusión de quitarle a la muerte su terrible inminencia, de restarle algo de su soledad y del horror que sentimos ante la idea de ese paso, ese pequeño paso que es tan fácil dar pero que nos parece tan difícil. Sentimos que los que han muerto han cumplido el acto más difícil de la vida, el más desmesurado, y tratamos de suscribirlo dentro del orden de las cosas cotidianas. Pero el sitio donde estamos o estaremos enterrados es algo que sólo importa a los vivos, a los que conservan el dolor y la memoria.

M: Una última pregunta. Yo, como extranjera, percibo que Octavio Paz ha tenido muchísima influencia y no sólo por su talento. Ha tenido poder en la política literaria, en la cuestión de gustos, etc. ¿Crees que una mujer podría tener esa posición en las letras mexicanas?

C: Creo que será difícil, pero sobre todo porque me parece que Paz es alguien de una gran lucidez, y que a eso se debe su influencia, y que una gente así no es demasiado fácil de encontrar, ni entre los hombres ni entre las mujeres. ¿No crees?

(México, D. F., 20 de agosto, 1974)

LEONORA CARRINGTON

LEONORA CARRINGTON

Leonora Carrington (1917) nace en Lancashire, Inglaterra. Hija de una familia acomodada, hace sus primeros estudios en una escuela de monjas en Inglaterra. Más tarde estudia en Florencia y en París en donde nace su inclinación por el arte y en donde frecuenta museos y galerías. De regreso a su patria se enfrenta con su padre (que no aprueba su afición por el arte) y estudia por su cuenta en la Chelsea School of Art y con Amedée Ozenfant. Es entonces cuando conoce al famoso pintor Max Ernst y decide marcharse con él a París. En Francia ambos se asocian al grupo surrealista compuesto por Paul Eluard, André Bretón, Louis Aragon, Marcel Duchamp, Yves Tanguy, Pablo Picasso y otros. Aquí exhibe su pintura en la Exposición Internacional Surrealista de 1938 y publica en 1939 un volumen de cuentos, *La dame ovale,* que más tarde publica en español la Editorial Era (1965). Durante la ocupación nazi cae preso Max Ernst y ella escapa con una amiga a España en donde una crisis nerviosa le obliga a ser hospitalizada. Es cuando a petición de Pierre Mabille, narra su pesadillesca aventura en la clínica del Doctor Morales de Santander. Este relato se publica por primera vez en inglés con el título de *Down Below,* en la revista neoyorquina *VVV,* en el número de febrero de 1944. En francés se publica con el título *En Bas* (1945) y en español aparece en la revista peruana *Las moradas* (1948). Mucho más tarde saldría en *La Cultura en México* en enero de 1974, con el título de "Abajo".

Al salir del hospital, Carrington viaja a Portugal donde se encuentra con Renato Leduc, diplomático mexicano a quien había conocido en París. Contraen matrimonio, se van a Nueva York y de allí a México. Al llegar a México en 1942 se asocia Carrington con el grupo surrealista que se reunía en casa de Remedios Varo y Benjamín Peret. Se divorcia de Renato Leduc y contrae de nuevo matrimonio con el fotógrafo húngaro Emerico Weisz con el cual sigue casada en la actualidad. En México continúa pintando, exponiendo y escribiendo. Saca a luz dos obras teatrales *Une Chemise de Nuit de Flanelle* (1951) y *Penélope* (1957), ésta puesta en escena en la ciudad de México por Alejandro Jodorowski. Tiene asimismo dos novelas: *Le cornet acoustique* (París: Flammarion, 1974), publicada en inglés como *The Hearing Trumpet* (New York: St. Martin's Press, 1976), y *La porte de pierre* (París: Flammarion, 1976).

La pintura y la prosa de Leonora Carrington constituyen una unidad ya que encontramos los mismos símbolos y temas en ambas. Desde el primer relato de *La dama oval* se pueden observar el caballo y el huevo como motivos importantes. "La dama oval" nos llega por un narrador-testigo que observa a una dama oval enmarcada en una ventana ovalada (un huevo dentro de otro). Sin saber cómo, el narrador se encuentra frente a esta joven, Lucrecia, cuyo enigma, lejos de aclararse, se profundiza más. Nos enteramos de que provoca su propia muerte absteniéndose de comer para así castigar a su padre, a quien detesta. Acto seguido la acción se traslada al cuarto de juego de niños con un caballo de madera, Tártaro, el juguete preferido de la joven. Mathilde, una urraca que habla con voz de bruja, viene a jugar con Tártaro y con Lucrecia, quien se convierte mágicamente en un potro blanco y empieza a retozar con Tártaro. Una vieja criada los sorprende jugando y los lleva al padre de la niña. Éste decide castigar a su hija quemando el caballo de madera que lanza horribles relinchos.

El cuento "El primer baile" de la misma colección es un relato macabro sobre una joven que no quiere asistir a su primer baile y acerca de una hiena amiga suya que se ofrece a ir en su lugar. La hiena habla como ser humano, camina en dos patas y no titubea en matar y en devorar a la sirvienta de su amiga para poder utilizar el rostro de ésta como máscara. Un ambiente de horror prevalece en *Une Chemise de Nuit de Flanelle* que nos hace pensar en la novela gótica por los cadáveres y el vampirismo. La figura autoritària del padre es victimada como prerrequisito para la liberación de la mujer: "cuando la mujer bebe la sangre del padre, el matriarcado y el patriarcado se combinan y el reino de lo andrógino se hace posible".[1] En el relato "El tío Carrington" vemos cómo dos damas, que se especializan en exterminar vergüenzas familiares, golpean a las hortalizas con un látigo, y cómo éstas reaccionan al castigo como seres humanos. "La dama oval" sirve de base a *Penélope*, donde aparece una jovencita, su caballo Tártaro y un padre despótico (que aquí tiene deseos incestuosos hacia su hija). Gloria Orestein ha notado acertadamente el doble anagrama "art art" en el nombre del caballo, artificio que sugiere la creencia surrealista en el arte como transmisor de conocimiento divino y oculto. En *Penélope,* al rebelarse la hija contra la dominación de su padre se convierte por metempsicosis en potro y al hacerlo se efectúa la unión andrógina o boda química.[2]

De todos los escritos de Carrington, quizá el más conocido es *Abajo*. Si éste fuera únicamente la narración de una mujer que se vuelve loca al ser arrancada del lado del amado y que sufre física y espiritualmente su locura, sería en sí un documento valioso. Sin embargo, *Abajo* representa la trágica postergación de un espíritu individualista por una

---

[1] Gloria Orenstein, *The Theater of the Marvelous* (New York: New York University Press, 1975), p. 137 y p. 140.

[2] Orenstein, p. 132.

ciega sociedad autoritaria. A Leonora se le considera loca porque atribuye la guerra al poder hipnótico de Hitler y sus seguidores, y porque se empeña en ver y vivir el mundo a su manera. En el manicomio torturan con ahínco bestial su cuerpo y su mente hasta que gradualmente la deshumanizan obligándola a decir lo que quieren oír, a vestir y a actuar de acuerdo con lo que la sociedad espera de una mujer. El hospital es como un campo de concentración en el que la tratan de aterrorizar con un loco deforme, le inyectan drogas potentes y un líquido que le infla en un muslo un pequeño melón, y la amarran desnuda a una cama donde permanece varios días rodeada de sus excrementos. Si lo trágico viene de la deshumanización de un ser humano, el conocimiento del lector estriba en la temible revelación de que la línea entre la locura y la brillantez creativa es tenue y borrosa.

En *Abajo* vislumbramos una versión del mito surrealista de la mujer como salvadora o semidiosa, con poderes visionarios, proféticos y sobrehumanos. En su locura, Leonora se sentía como un ser mesiánico total y parte del todo al mismo tiempo: "Yo era la persona que revelaba las religiones y cargaba sobre sus espaldas la libertad y los pecados de la tierra cambiados en conocimiento, la unión del hombre y de la mujer con Dios y con el cosmos..." [3] El símbolo del huevo como promesa de vida, como bola mágica de cristal en la cual vemos nuestro pasado, como unión del principio masculino y femenino, reaparece en *Abajo*.

El huevo y el caballo, la unión de hombres, animales y vegetales como partes de un todo, la magia y la rebelión de la mujer contra los patrones sociales son motivos que aparecen en su prosa tanto como en su pintura. Su pintura de los cuarenta —por los paisajes pastorales y ciudades al lado

[3] Leonora Carrington, "Abajo", *La Cultura en México* (9 de enero, 1974), p. 9.

de ciudadelas— recuerda a Peter Brueghel o a Hieronymus Bosch. En cambio, se ha dicho que su obra más reciente es de "una atmósfera reflectiva de melancolía otoñal o invernal. Gradualmente se han enrarecido los colores de luces de mariposas y sólo ocurren de vez en cuando como puntos culminantes contra campos de solemnidad..."[4]

El arte fantástico de Leonora Carrington se puede considerar como una especie de reacción a los convencionalismos. La magia y los sueños sirven como vehículos de un mensaje de libertad creativa. Puesto que Carrington es sobre todo una pintora de mundos interiores, apenas podemos percibir la presencia de un medio ambiente mexicano en su obra. Si exceptuamos el mural intitulado "El mundo mágico de los mayas", algunos cuadros como "La madrina", cuyo personaje parece ser una mujer indígena cubierta de un amenazador rebozo, y de sus tapices o sarapes tejidos por artistas mexicanos según diseño de Carrington, están ausentes de su obra elementos pintorescamente mexicanos.

ENTREVISTA CON LEONORA CARRINGTON

M: ¿Todavía escribes?
C: Va a salir una novela mía, *Le cornet acoustique* (La corneta acústica) en el otoño, en la St. Martin's Press de Nueva York. Es una novela que escribí hace cerca de quince años. En 1974 fue publicada en París por Flammarion, la misma editorial que acaba de sacar *La porte de pierre* (La puerta de piedra). En realidad, ésta fue mi segunda novela, escrita antes de *Le cornet acous-*

---

[4] Edward James, "Introduction" en *Leonora Carrington: A Retrospective Exhibition* (New York: Center for Inter-American Relations, 1976), p. 12. La traducción es nuestra.

tique. No pensaba publicarla porque me parecía muy difícil de entender.

M: ¿Qué te hizo cambiar de parecer?

C: Fue muy bien traducida por Henri Parisot, excelente traductor y autoridad sobre mi obra. Casi todo lo que he escrito se ha publicado en Francia... ¿No podríamos hablar de otra cosa que no fuera mi trabajo?

M: Quisiera hacerte algunas preguntas sobre otras escritoras. ¿Cuáles te gustan?

C: Admiro enormemente a Doris Lessing. Creo que sus libros son maravillosos.

M: ¿Y Virginia Woolf?

C: Virginia Woolf es especial, bastante rara, pero espléndida. Katherine Mansfield es otra excelente escritora.

M: ¿Y entre las escritoras mexicanas o latinoamericanas?

C: Creo que Elena Poniatowska es una gran escritora, brillante. En realidad leo muy poco en español, a pesar de que llevo más de treinta años viviendo en México.

M: ¿Estás casada ahora?

C: Sí, he estado casada con mi marido, Chiqui Weisz, casi treinta y cuatro años. Mi hijo Pablo casi tiene treinta años. Está terminando su carrera de inmunólogo y patólogo en una escuela de medicina en Nueva York. Gaby tiene como veintinueve. Hace poco, junto con otros jóvenes, puso un circo "rock" aquí en México.

M: Sé que viajas mucho. ¿Te acompaña tu esposo?

C: No, él es fotógrafo de prensa y no puede dejar su trabajo.

M: ¿Cómo fue que viniste a dar a México?

C: Cuando estalló la guerra, naturalmente yo era enconadamente antinazi. Entonces vivía en París y tuve que huir a través de Francia y España, donde fui detenida en un manicomio. En *En Bas* narré estas experiencias. Este relato apareció en español con el título "Abajo"

102

en *Siempre*, enero de 1974, y en inglés lo publicó una editorial de Chicago.

M: ¿También estás pintando y exhibiendo ahora?

C: Tengo algunas de mis obras en una galería de Nueva York, la Iolas, en la Calle 57. Y pronto habrá una exposición individual en el Museo de Arte Moderno aquí.

M: ¿Piensas que las escritoras, pintoras y otras mujeres creadoras encuentran mayores dificultades profesionalmente a causa de su sexo?

C: Oh sí, definitivamente. Sobre todo la mujer casada y con hijos. Recuerdo que en mi propio caso cuando exponía por primera vez en Nueva York, estaba a punto de nacer Pablo.

M: Hay muchas mujeres profesionistas en México, especialmente escritoras, que afirman no haber nunca sentido discriminación sexista y aún dudan de que exista.

C: Eso es mierda, puras mentiras. Si tienes hijos o cualquier tipo de responsabilidad, si eres sensible y emotiva (todo mundo lo es, no sólo los artistas) tendrás que admitir que la sociedad parece hecha especialmente para rebajar a la mujer. Para citar a Margaret Mead, a quien admiro enormemente, las mujeres son los esclavos más antiguos de la historia. Las mujeres mienten porque no pueden tolerar la soledad que significa decir la verdad. Ser honesto le crea a uno la mayor soledad del mundo.

M: ¿Te consideras feminista?

C: Desde luego. ¿Qué persona cuerda puede *no* serlo? Claro que soy feminista, ¿no lo eres tú?

M: Sí. Pero, sabes que muchas escritoras latinoamericanas se niegan a ser consideradas como feministas. Afirman que los hombres encuentran las mismas dificultades que ellas.

C: Indudablemente que los hombres pueden tener muchos problemas. Han construido tal sistema de mentiras y falsos valores que obviamente se encuentran con problemas. Si no pueden comprender aún que no todos los hombres son superiores por el hecho de nacer con ese sexo, seguramente que encontrarán problemas. La solución de algunos de los problemas del mundo es la igualdad tanto para hombres como para mujeres. Por otro lado, nadie niega que los hombres discriminan a otros hombres, como las mujeres discriminan a otras mujeres.

M: ¿Tienes amigas?

C: Siempre he detestado la competencia, pero indudablemente tengo amigas. Remedios Varo fue una amiga muy cercana. Y tengo muchas más, tanto aquí en México como en los Estados Unidos.

M: ¿Cuándo comenzaste a considerarte feminista?

C: Fue *The White Goddess* (La diosa blanca) de Robert Graves lo que me hizo despertar, a iniciar una mayor "concientización".

M: Quisiera hacerte algunas preguntas sobre tu labor como pintora.

C: Toda mi pintura se basa en visiones hipnagógicas, pero casi nada en sueños.

M: Me imagino que sí te interesan tus propios sueños...

C: Tengo un montón de cuadernos llenos de miles de mis sueños. Simplemente no los pinto.

M: Pero no eres freudiana...

C: Cuando pasé por el análisis freudiano me dijeron que no estaba ajustada. ¡Fíjate! ¿A quien le interesa estar ajustado?

M: Espero que tampoco te guste la crítica literaria freudiana...

C: Me gusta más Jung que Freud, porque no es tan limi-
    tado, y me gusta aun más la interpretación shamanís-
    tica que el psicoanálisis tradicional.

M: ¿Te gusta Carlos Castañeda?

C: Lo considero vitalizante.

M: ¿Dónde has expuesto aquí en México?

C: Tengo pinturas en la Galería de Arte Mexicano y tam-
    bién en el Museo de Arte Moderno.

M: ¿Cuáles fueron tus experiencias en tu última exposi-
    ción en Nueva York? ¿Qué te parece el medio artísti-
    co neoyorquino?

C: Horrible. En primer lugar, el chauvinismo masculino
    es espantoso. Existe una actitud contra las pintoras
    peor de la que he visto aquí. En segundo lugar, las
    grandes galerías son muy exclusivas, algo así como
    mafias. Todo está tan comercializado ahí que para
    ellos el arte significa dinero. Los pintores tienen que
    promoverse como la Coca-Cola y deben producir, pro-
    ducir, producir. Esto explica en parte los recientes
    suicidios de cuatro pintores abstractos. Y ya no existe
    el buen gusto. O sea: se ha perdido el poder de dife-
    renciar entre un pedazo de pan y un *New York Times*
    horneado. El gusto es manipulado de tal manera que
    el público ni siquiera sabe lo que le gusta. Si el nom-
    bre de un pintor le suena conocido, eso es todo lo que
    cuenta. Tendría que decir que éste es el hecho domi-
    nante en el medio artístico de Nueva York. En ese
    medio cualquier pintor, especialmente un pintor ex-
    tranjero, que no tiene un buen abogado, carece de
    protección. Y sin embargo, Nueva York me encanta
    como ciudad, a pesar de todo.

M: ¿Qué te parecen, en términos generales, las fotogra-
    fías de mujeres desnudas en revistas como *Playboy*?

C: Pues me parece una manera de rebajar a las mujeres.
    ¿Por qué no publican fotos de hombres desnudos?

M: Ya lo han hecho. Cuando un grupo de mis estudiantes, muchachas, vieron una serie que publicó *Eros*, su reacción fue de risa. No les parecieron eróticas, ni siquiera pornográficas, simplemente chistosas.

C: Esto se debe probablemente a la tradición. Están acostumbradas a ver exhibidas desnudas a las mujeres, pero no a los hombres.

M: Además, el modelo de *Eros* era algo gordo.

C: Todo el asunto es muy sexista. Por supuesto, el sexismo es la causa de muchos males. Es un instinto muy fuerte, pero se puede convertir en una manera de vivir y el resultado es una terrible discriminación, especialmente contra las mujeres. Cuando se es demasiado vieja para ser objeto sexual, o si no se es bonita, o simplemente si una no se parece a las muchachas de las revistas, se puede sufrir mucho.

Recuerdo que una vez, en un viaje que hice a Texas, me molestó un enorme anuncio que decía: "!Lea el libro más erótico de los últimos cien años!" ¡Se refería a *Cumbres borrascosas* de Emily Brontë! Nada más querían vender sus libros, atraer compradores. Me opongo a que se venda el sexo, se aproveche del sexo, como si fueran cacahuates. Si las mujeres no usan la ropa adecuada o no tienen grandes chiches, se les hace sentir indeseables y rechazadas. Creo que el instinto sexual es muy profundo y perfectamente bueno. Si no se manipulara en esta forma a los seres humanos, sería un atractivo basado en una fuerte afinidad, en vez de algo tan superficial.

M: El sexo llega a ser cuestión de modas, tanto como los cambiantes ideales de belleza.

C: Sí. Una persona se hastía de su compañero porque su mente ha sido conformada por la publicidad. ¿Recuerdas cómo en el siglo XIX las mujeres querían lucir cintura de avispa, aunque los corsés que tenían que usar para ello les causara todo tipo de problemas internos y les dañaba sus órganos? La vida sexual en el animal humano es más bien anormal. Coger, coger, coger, coger es todo lo que la gente piensa que desea. Coger es algo bueno cuando se basa en un deseo mutuo, pero a lo que yo me opongo es que los hombres anden presumiendo de las conquistas que han hecho, como si estuvieran hablando de cuántos partidos ganó su equipo de fútbol. Me gustaría que hubiera más respeto por el sexo.

M: ¿Crees que la edad y la experiencia te hayan enseñado algo que les puedas decir a las mujeres más jóvenes?

C: Sí, creo que sí. En primer lugar, creo que nuestras emociones están computadas para que reaccionemos incorrectamente ante las cosas correctas. Desde los tiempos de Shakespeare hemos hablado de "enamorarse". Bueno, vamos a suponer que yo fuera millonaria, dueña de toda una flotilla de automóviles, y que dispusiera de capitanes de meseros que se agacharan ante mí y me dieran la mejor mesa y que luego llegara a perder mi dinero. Yo, Leonora Carrington, probablemente no quedaría afectada. Pero tampoco soy millonaria. Algunas personas en situaciones similares han sido víctimas de terribles postraciones e inclusive se han suicidado. Lo mismo pasa en el amor. Parece que la gente "se enamora" contra su voluntad y esto les hace sufrir. ¿Que es lo que hace que una mujer se enganche con alguien que luego la maltrata o la aburre mortalmente? Creo que la respuesta está en que emocionalmente estamos buscando un castigo.

M: ¿Te refieres a que las mujeres somos masoquistas?

C: No, tanto hombres como mujeres, pero especialmente estas últimas. Eso es algo de lo que yo prevendría a las jóvenes. Deben examinar sus emociones con todo cuidado para ver si lo que las atrae es el castigo, y si es así, que busquen las razones. En segundo lugar, no deben dejarse atrapar. He oído que si se traza un círculo alrededor de un pollo, no pasará de esa línea. También he leído de adoradores del diablo en Mongolia que cuando les encierran en un círculo de tiza, trazado en el suelo a su alrededor, no pueden salirse del círculo.

M: ¿Te ha ocurrido a ti?

C: Claro. Muchas veces. Soy igual que todo mundo. Pero también pienso que la sociedad es tan competitiva que la gente carece de confianza en los demás y carece de compañía.

M: ¿Te refieres a la enajenación de los tiempos modernos?

C: Enajenación y especialización. La gente tendría que cambiar enormemente para poder manejar la libertad sexual y la igualdad. Entonces el sexo dejaría de ser un rudo deporte psicológico, un juego de quién va a dominar a quién.

M: Hay muchas mujeres en Latinoamérica que no parecen percatarse del juego en términos del poder, o más bien que toman esos papeles como un hecho eterno. No quieren que desaparezca la polaridad de los *roles* sexuales, aunque esperan perder y están adiestradas para someterse, a esperar que los hombres manden y dominen, según el papel masculino tradicional.

C: Eso es verdad, especialmente aquí. Pero a los hombres les llega a aburrir el juego y buscan una nueva víctima. El sadismo y el masoquismo son características muy especiales que sólo se encuentran en el animal humano. ¿Por qué necesita la gente este tipo de estímulos? ¿Por qué no basta el sexo normal? Un impulso sexual puro debe ser algo muy simple, algo muy agradable.

M: Mencionaste la competencia en la sociedad y la competencia entre las mujeres. ¿Ha habido mujeres que te ayudaron en el curso de tu carrera?

C: Sí, creo que ha habido muchas.

M: ¿Has ayudado a mujeres tú misma?

C: Creo que lo he intentado, sí. He intentado comunicar todo lo que creo o espero haber aprendido en sesenta años.

M: ¿Por qué piensas que no había más mujeres dedicadas a la pintura y la literatura durante la época surrealista?

C: Obviamente porque se suponía que las mujeres eran "musas". Una musa era alguien que debía ser joven y atractiva y funcionar como musa mientras continuara siéndolo. Dios les ayude si tratan de hacer algo ellas mismas. Sin embargo, no fue ese mi caso. He sido creadora, no musa. El grupo de surrealistas me alentó mucho, especialmente Henri Parisot. También recibí mucha ayuda y estímulos de mi esposo y de mis hijos. El problema es que ninguna persona creadora puede convertirse en una máquina de pintar o de escribir. Los periodos de improductividad son útiles y normales. Creo que he sido más afortunada que la mayoría de las pintoras. Mis padres estaban muy desilusionados con mi carrera y constantemente trataron de desalentarme, pero en cuanto ingresé al grupo surrealista, recibí muchos estímulos. No tuve mucho contacto con mujeres durante esa época, porque no había muchas en el grupo, pero una buena amiga mía fue Leonora Fini, que fue muy generosa y amable. Meret Oppenheimer también fue una excelente amiga. Yo veía a esas dos mujeres y a otras que solían venir desde Inglaterra a visitarme.

M: ¿No piensas que una etapa de promiscuidad sexual podría ser normal y sana para los jóvenes?

C: Creo que la promiscuidad es resultado de la competencia y también de una ecuación errónea. ¿A quién le importa si alguien fornica diez veces por semana o una vez al año? Los seres humanos están menos balanceados que los animales. Los animales no necesitan estar copulando constantemente. Tienen actividad sexual por épocas, épocas de apareamiento, luego se separan y cada cual sigue su camino. Piensa nomás lo bueno que eso sería para controlar la natalidad. Sería mucho mejor que la fornicación habitual de los sábados por la noche. A lo que yo me opongo es que se convierta el sexo en un deporte de competencia que despersonaliza a las personas. Cuando el sexo se comercializa, el amor, la ternura y la comprensión desaparecen totalmente de las relaciones.

M: Como escritora y pintora que vino a México del extranjero, seguramente habrás notado cómo el amor y la muerte van unidos en el arte mexicano, especialmente en la poesía. ¿Tienes ideas sobre la muerte? ¿Y sobre la vejez?

C: Casi tengo sesenta años. Cualquiera puede juzgar desde su propio punto de vista si soy vieja o no. Lo que yo misma pienso acerca de mi edad es otra cuestión —de hecho casi no pienso en mi edad. En general, creo que la edad avanzada tiene muchas ventajas, pero primero hay que enfrentarse a la muerte. Los cementerios son lugares espantosos, pero son construidos por los vivos, no por los muertos. Creo que los vivos construyen grandes monumentos para paliar su culpa de cierta manera. Preferiría ser consumida como alimento de perros que ser enterrada bajo una enorme pirámide de mármol. Esas ridículas pirámides ocupan grandes extensiones de terreno que se podrían utilizar de mejor manera.

M: Es lo que dijo Lewis Mumford, que los monumentos no sirven a la vida, sino a la muerte.

C: Tampoco a la muerte. Creo que la muerte tiene que ver con retirarse dentro de sí mismo, "interiorizarse". Un viejo me dijo una vez que la única manera de ser objetivo consiste en ser totalmente subjetivo. Mientras más nos adentramos en nosotros mismos, más despegados, más incomprensibles nos hacemos. Creo que la muerte es ir hasta el final. Debemos considerarla como algo que no es aterrador. El único horror es la separación de nuestros seres amados, pero la separación no nos indica realmente qué es la muerte. No creo que consista en estar en el cielo con Dios, pero sí puede ser algo muy diferente de la vida, algo muy extraño, más bien como una meditación profunda.

(México, D. F., 18 y 25 de marzo, 1976)

ROSARIO CASTELLANOS

ROSARIO CASTELLANOS

Rosario Castellanos nace en el Distrito Federal (1925) y pasa los primeros dieciséis años de su vida en Comitán, Chiapas. Se gradúa de maestra en filosofía en la UNAM (1950) y hace estudios postgraduados de estética y estilística en Madrid. Recibió una beca Rockefeller (1954-1955) para escribir poesía y ensayo y trabajó como coordinadora en el Instituto Indigenista de San Cristóbal las Casas, Chiapas (1956-1957) y en el de México redactando textos escolares (1958-1961). Además de ejercer la docencia en la UNAM, fue directora de Información y Prensa de la misma institución. A lo largo de su carrera universitaria y burocrática Rosario Castellanos colaboró con artículos, cuentos, ensayos y crítica literaria para periódicos y revistas tales como *Excelsior, México en la Cultura, La Cultura en México, Universidad de México* y *Metáfora.* Murió en agosto de 1974 en un accidente doméstico que la electrocutó al tratar de enchufar una lámpara eléctrica en Tel Aviv, Israel, donde fungía como embajadora de México y como catedrática de la Universidad de Jerusalén.

Castellanos se inicia escribiendo poesía que reúne en los siguientes volúmenes: *Trayectoria del polvo* (1948), *De la vigilia estéril* (1950), *Presentación en el templo* (1951), *El rescate del mundo* (1952), *Poemas 1953-1955* (1957), *Al pie de la letra* (1959), *Lívida luz* (1960), *Materia memorable* (1969) y *Poesía no eres tú* (1872). Entre los temas principales de su poesía destacan la búsqueda por realizarse a sí misma como mujer y como mexicana, el amor y la soledad. Según ella misma su poesía temprana fue influenciada por la de Gabriela Mistral, Alfonsina Storni y Juana de Ibarburou. Su poesía más reciente evoluciona hacia lo que se ha llamado "poesía abierta"; es decir una poesía independiente de la metáfora. Esta tendencia "realista" o "prosaica" cobra significado literario porque representa el logro de un buscado rompimiento con la tradición simbolista. Asimismo en su poesía más reciente, el uso de un lenguaje coloquial y humorístico en la presentación de conceptos serios, crea tensión y da vida a sus poemas.[1]

Los relatos de Rosario Castellanos han sido recogidos en tres libros: *Ciudad Real* (1960), y *Los convidados de agosto* (1964), que se desarrollan en Chiapas, y *Album de familia* (1971) cuya acción tiene lugar en el Distrito Federal. La soledad y el patrón de dominio amo-siervo son dos constantes temáticas en estas obras en las que Castellanos explora las relaciones sociales que conducen a la marginación de individuos y clases y crean la sociedad estratificada reflejada en su narrativa. El personaje débil puede ser el niño, el indio, el anciano y la mujer. El poderoso representa una sociedad tradicionalista, inflexible y patriarcal. Si en los primeros volúmenes hay una protesta implícita por la marginación del débil, en el último encontramos una protesta explícitamente feminista.

En el campo de la novela, Rosario Castellanos cuenta con *Balún-Canán* (1957, traducida al inglés por Irene Nicholson como *The Nine Guardians*, y *Oficio de tinieblas* (1962), ganadora del premio Sor Juana Inés de la Cruz de ese año. La primera obra está narrada en dos de sus tres partes por una niña, a través de la cual la autora recrea la vida de la mujer provinciana: la nana indígena, la madre

---

[1] Véase Beth Miller, "La poesía de Rosario Castellanos: Tono tenor", *Diálogos*, N° 74 (marzo-abril, 1977), pp. 28-31; y también su ensayo "Personajes y personas: Castellanos, Fuentes, Poniatowska y Sainz" en *Mujeres en la literatura* (México; Fleischer, 1978), pp. 65-75.

altiva y pequeño-burguesa y la solterona. Por medio de la niña y de un narrador omnisciente, Castellanos hace una crítica a las consecuencias que tienen en la mujer las instituciones familiares, religiosas y educativas: el aislamiento en la casa, el tedio y la falta de opciones y de vitalidad.

Oficio de tinieblas ha sido calificada como señal de un cambio en la novela indigenista hispanoamericana ya que presenta la realidad indígena desde una nueva perspectiva.[2] Catalina Díaz Puiljá, la protagonista, está dotada de una individualidad poco común en los indios de la literatura hispanoamericana. A pesar de no hablar ni entender español se convierte en personaje épico. Debido a las circunstancias históricas (la opresión de los indios agudizada por las propuestas reformas agrarias de Cárdenas), Catalina Díaz Puiljá asume el papel de *ilol* (sacerdotisa) y llega a ser curandera reverenciada y carismática dirigente de su pueblo. En el transcurso del conflicto sacrifica a su hijo adoptivo para restaurar la fe ancestral de su gente e incitarle al levantamiento.

Sobre cultura femenina (1950) es la tesis que escribió Castellanos para graduarse en la UNAM y representa "el punto de partida intelectual del movimiento de las mujeres de los últimos años en México".[3] El resto de sus ensayos y crítica han sido recogidos en varios volúmenes: *Juicios sumarios* (1966), *Mujer que sabe latín* (1973), *El mar y sus pescaditos* (1975) y *El uso de la palabra* (1975). *Juicios sumarios* incluye dos ensayos sobre Sor Juana, tres sobre

---

[2] Véase Joseph Sommers, "Rosario Castellanos: Nuevo enfoque del indio mexicano", *La Palabra y el Hombre*, Nº 29 (enero-marzo, 1964), p. 83; John S. Brushwood, *Mexico In Its Novel* (Austin: University of Texas Press, 1966), p. 36; Alfonso González, "Lenguaje y protesta en *Oficio de tinieblas*", *Revista de Estudios Hispánicos* (octubre, 1975), p. 441.

[3] Conversación de Beth Miller con Elena Poniatowska, México, D. F., 1 sept., 1974. Ver también el ensayo de Poniatowska, "Evocaciones de Rosario Castellanos", *La Cultura en México* (4 de septiembre, 1974), pp. 6-8.

Simone de Beauvoir y uno acerca de Virginia Woolf. *Mujer que sabe latín* es realmente el primer libro feminista escrito por una mexicana de renombre. En él Castellanos estudia a María Luisa Bombal, Ivy Compton-Burnett, Isak Dinesen, Betty Friedman, Natalie Ginzburg, Lillian Hellman, Violette Leduc, Doris Lessing, Clarice Lispector, Mary McCarthy, Silvina Ocampo, Flannery O'Connor, Simone Weil, Eudora Welty y otras. En un breve ensayo de *Juicios sumarios*, Castellanos discute los tres arquetipos femeninos más importantes en México y el significado que han adquirido: la Virgen de Guadalupe, la Malinche y Sor Juana. La primera es venerada más allá de la religión y es totalmente buena; la segunda es un objeto sexual, peligrosa, seductora, destructora de la moral y de la cultura; la tercera es una mujer estrafalaria, una intelectual del siglo XVII cuya femineidad "siempre fue una hipótesis".[4]

La obra teatral de Rosario Castellanos es menos importante que su prosa o poesía. Publica *Tablero de damas* (1950), dos poemas dramáticos, *Salomé* y *Judith* (1959) y *El eterno femenino* (1975) en los que el papel histórico de la mujer en la sociedad es uno de los temas centrales. En relación a la escasa producción teatral de Castellanos, Elena Poniatowska ha dicho: "Rosario hubiera querido dialogar pero sus personajes estuvieron siempre solos, de ahí que sólo produzca largos monólogos".[5]

Si su poesía y su novela, *Oficio de tinieblas*, han inmortalizado a Rosario Castellanos, su labor como educadora y como vocero de los derechos del oprimido y de la mujer le ha creado una aureola de heroína entre los movimientos de protesta de los sesenta. Es precisamente hacia 1960 que sus valores estéticos cambian y que empieza a reflexionar sobre

[4] Véase Beth Miller, "Voz e imagen en la obra de Rosario Castellanos", *Revista de la Universidad de México*, vol. 30, No. 4 (1975-1976), pp. 33-38.

[5] Elena Poniatowska, "Evocaciones de Rosario Castellanos", *La Cultura en México* (4 de septiembre, 1974), p. 7.

el mundo "ya no como objeto de contemplación estética sino como lugar de lucha en el que uno está comprometido".[6] Aunque Castellanos recibió en vida algún reconocimiento por su talento y dedicación, después de su muerte su figura se agiganta cada día más.

ENTREVISTA CON ROSARIO CASTELLANOS *

EC: Remontémonos a tus primeros contactos activos en la poesía.

RC: A partir de 1940 comencé a escribir poemas. Mis primeras influencias fueron las más fáciles de adquirir, ya que mi formación literaria era muy deficiente. En 1948 encontré un libro revelador, la antología *Laurel*. Allí leí "Muerte sin fin", que me produjo una conmoción de la que no me he repuesto nunca. Bajo su estímulo inmediato, aunque como influjo no se note, escribí en una semana "Trayectoria del polvo". Es una especie de resumen de mis conocimientos sobre la vida, sobre mí misma y sobre los demás. Supuse que la mejor manera de expresarme era el poema largo, de gran aliento —aunque yo no lo tuviera.

EC: Una pausa. ¿Por qué llegaste y te quedaste en la poesía?

[6] Emmanuel Carballo, *Diecinueve protagonistas de la literatura mexicana del siglo* xx (México: Empresas Editoriales, 1965), p. 415.

* Esta entrevista es una recopilación editada de tres conversaciones publicadas: 1) Emmanuel Carballo, "Rosario Castellanos", *Diecinueve protagonistas de la literatura mexicana del Siglo XX* (México: Empresas Editoriales, 1965), pp. 411-424; 2) Margarita García Flores, "La lucidez como forma de vida", *La Onda, Suplemento de Novedades* (18 de agosto, 1974), pp. 6-7; 3) Beatriz Espejo, "Entrevista a Rosario Castellanos", en *A Rosario Castellanos: sus amigos* (México: Año Internacional de la Mujer, 1975), pp. 20-24.

RC: Llegué a la poesía tras convencerme que los otros caminos no son válidos para sobrevivir. Y en esos años lo que más me interesaba era la supervivencia. Las palabras poéticas constituyen el único modo de alcanzar lo permanente en este mundo. Por esos años, y después de una fuerte crisis religiosa, dejé de creer en la otra vida.

EC: ¿Dónde y con quiénes te diste a conocer?

RC: Me di a conocer con un grupo de jóvenes más o menos de mi misma edad, en la revista *América*. Entre ellos figuraban Dolores Castro, con quien me unió una amistad muy íntima y de muchos años —juntas cursamos desde el tercero de secundaria hasta la profesional. En Filosofía y Letras conocimos a Emilio Carballido, Sergio Magaña, Jaime Sabines —los dos somos de Chiapas y nuestras familias se conocen desde que ambos éramos niños—, Luisa Josefina Hernández y varios escritores hispanoamericanos: Ernesto Cardenal, Ernesto Mejía Sánchez, Otto Raúl González, Tito Monterroso y Carlos Illescas. Era un grupo coherente. Nos llevábamos muy bien; tal vez porque no mezclábamos la vida privada con las cuestiones literarias. Miguel Guardia también pertenecía a este grupo.

EC: En 1948 leí tus "Apuntes para una declaración de fe".

RC: Es un poema malogrado. De las crisis que se padecen en la adolescencia, y entre las cuales la religiosa es sólo una, quise rescatar algo, algo que continuara informando mi vida; deseaba darle sentido y justificación a cada uno de mis actos. En los "Apuntes" me arrastró la retórica. Me llevó a hablar, por ejemplo, del continente nuevo que es América del que tenía una idea superficial y falsa. La última parte del poema, que quiere ser lírica y no lo logra, está en contradicción con la parte primera, en la que el poema

120

es casi prosa: incisivo, pletórico de lugares comunes usados de manera deliberada. Entre ambas partes existe una falta de continuidad. Fue muy duramente criticado, sobre todo por Miguel Guardia, quien dijo que en él las influencias formaban legión. Lo considero un experimento. A partir de entonces no volví a frecuentar ese camino.

EC: En seguida, aparece *De la vigilia estéril*.

RC: El título es un desastre. Allí se nota cierta tendencia a la abstracción, tendencia que también es evidente en el libro anterior. No me parecía válida la abstracción, por lo menos no deseaba escribir poemas intelectuales. Quería crear poemas si no emotivos por lo menos con imágenes referidas a cosas concretas. Leí autores y textos que me condujeran a ese mundo de carne y hueso. Para mencionar algunos, citaré la Biblia y a Gabriela Mistral. Esas dos influencias, y el deseo de nombrar los objetos que estaban al alcance de mi experiencia, dieron por resultado *De la vigilia estéril* y, después, *El rescate del mundo*. *La vigilia* exuda retórica, según se llegó a decir. Y es que, por esos años, poseía una facilidad siniestra para alargar los poemas, y me dejaba llevar por ella: una imagen me conducía a otra, un adjetivo traía consigo otro adjetivo. Y así hasta el infinito.

EC: ¿Y después?

RC: En *El rescate del mundo* ejercité la austeridad, traté de aprehender un objeto mediante un chispazo: dos o tres imágenes referidas al mismo tema. Pero donde advertí la correspondencia entre lo que intentaba decir y lo que realmente decía fue en los *Poemas 1953-1955*. Allí se encuentran, por ejemplo, los "Misterios gozosos" y "El resplandor del ser", que son los poemas que se salvan de toda esta época. Lo digo en voz baja: allí, de nuevo, volví a ser abstracta.

EC: ¿De la misma manera que en los primeros poemas?

RC: No, mi paso por lo concreto me abrió nuevas perspectivas. Traté de encontrar entre los objetos que me rodeaban aquellos que fueran más significativos, más esenciales, los que me permitieran integrar mi propia visión del mundo.

EC: ¿Cuál era, en aquellos años, tu concepción del mundo?

RC: Volví a una especie de religiosidad ya no católica, a una vivencia religiosa del mundo, a sentirme ligada a las cosas desde un punto de vista emotivo y a considerarlas como objetos de contemplación estética. Me producía raptos de verdadero júbilo tranformar en poemas lo que estaba junto a mí. En ese tiempo me identifiqué con Jorge Guillén. Desde esa perspectiva quise ver y entender el mundo. La forma era transparente, cristalina. Los objetos, sumamente puros, pugnaban por revelar sus secretos. Es algo que no se puede concretar en ideas sino en imágenes. Imágenes traspasadas por una emoción gozosa y que los críticos juzgaron como dolorosa.

EC: Se dice que por entonces escribiste poemas dramáticos.

RC: Por esos días, y con la misma exaltación, escribí un libro que consta de dos poemas dramáticos: *Judith* y *Salomé*. Traté a estas heroínas bíblicas de una manera muy libre. Aspiraban a ser teatro, pero no lograron la calidad dramática. Lo único que se salva de ellos son ciertos hallazgos líricos, principalmente de paisajes y de descripción de ambientes. Fallé en la descripción psicológica de los personajes, en el hilo argumental que conduce la acción.

EC: *Al pie de la letra* es, en tu bibliografía, un libro de tono y motivos extraños a la anterior producción lírica.

RC: Desde que comencé a escribir prosa, ésta se reflejó en mi poesía. *Al pie de la letra* está lleno de reminiscencias prosísticas. Más que textos líricos, los poemas pueden considerarse como retratos. Los títulos orientan a este respecto: "Epitafio del hipócrita", "Aporía del bailarín". Los poemas están basados en personas concretas, pero intentan ir más allá quieren llegar a los rasgos de carácter que predominan en esas personas. Como en los libros anteriores, aquí se encuentra lo que aprendí en la carrera de Filosofía. No aprendí lo que los maestros querían enseñarme, aprendí a ver los objetos en general y en abstracto.

EC: Quizá *Lívida luz* sea tu obra más redonda.

RC: En ella llegué conscientemente a la frialdad, a pesar de que escribí los poemas en estado de fiebre. (Ese estado —así lo espero— no se manifiesta en los poemas.) En ellos reflexiono sobre el mundo, ya no como objeto de contemplación estética sino como lugar de lucha en el que uno está comprometido. Allí se reflejan las experiencias que obtuve en Chiapas en mi trabajo para el Instituto Indigenista. En esos lugares la lucha ha llegado a extremos desgarradores de brutalidad. Allí también figuran mis experiencias en ciertos ambientes de la ciudad de México. Asimismo, lecturas sobre los temas sociales y políticos que, por entonces, comezaron a interesarme de manera muy particular. Todo ello está implícito en los poemas, aunque no se descubra a primera vista.

EC: Se impone el deslinde entre poesía y filosofía.

RC: Entre los géneros literarios ninguno se aproxima tanto a la filosofía como la poesía. En una y otra se trata de llegar a lo esencial de los objetos. La diferencia se encuentra en el lenguaje. Si la filosofía tiene su principio de identidad, la poesía también lo tiene: es la metáfora. Para mí, la poesía es un ejercicio de ascetismo, un intento de llegar a la raíz de los objetos,

123

intento que, por otros caminos, es la preocupación de la filosofía.

EC: ¿Hasta qué punto la "Lamentación de Dido" incide en lo personal?

RC: En este poema quise rescatar una experiencia, pero no me atrevía a expesarla sino al través de una imagen dada en lo eterno, en la tradición: la imagen de Dido. La desgracia amorosa, el abandono, la soledad después del amor, me parecieron tan válidos y absolutos en Dido que los aproveché para expresar, referidos a mí, esos mismos sentimientos. Al través de ellos pude contar mi propia historia. que era, desde luego, bastante más pobre.

EC: El amor era eso, ¿qué es ahora?

RC: Ya no es un elemento sobrenatural, esa especie de rayo que cae sobre los elegidos y los destruye. Es algo cotidiano, algo que propicia la convivencia. Algo que se puede tener al alcance de la mano, como un vaso de agua. Un amor mucho más doméstico. Ya no es, como era antes, una fiera desencadenada.

EC: ¿Con qué poetas mexicanos de ayer y de hoy te sientes ligada?

RC: Con José Gorostiza: "Muerte sin fin" es el poema mexicano por excelencia. Después, con Sor Juana. Ambos poetas son de la misma familia. Sor Juana supera a Gorostiza en simpatía humana. No me refiero, por supuesto, al "Primero sueño", que es un poema estrictamente intelectual, tan intelectual como la "Muerte sin fin". Este tipo de poesía, que lleva la inteligencia a una combustión próxima a la luz, es el que yo quisiera escribir. Supongo que mis poemas no encajan dentro de esta corriente; sin embargo, me gustaría pertenecer a ella.

EC: ¿No te interesa la poesía que se escribe en el intervalo que va de Sor Juana a Gorostiza?

RC: Por la época en que se han escrito el resto de los poemas, su contenido no me parece importante. Tratan lo que a mí me disgusta: estados de ánimo. Es poesía sentimental, en la que se habla del amor, del abandono, de la tristeza, pero como experiencias que no se rescatan del fluir de la realidad. A mí no me interesa ese tipo de poesía, aunque en ocasiones me agrade. El Novo de *Nuevo amor* me conmueve extraordinariamente: allí la emotividad está refrenada por la inteligencia. La inteligencia es un elemento que no puede ni debe faltar en la poesía. Entre los extranjeros, Valéry y Eliot son poetas de mi absoluta predilección.

EC: Si la prosa te ayudó a alcanzar ciertas calidades poéticas, ¿hasta qué punto la poesía ha influido en tu prosa?

RC: Este influjo se nota fácilmente en *Balún-Canán*, sobre todo en la primera parte. En forma estricta, esta obra no puede considerarse prosa: está llena de imágenes —en momentos las frases se ajustan a cierta musicalidad. La acción avanza muy lentamente. Se le podría juzgar como una serie de estampas aisladas en apariencia pero que funcionan en conjunto. Si se hubiesen publicado aisladamente, no se podrían considerar relatos.

EC: ¿Cómo llegaste a la prosa?

RC: De una manera casual, como se llega a todo cuando se delibera mucho. Intenté la prosa desde el principio. La consideraba como un complemento de la poesía. Desde mis primeros textos quise vivir profesionalmente como escritora. La poesía es algo en lo que no se puede fiar. Es imposible sostener, por ejemplo, afirmaciones como esta: "Mañana voy a escribir un poema". No soporto estar a merced de la inspiración: un año, un poema; el siguiente, quizá un libro. Necesitaba llenar el resto del tiempo con una disciplina constante y que dependiera de mi voluntad. Esta disciplina sólo podría lograrla a través de la prosa. Primero escribí crítica literaria y ensayo: entre otros textos, la tesis para recibirme de maestra en Filosofía. Después usé este instrumento, que ya dominaba, en breves obras narrativas. Escribí dos cuentos: uno de ellos, "Primera revelación", que es un germen de *Balún-Canán*. Deseaba contar sucesos que no fueran esenciales como los de la poesía: sucesos adjetivos. Supuse que la prosa podría encaminarme al teatro: mis piezas pararon en el fracaso. A la novela llegué recordando sucesos de mi infancia. Así, casi sin darme cuenta, di principio a *Balún-Canán*: sin una idea general del conjunto, dejándome llevar por el fluir de los recuerdos. Después, los sucesos se ordenaron alrededor de un mismo tema.

EC: Un amigo mutuo, Joseph Sommers, encuentra similitudes entre tus tres libros de prosa —por el escenario, los personajes y algunos otros datos— y la obra de William Faulkner. Para Sommers, Ciudad Real no es del todo diferente al condado de Yoknapatawpha.

RC: Leí a Faulkner muy tarde y no en su idioma original. Sin embargo, sí creo que existe esa similitud. Las condiciones sociales en su obra y en la mía son muy semejantes. Por algo este autor ha tenido tan grande influencia entre nosotros. El mundo que él describe es todavía el mundo en que nosotros vivimos. El sur de los Estados Unidos, aún feudal, se parece al mundo que conocimos y abandonamos por inhóspito. En ciertos sentidos, Chiapas se parece al condado de Yoknapatawpha.

EC: ¿Por qué toda tu obra narrativa ocurre en los mismos sitios, cuenta hechos de personajes —indios y ladinos— de parecida procedencia étnica y cultural?

126

RC: Creí que el hecho de abandonar Chiapas a los dieciséis años, y de vivir en la ciudad de México apartada de esa gente y de sus problemas, me impulsaría a escribir sobre gente y problemas muy intelectuales. No fue así. La gente que en mis escritos pugnaba por surgir era la de Chiapas. En los tres libros no creo haber agotado el tema: es una realidad compleja, rica, sugerente y, hasta ahora, prácticamente intacta. Me interesa conocer, en esas tierras, los mecanismos de las relaciones humanas. Para entenderlos, cuando trabajé allí para el Instituto Nacional Indigenista, me auxilió la lectura de Simone Weil —digo Simone Weil porque no conocía otros autores que me hubieran sido más útiles. Ella ofrece, dentro de la vida social, una serie de constantes que determinan la actitud de los sometidos frente a los sometedores, el trato que los poderosos dan a los débiles, el cuadro de reacciones de los sojuzgados, la corriente del mal que va de los fuertes a los débiles, y que regresa otra vez a los fuertes. Esta especie de contagio me pareció dolorosa y fascinante.

EC: ¿Cómo surgió y de qué trata *Oficio de tinieblas*?

RC: Está basada en un hecho histórico: el levantamiento de los indios chamulas, en San Cristóbal, el año de 1867. Este hecho culminó con la crucifixión de uno de estos indios, al que los amotinados proclamaron como el Cristo indígena. Por un momento, y por ese hecho, los chamulas se sintieron iguales a los blancos. Acerca de esta sublevación casi no existen documentos. Los testimonios que pude recoger se resienten, como es lógico, de partidarismo más o menos ingenuo. Intenté penetrar en las circunstancias, entender los móviles y captar la psicología de los personajes que intervinieron en estos acontecimientos. A medida que avanzaba, me di cuenta que la lógica histórica es

127

absolutamente distinta de la lógica literaria. Por más que quise, no pude ser fiel a la historia. Abandoné poco a poco el suceso real. Lo trasladé de tiempo, a un tiempo que conocía mejor, la época de Cárdenas, momento en el que, según todas las apariencias, va a efectuarse la reforma agraria en Chiapas. Este hecho probable produce malestar entre los que poseen la tierra y los que aspiran a poseerla —entre los blancos y los indios. El malestar culmina con la sublevación indígena y el aplastamiento brutal del motín por parte de los blancos. Según la historia, el levantamiento amenazó la seguridad de San Cristóbal. Los chamulas estuvieron a punto de invadir la ciudad; se retiraron, estando frente a ella, porque les aterrorizó el prestigio secular de los blancos, no tanto la fuerza ya que en ese momento estaban desarmados. De acuerdo con la manera de vivir y concebir el mundo, a los chamulas les era imposible conquistar la ciudad enemiga. Me explico. Entre ellos la memoria trabaja en forma diferente: es mucho menos constante y mucho más caprichosa. De ese modo, pierden el sentido del propósito que persiguen. Se lanzan contra pequeños poblados, contra ranchos sin dueño y, en unos y en otros, desahogan la violencia. Conforme se produce el desahogo, la violencia deja de ser necesaria, aunque no haya producido los efectos que se proponía. En ese momento, *Oficio de tinieblas* se convierte en novela y se aparta definitivamente de la historia.

EC: ¿En qué forma está construida?

RC: Se ajusta de principio a fin a los moldes tradicionales. De acuerdo con el tema, respeté la ordenación cronológica de los sucesos. La historia es, de por sí, complicada y confusa para agregarle dificultades arquitectónicas y estilísticas. Por el contrario, la construcción arroja claridad sobre los hechos. Por esa misma razón penetré en la psicología de los personajes. Doy antecedentes de sus vidas para, de esa manera, ayudar a comprender su conducta. En ocasiones parecen reaccionar de un modo arbitrario si nos desentendemos de sus antecedentes. La arbitrariedad existe y subsiste porque en la situación en que se encuentran no rige la justicia sino la fuerza. El poder lo poseen primeros unos y después los otros. Cuando cada uno de los bandos lo usa, lo usa a la medida de sus pasiones. Si la construcción es tradicional, no creo que el asunto sea muy frecuente.

EC: ¿Cómo creaste los personajes de esta novela?

RC: Escribir ha sido, más que nada, explicarme a mí misma las cosas que no entiendo. Cosas que, a primera vista, son confusas o difícilmente comprensibles. Como los personajes indígenas eran, de acuerdo con los datos históricos, enigmáticos, traté de conocerlos en profundidad. Me pregunté por qué actuaban de esa manera, qué circunstancias los condujeron a ser de ese modo. Así, comencé a desentrañarlos y a elaborarlos. Un acto me llevaba al inmediato anterior y, por ese método, llegué a conocerlos íntegramente.

EC: ¿Qué diferencias encuentras entre cuento y novela?

RC: El cuento me parece más difícil porque se concreta a describir un solo instante. Ese instante debe ser lo suficientemente significativo para que valga la pena captarlo. En oposición, la novela es capaz de enriquecerse con multitud de detalles. Se pueden mencionar rasgos de las criaturas que no necesariamente condicionen la acción o el sentido de la novela. En el cuento esta oportunidad no halla cabida. El espacio es mucho menor. Es necesario reducir hechos y personas a los rasgos esenciales.

EC: ¿Tus obras narrativas forman parte de la corriente "indigenista"?

RC: Si me atengo a lo que he leído dentro de esta corriente, que por otra parte no me interesa, mis novelas y cuentos no encajan en ella. Uno de sus defectos principales reside en considerar el mundo indígena como un mundo exótico en el que los personajes, por ser las víctimas, son poéticos y buenos. Esta simplicidad me causa risa. Los indios son seres humanos absolutamente iguales a los blancos, sólo que colocados en una circunstancia especial y desfavorable. Como son más débiles, pueden ser más malos —violentos, traidores e hipócritas— que los blancos. Los indios no me parecen misteriosos ni poéticos. Lo que ocurre es que viven en una miseria atroz. Es necesario describir cómo esa miseria ha atrofiado sus mejores cualidades. Otro detalle que los autores indigenistas descuidan —y hacen muy mal— es la forma. Suponen que como el tema es noble e interesante, no es necesario cuidar la manera como se desarrolla. Como refieren casi siempre sucesos desagradables, lo hacen de un modo desagradable: descuidan el lenguaje, no pulen el estilo... Por pretender mis libros objetivos muy distintos, no se me puede incluir en esta corriente.

EC: ¿Qué te propones al referir los problemas de convivencia entre los blancos y los indígenas?

RC: Ante todo, ser imparcial. Sé que el blanco no es el mejor, pero no por razones de carácter individual sino por circunstancias sociales y económicas. No se puede convertir impunemente a un personaje blanco en villano, ni a uno indígena identificarlo *a priori* con la bondad. La única diferencia, y no es pequeña, consiste en que los indios son siervos y los blancos reservan para sí el papel de amos.

EC: ¿Cuáles son tus prosistas predilectos?

RC: León Tolstoi y Thomas Mann. *La guerra y la paz* es la cumbre del realismo crítico. *El Doktor Faustus,*

130

Carlota en Weimar y *La montaña mágica* han sido, en mi caso, fuente constante de riqueza, ejemplo de análisis de los objetos y de reflexión sobre los fenómenos. No contar en bruto sino iluminar las cosas y las causas: he allí lo que me propongo y lo que admiro en ambos autores.

MG: ¿Qué significa *Poesía no eres tú*, el libro que reúne tu obra poética?

RC: Por lo pronto me permite tener una perspectiva sobre mi obra que apareció en libros, no la que está dispersa en periódicos y revistas literarias. Durante mucho tiempo yo no había tenido el menor contacto con los libros anteriores. Ahora lo veo todo junto y lo tengo que asumir como una unidad, que además se puede advertir en la lectura. El libro se abre con un poema largo, "Apuntes para una declaración de fe", que es bastante intelectualoide, irónico, no sentimental, y se cierra con otra parte en la que tomé la misma actitud con una diferencia únicamente de lenguaje. En ideas no cambio mucho, simplemente dejo de decir aquellas ideas que eran falsas que eran postizas o que eran una moda y me reduzco a lo que creía desde el principio, pero no me atrevía o no podía decir porque carecía del dominio del idioma para hacerlo. En la parte última del libro me siento con una entera libertad para usar palabras consideradas como prosaicas, y que son prosaicas, para incorporarlas no al lenguaje poético en general, sino a mi estilo. También tomo una serie de anécdotas o de incidentes o de experiencias que no son las que de una manera muy formal se consideran como poéticas. Me siento ya en libertad de salirme del canon y de encontrar fuera algo que a mi modo de ver es válido. Para mí, quizá por un afecto, de quien ha hecho un objeto, lo que más me gusta, lo que me parece más completo, es la parte final. Pero claro, esa parte no se entiende si no se hace referencia al pasado.

MG: ¿Cuál parte de *Poesía no eres tú* es la que aceptas más y cuál la que aceptas menos?

RC: Los primeros poemas especialmente "Apuntes para una declaración de fe", me producen un rubor que no puedo disculpar, ni puedo justificar diciendo que fueron pecados de juventud, porque ni era tan joven cuando los escribí ni era tan inconsciente. Era muy retórica y la mayor parte de las formas de expresión usadas allí no me son propias. Son ecos de quienes estaban muy próximos a mí o el deseo de seguir una moda, una tónica y un acento que predominaban entonces. Luego aparece un libro que tuvo el título bastante desdichado por los juegos de palabras a los que se prestaba: *De la vigilia estéril*. Naturalmente mis amigos decían: "De la vigilia histéril". Pero el título no es lo más grave del libro, sino las maneras de hablar. Hablo allí como si fuera una mujer muy vital, muy sensual, muy rodeada de amor y de pasión. Y eso es pura y estrictamente retórica. En esa época yo hacía una vida de ascetismo, mayor que la de una monja y no tenía la menor capacidad ni siquiera para distinguir los sabores de las cosas. Era yo particularmente insensible a todos los datos de los sentidos y sin embargo el libro está lleno de esos datos, pero son de segunda. Los adquirí a través de lecturas. Supe que las cosas olían, supe que sabían, supe incluso que había diferencias entre hombre y mujer porque leí un libro, *Sexo y carácter*, y a partir de entonces comencé a encontrar la diferencia y a decir ¡viva la diferencia! Antes me era todo una masa indiscrimanada de gente que se vestía de un modo o de otro, pero eso no tenía ninguna significación. Después de esto fui muy consciente de lo fraudulento que era esta poesía. Transité a otra en la que quise forzarme a ver ciertas cosas, porque espontáneamente no lo habría hecho. Quise purificar el lenguaje de esta hojarasca como lo llamaron los críticos —y le llamaron muy bien— y de esta serie de influencias que, como dijo Miguel Guardia, se podían llamar legión. Las influencias fueron reducidas a una sola, Gabriela Mistral, y fue más fácil el tránsito hacia lo que, podríamos decir, en el libro siguiente, *El rescate del mundo,* ya es algo de acento propio. Allí sí ya puedo reconocer, y asumir y declarar que soy responsable de esos libros. Y de los otros, pues quisiera que no hubieran sido necesarios para llegar a los demás.

BE: ¿Fuiste hija única?

RC: No. Tuve un hermano un año menor que yo, y un medio hermano cinco años mayor; mi hermano murió cuando los dos éramos muy pequeños y con mi medio hermano mantuve una relación tal, de distancia, que prácticamente puedo considerarme hija única. Por lo menos, he tenido y tengo los defectos y los problemas de los hijos únicos.

BE: ¿Cómo cuales?

RC: En primer lugar, la atención de los padres se centra de manera exclusiva en uno. Así instintivamente se perfeccionan una serie de mecanismos y de actitudes que mantienen esa atención siempre despierta, preocupada y dispuesta a conjurar los infinitos peligros que se ciernen alrededor de la preciosa criatura. En términos comunes y corrientes, uno se vuelve un surtido rico de mañas que aplica luego a sus relaciones extrafiliales y que no le producen el resultado apetecido.

BE: ¿Cómo te considerarías madura?

RC: El día en que pudiera asumir de una manera plena el hecho de que existen en el mundo personas ajenas a mí, que no me tienen como el centro de su universo

133

y como el término de sus afectos y sus desvelos. Aceptar que el otro existe ya que es muy difícil; pero añadir que existe como persona libre, independiente de lo que necesito y exijo de ella, y con su propio núcleo de aspiraciones, es algo más que difícil, casi imposible. Para mí, alcanzaría la madurez al transitar de la condición de hija única a la de persona adulta que convive con otras personas adultas.

BE: Intentaba explicar esto: los escritores crean mundos para suplir sus carencias, ¿no?

RC: Naturalmente, la literatura responde a una muy profunda exigencia del instinto de conservación. El escritor no se adapta, no soporta la realidad circundante y crea otra a la medida de sus necesidades, de su nostalgia y de sus aspiraciones. Por lo demás, para mí esto justifica el escribir. Estoy de acuerdo con Rilke cuando contestaba a las perplejidades del joven poeta: ninguna respuesta parece segura, excepto la certidumbre que el escritor conserva de que moriría si no practicara esta forma de vida.

BE: ¿Y cuáles son tus carencias, tu melancolía?

RC: La infancia perdida, un anhelo de convertirme en un ser absoluto para otro ser. La única vía existe en las palabras, en la búsqueda del orden que las preside, en la elaboración de una atmósfera en la que el ser absoluto sea una posibilidad.

BE: Recuerdo cuando esperabas a tu hijo, soportabas una serie de conflictos emocionales; sin embargo, deseabas mucho tenerlo.

RC: Mi deseo no se defraudó. La mayor parte de mis temores carecían de fundamento. Ante una criatura totalmente inerme, dependiente, no se me desarrolló un afán posesivo y devorador como supuse. Se me desarrolló el más profundo respeto. Cada vez que intento tratar a otro, como persona que vale por sí misma, hago un esfuerzo y pienso en cómo trataría a mi hijo en circunstancias semejantes. Mi hijo ha sido "mi arte de amar".

BE: ¿Y cómo eran tus papás?

RC: Murieron hace veinte años. Conservo de ellos una imagen estereotipada que no corresponde a ninguna realidad. Es la única que puedo trasmitir. Mi padre era un hombre profundamente melancólico, incapaz de contemplar el sufrimiento ajeno. Débil ante la adversidad. Mi madre debe haber tenido una juventud y un temperamento poderosos que el matrimonio destruyó. Cuando los conocí, se encontraban tanto física como espiritualmente en plena decadencia. Me crié en el ambiente de una familia venida a menos, solitaria, aislada, una familia que había perdido el interés por vivir.

BE: Esas mujeres ansiosas que describes en tus libros, ¿partieron de tu soledad infantil?

RC: Mi experiencia más remota radicó en la soledad individual; muy pronto descubrí que en la misma condición se encontraban todas las otras mujeres a las que conocía: solas solteras; solas casadas; solas madres. Solas, en un pueblo que no mantenía contacto con los demás. Solas, soportando unas costumbres muy rígidas que condenaban el amor y la entrega como un pecado sin redención. Solas en el ocio porque ese era el único lujo que su dinero sabía comprar. Retratar esas vidas, delinear esas figuras forma un proceso que conserva una trayectoria autobiográfica. Me evadí de la soledad por el trabajo; esto me hizo sentirme solidaria de los demás en algo abstracto que no me hería ni trastornaba como más tarde iban a herirme el amor y la convivencia.

BE: Algo de lo más bello que has escrito es tu "Lamentación de Dido". ¿Allí nació tu experiencia penosa en el amor? ¿Por primera vez te hirió el amor de manera profunda?

RC: No, mi precocidad erótica te asombraría; sin embargo, mis enamoramientos y mis desengaños se desarrollaban en un plano estrictamente imaginario. Estoy segura de que mis "grandes amores" jamás advirtieron que generaban en mí una gama variadísima de estados anímicos y una serie interminable de sonetos. Estas experiencias no trascendían desde el punto de vista real ni literario. En "Lamentación de Dido" la experiencia fue tan pobre como las anteriores; pero logró plasmarse en una forma literaria que todavía considero válida.

BE: Si el amor ha sido tan conflictivo, tan problemático, ¿por eso el trabajo ha tenido la importancia que ha tenido?

RC: Como te decía, el trabajo me abrió mi primera vía de acceso al mundo. Cuando descubrí esta cualidad, busqué un trabajo que llenara ciertas exigencias éticas y ciertos deseos de justicia. Solicité, incluso sin manifestar posibilidad alguna de ser útil, servir en el Instituto Nacional Indigenista. Desde mi infancia, alterné con los indios. Después de adquirir una perspectiva, me di cuenta de cómo eran los indios y de lo que deberían ser. Me sentía en deuda, como individuo y como clase, con ellos. Esa deuda se me volvió consciente al redactar *Balún-Canán*. Asumirla trajo como resultado otros libros y la actividad de dirigir el teatro guiñol en el centro que el Instituto mantiene en San Cristóbal.

BE: Juan Rulfo me confesó que no entiende la mente indígena, por eso describe siempre personajes mestizos. ¿Entiendes la manera de pensar y de sentir de los indios?

RC: Me niego a suponer que el indio es un ser exótico,

enigmático e impenetrable. Lo veo como un hombre que sostiene sus formas peculiares de expresión y que se encuentra en una circunstancia determinada a la que responde como, en general, los otros hombres responden a sus propias circunstancias. Se trata de analizar el ambiente, describir los actos y, de allí, intuir los procesos internos que han servido como punto de partida de esos actos.

BE: Siempre se suponen los procesos internos de los demás y generalmente hay infinidad de noticias ajenas que se nos escapan.

RC: Importa sólo que los personajes resulten verosímiles y que de alguna manera nos identifiquemos con ellos. Falta el lector indígena, ¿se reconocería en mis novelas? Ya no se trata de un problema literario sino antropológico. Pasarán años antes de conseguir la respuesta. Además, ¿cuándo existirá un lector indígena? Tardará largo tiempo en nacer.

BE: ¿Qué es la felicidad?

RC: No se trata de una lotería que alguien se saca y los otros no, ni de una casualidad con la que algunos se topan, sino de un hábito del pensamiento, del sentimiento y de la acción que por desgracia ninguna de nuestras sociedades se preocupa por enseñarnos: ni los padres, ni los maestros, ni siquiera los libros. Ya la educación no debe limitarse a enseñarnos datos que nuestra inteligencia manejará. Necesitan formarnos de manera que nos desarrollemos aptos para vivir, para que la vida resulte plenamente disfrutable. Así, disminuiría muchísimo la clientela de los psicoanalistas a los que se recurre cuando el daño ha sido consumado.

BE: Hemos hablado del amor desdichado; sin embargo no hablamos sobre el amor real. ¿Tiene algo que ver con el logro de la felicidad?

RC: Sí, cuando te ayuda a salir de ti misma y te amplía tus límites, cuando te permite entender mejor el mundo y te quita los velos que te impiden reconocer y aceptar la existencia de los otros; entonces es una forma de la felicidad. Así empleamos la palabra amor con unas connotaciones que sobrepasan los vínculos eróticos entre hombre y mujer y que se aproximan mucho a la experiencia religiosa.

BE: A veces, pienso mucho sobre el tema y me pregunto, ¿el amor existe o es algo que uno inventa?

RC: Esta liga exclusiva de un individuo a otro es, ya lo sabemos, una invención occidental y el amor a distancia, irrealizable, una invención de los trovadores, y el amor funesto una invención de los románticos, y el amor lleno de complejos un descubrimiento de Freud. Nosotros vivimos dentro de este contexto cultural, heredamos y practicamos estas diversas maneras de enseñar y de sentir. Sólo cedemos a nuestro temperamento al escoger el amor bajo especie psicoanalítica o romántica o trovadoresca.

AMALIA DE CASTILLO LEDÓN

AMALIA DE CASTILLO LEDÓN

Amalia de Castillo Ledón (1902) nace Amalia González Caballero en Santander Jiménez, Tamaulipas. A los diecisiete años contrae matrimonio con el historiador y estadista Luis Castillo Ledón. Termina sus estudios como maestra normalista y licenciada en Filosofía y Letras. Siendo directora y fundadora de Acción Social del Departamento del Distrito Federal en 1929 inicia una serie de programas entre los que se cuentan Diversiones Populares, Escuelas de Artes y Oficios y un internado para los hijos de los presos. En esta capacidad fue productora de *Quinto Sol*, espectáculo monumental que tuvo lugar en Teotihuacan y en el cual participaron más de dos mil personas. Durante este mismo año dio un gran impulso al teatro nacional cuando consiguió la cantidad inicial de $ 50 000.00 del Presidente Emilio Portes Gil para fundar la Comedia Mexicana. Consistía ésta inicialmente del Grupo de los Siete, denominado "Los Pirandellos", y constituido por Víctor Manuel Díez Barroso, Celestino Gorostiza, Carlos y Lázaro Lozano García, Carlos Noriega, María Luisa Ocampo y Ricardo Parada León. La primera obra, *El corrido de Juan Zaavedra*, de María Luisa Ocampo, se estrenó en el Teatro Regis el 24 de mayo. De 1934 a 1944 doña Amalia asume el puesto de subdirectora de la Dirección General de Acción Cívica.

En 1937 funda y preside por doce años el Ateneo Mexicano de Mujeres, asociación que agrupa a las escritoras y artistas de la época. Entre las miembros de este grupo se

141

encuentran: Graciana Álvarez del Castillo, Caridad Bravo Adams, Concha Michel, María Luisa Ocampo, Laura Pallavicini, Rosario Sansores, Rosario Uriarte, Concha Urquiza y Esperanza Zambrano.

Como delegada de México ante la Comisión Interamericana de Mujeres de la Unión Panamericana primero, y como presidente de la misma organización después, lucha por los derechos de las mujeres. A la cabeza del grupo Alianza de Mujeres ayuda a obtener el voto para la mujer durante el gobierno de Adolfo Ruiz Cortines en 1952. Fue, además, la primera mujer embajadora mexicana al ser nombrada en este puesto en Viena, Austria, de 1965 a 1970.

Si su labor sociocultural y feminista es enorme, su obra teatral no es menospreciable y cuenta con *Cuando las hojas caen* (1929), *Cubos de Noria* (1934), *Coqueta* (1937), *Bajo el mismo techo* (1955) y *Peligro, Deshielos* (1957) reeditada en 1963 y puesta en escena bajo el título de *La verdad escondida*. Su primera obra, *Cuando las hojas caen*, es interesante porque aborda el problema de un matrimonio estéril desde la perspectiva de los sexos. El hombre ni siquiera considera su unión un problema ya que es libre de llevar una vida de soltero. La mujer, en cambio, necesita divorciarse y regresar al hogar materno para volver a ser hija de familia y así, irónicamente, recobrar su libertad.

Doña Amalia dirige por dos años (1946-1948) la revista *Hogar* y durante seis (1946-1952) escribe una columna semanal para *Excelsior*, "Siluetas en fuga".

La contribución de Amalia Castillo Ledón al bienestar social, a los derechos de la mujer y a la cultura mexicana es valiosa. Figura importante en el desarrollo del México moderno, constante fuente o receptor propicio de nuevas ideas, mujer de una actividad increíble, doña Amalia por su posición social privilegiada pudo hacer, e hizo mucho por la cultura mexicana.

142

Su hija, Beatriz Castillo Ledón, hizo la carrera de medicina en el Brasil y la de psicología en México, en donde ha seguido experimentando en diversas ramas de este último campo. Ha escrito varias obras teatrales para masas como *Cuauhtémoc, Montañas de oleaje* y *El imperio del sol poniente.* Ha compuesto igualmente guiones para cine como *Zenzontle* cuyo argumento trata de las experiencias de un niño que cree estar viviendo con Dios y *Marfil,* sobre una ciudad muerta de Guanajuato. Tiene además una novelita para niños, *Rubicundo Hematíes* (1962), que versa sobre la vida de un glóbulo rojo y cuyo propósito es el enseñar a los niños el funcionamiento de la sangre en el cuerpo humano. Actualmente prepara cuentos psiquiátricos extraídos de casos verídicos y trabaja en la sección de toxología y psiquiatría experimental del Departamento de Investigación Científica.

La vocación de Beatriz Castillo Ledón empezó desde su infancia al encontrar apoyo y estímulo por parte de sus padres y parientes. Se inició en las letras a su regreso del Brasil, cuando la poeta costarricense Eunice Odio la presentó al grupo de escritoras que se reunía en la casa de Guadalupe Dueñas. Este grupo que atraía a toda la intelectualidad del momento, estaba formado por Guadalupe Amor, Carmen Andrade, Beatriz Castillo Ledón, Amparo Dávila, Guadalupe Dueñas, Margarita López Portillo, Mercedes Manero de Yepes, Ángeles Mendieta Alatorre, Ester Ortuño y Margarita Urueta. Desde entonces admira la obra de Eunice Odio a quien considera la poetisa más grande de América por la claridad de su expresión. Castillo Ledón ha escrito la biografía de Eunice Odio y junto con Amparo Dávila está recopilando mucha de su obra regada en periódicos y revistas. Eunice, caso raro en un escritor, vivió dedicada exclusivamente a la literatura, trabajando a veces como periodista para ganarse la vida (murió en 1974).

ENTREVISTA CON AMALIA CASTILLO LEDÓN

M: ¿Qué obras de difusión cultural realizó Acción Social bajo su dirección en el veintinueve?

ACL: Tenía un programa llamado Recreaciones Populares. Eran obras de teatro que poníamos en una plaza o jardín de los alrededores. Asistía gente muy pobre.

M: ¿Y trabajó en eso María Luisa Ocampo?

ACL: Sí y cuando mi esposo se fue de gobernador a Nayarit se quedó ella en mi lugar.

M: Entonces usted conoció a Rosario Castellanos.

ACL: Sí, cómo no, fue extraordinaria. Lo de Acción Social incluyó también centros culturales en pueblos pequeños en donde no había una sola escuela. Pero no sólo se les enseñaba a escribir y a leer. Les poníamos maestro de diseño, por ejemplo. Aprendían a dibujar algunos zapatos o diseñar alguna tela. Lo que más les gustaba era la guitarra y el canto. Entonces fundé una escuela para los niños de los presos, que no había. Vi a niñitos de hasta tres años en la cárcel. Los presos no tenían con quién dejar a sus hijos. Organicé un internado para niños y otro para niñas que todavía existe. Ahí se les da comida y vestido y si al llegar al sexto año quieren estudiar pueden salir. Cada mes los camiones del gobierno llevan a los niños a visitar a sus padres.

M: ¿Quiere decirme algo del Ateneo Mexicano de Mujeres?

ACL: Fue muy importante porque allí estuvieron todas las escritoras. Hacíamos reuniones cada mes y todas llevábamos algo que leer a las demás. Luego tomamos una casa más grande y empezamos a invitar a

144

personajes a que nos fueran a oír. En aquel tiempo no nos daban mucha importancia a las mujeres.

M: ¿Usted lo fundó y fue su presidenta por doce años?

ACL: Sí. Por doce años desde el treinta y siete.

M: ¿Cree que en los años veinte y treinta era difícil para la mujer ser escritora?

ACL: Sí.

M: Y también fundó el Comité Interamericano de Mujeres Pro-Democracia. ¿Era una organización política?

ACL: Sí.

M: Pero, ¿ustedes no tenían el voto todavía?

ACL: No, pero tratábamos de tenerlo. Porque la democracia implica igualdad en hombres y mujeres.

M: ¿Y luego, dos años más tarde en el treinta y nueve, fue a Washington?

ACL: Antes de eso fundé muchas otras asociaciones como el Club Internacional de Mujeres.

M: ¿Qué era eso?

ACL: En México había muchas mujeres de otros países que no tenían con quien hablar a excepción de su propio grupo. Nos juntamos una señora norteamericana, una holandesa y varias otras.

M: ¿Se acuerda del nombre de la americana?

TCL: La fundadora fui yo pero el alma de ese grupo fue la doctora McMillam. Se acaba de morir a los 104 años en el hospital inglés (el ABC).

M: ¿Y entonces fue usted a Washington?

ACL: Pero antes formé la Asociación de Obreras Intelectuales. A la Asociación de Universitarias a la que pertenecía yo, le estaba vedado meterse en cosas políticas. Entonces yo llamé a algunas y les sugería que le cambiáramos el nombre para poder meternos en cosas políticas. Más tarde nos adherimos al PRI. Entonces me nombraron delegada de México a la

145

Comisión Interamericana de Mujeres. ¿La conoce?

M: Sí. Entonces formaba parte de la Unión Panamericana.

ACL: Formaba parte pero no tenía una posición legal. La habían formado varias americanas de gran importancia como Doris Stevens y Minerva Bernardino de la República Dominicana. La Comisión tenía un cuartito pero ni siquiera estenógrafa. Entonces nombraron presidenta a una delegada argentina, muy culta, muy distinguida, muy bonita. Pero estos puestos son elegidos no nombrados y a ella la nombraron. Todo estaba en confusión. Doris y Minerva trabajando con el papeleo y la presidenta en Argentina.

M: Entonces ya tenía usted fama.

ACL: Inclusive había dicho un discurso en la Columna de la Independencia.

M: Ah, sí. En pro de los derechos de la mujer. Pero entonces ustedes no se llamaban feministas.

ACL: No.

M: Nada más quiere decir una mujer que trabaja en pro de todos los derechos de las mujeres. Pero aquí no se usaba.

ACL: Yo era únicamente una mujer famosa con una gran facilidad de palabra.

M: Si le preguntara si es usted feminista, si ha hecho una labor feminista, ¿me diría que sí?

ACL: He sido una gran feminista, porque lo he hecho por muchos años y en diversos campos.

M: ¿Había muchas mujeres en la universidad cuando usted fue estudiante?

ACL: Muchas no, pero sí había. Déjeme contarle de la Comisión. Me llamó el ministro de Relaciones para decirme que el presidente me había nombrado a la Comisión Interamericana de Mujeres en Washington. Al enterarse de mi nombramiento me escribió Minerva Bernardino que vivía en Washington diciéndome que se alegraba de mi nombramiento y que la presidenta nombrada, la delegada de Argentina, quería llevarse la sede de la Comisión a la Argentina y que esto ocasionaría que la Comisión perdiera una gran oportunidad de adquirir *status* político. Me movilicé en México y escribí cartas y mandé telegramas a políticos y delegadas. Al llegar a Washington la señorita Bernardino y yo le hicimos dos cables a la presidenta que estaba en Argentina. Yo le dije: "Como delegada de México tengo aquí la contestación de dieciocho países pidiendo que no salga de la Comisión. Yo le pido que como presidenta venga a Washington ya que desde que fue nombrada usted no ha venido a tomar cargo de su puesto.

M: ¿Y vino?

ACL: Sí. Llegó y la comprometimos. No tenía idea de lo que se trataba.

M: ¿Usted cree que la Comisión fue efectiva a pesar de no tener *status* político?

ACL: Cómo no. Tenía mujeres de mucha valía como Doris Stevens que ya había trabajado antes en reuniones interamericanas.

M: ¿Usted fue a la Conferencia de Chapultepec de la Unión Panamericana en el cuarenta y cinco y allí logró que se les reconociera a las mujeres?

ACL: Minerva y yo redactamos un texto según el cual la Comisión Interamericana de Mujeres debería formar parte íntegra de la Organización de Estados Americanos. Le voy a contar cómo sucedió.
El día que íbamos a leer nuestras peticiones, el presidente de nuestra Comisión fue llamado a otro sitio. Minerva, por el entusiasmo que tenía, pidió la palabra y empezó a leer su proposición. El que fungía como presidente la paró y le dijo: "Señorita, per-

147

dón, pero lo que usted está diciendo no corresponde al asunto que estamos tratando." Entonces yo le pedí a Alfonso Reyes, que estaba sentado delante de mí que me dijera cuando me correspondiera hablar. Cuando me lo indicó, me puse de pie y levanté la mano. El presidente me dijo: "Señorita, no puedo darle la palabra porque lo que usted va a decir no corresponde aquí." Y le dije: "¿Cómo sabe el señor presidente lo que yo voy a decir?" "Pues no puedo darle la palabra", me contestó. La asamblea se puso de pie y empezó a gritar a mi favor. Después vino la votación y nuestras propuestas para conseguir el *status* político fueron aprobadas por unanimidad y se adoptaron los artículos 23 y 31 de la Unión Panamericana.

M: ¿Cuando usted hacía la revista *Hogar* no había muchas revistas femeninas?

ACL: No, había pocas. Emilia Enríquez de Rivera fue la fundadora y yo la tuve como directora por varios años. Luego me dediqué más a las cosas femeninas y sociales y dejé la revista. Cuando estaba en la ONU como vicepresidenta de la Comisión Mundial de la Mujer, mandaba una columna semanal a *Excelsior*, "Siluetas en fuga" que trataba de personalidades que yo iba conociendo en esa organización mundial.

M: Me dijo que hace algún tiempo pensaba escribir un libro sobre mujeres escritoras.

ACL: Sí y tengo mucho escrito de ello. Pero como lo he dejado por mucho tiempo, prefiero empezar a escribir mis memorias.

M: Eso sería muy interesante.

ACL: Tengo muchas cosas que decir de lo que vi en la ONU. Yo estuve en primera fila el día que se creó Israel y lo más importante fue que hubo tres votaciones. Estaban cambiando el voto cuando les ofrecían

148

dinero. Se presentaba mal la votación, se suspendía por una hora o más hasta que los delegados consultaban con sus países el nuevo precio que se les ofrecía por cambiar su voto. Y esto, aunque feo, es historia.

M: ¿Usted ha puesto en escena alguna de sus obras?

ACL: Sí, cuatro.

M: ¿Qué tipo de organización es la Alianza de Mujeres que usted organizó en el 52?

ACL: Pedí seis meses de licencia a la Comisión en Washington y vine a ver a don Adolfo Ruiz Cortines para pedir que les diera el voto a las mujeres. Le dije que si México podía tener una delegada en la Comisión Interamericana de Mujeres debería dar el voto a la mujer. Él me dijo que necesitaba una petición de medio millón de mujeres. Y me ayudaron Esther Talamantes, Aurora Fernández y varios señores. Nos fuimos por toda la República y aquí en la ciudad de México juntamos medio millón de firmas y domicilios. Entonces Ruiz Cortines declaró que a la hora que tomara la presidencia iba a dar el voto a la mujer. Aurora Fernández es ahora presidenta de la Asociación de Universitarias.

M: ¿Usted fue embajadora de México?

ACL: Sí, yo fui la primera.

M: ¿Ha habido tres más en estos años?

ACL: Tres nada más.

M: ¿Y las otras dos ya murieron?

ACL: Ya murieron. Antes de mí hubo una que fue ministro.

M: ¿Dentro del Gobierno?

ACL: Sí. Se llamaba Palma Guillén.

M: ¿Y cuáles eran los problemas fundamentales de la mujer en la ONU?

ACL: Bueno, en primer lugar había que convencer a las

149

mujeres de la importancia que tenía el movimiento de la mujer. Otro problema es que había varios grupos y no se querían unir. Yo les decía que estudiaran la ley, que votaran, que pidieran sus derechos pero no con agresividad ni con insultos, sino tratando de convencer al hombre que la mujer es un ser humano también.

M: ¿Usted escribió un ensayo sobre la mujer obrera del futuro?

ACL: Sí.

M: ¿Conoció a Concha Michel que nació en el 99?

ACL: Sí, cómo no. Nos estimamos mucho. Ella fue de las primeras feministas. Otra de las pioneras fue Esther Chapa. Michel es grande, pero sigue muy valiente. Trabaja con obreras.

M: ¿Aurora Reyes fue también política socialista?

ACL: Sí, son muy amigas ellas dos. Son socialistas muy inteligentes que hicieron mucho por eso de las mujeres. Ese grupo se reunía en el Sanborn's de Madero cuando yo me uní. Allí se juntaban Esther Chapa, Concha Michel, Aurora Reyes, Adelina Zendejas y varias otras. A pesar de que yo no soy comunista, me gustaba ese grupo por sus ideas sobre los derechos de la mujer.

M: ¿Usted cree que, en general, el hecho de ser mujer le hace más difícil la carrera a una escritora?

ACL: ¿Por qué?

M: Pues porque algunas escritoras creen que sí. Su amiga Esperanza Zambrano, por ejemplo, cree que no se las tomaba muy en serio a las mujeres.

ACL: Bueno, antes, pero no vamos a hablar del siglo pasado.

M: En los años veinte, por ejemplo.

ACL: Sí. Pero inclusive en esa época se tomaba muy en

serio a la buena escritora. En los treinta y tantos hubo una muy buena escritora que ya murió, Concha Urquiza.

M: No se sabe si se suicidó.

ACL: Creo que sí, pero era enorme. Hombres y mujeres la reconocían. Decían que después de Sor Juana, Concha era la genial.

M: Cree que va a haber otra escritora enterrada en la Rotonda de los Hombres Ilustres aparte de Rosario Castellanos?

ACL: Quién sabe.

M: ¿Cuando empezó usted a escribir había escritores que la ayudaron?

ACL: Yo me casé de diecisiete y mi esposo tenía veintiún años más que yo. Escribí esa obra teatral *Cuando las hojas caen* cuando tenía veinte años y la dejé olvidada en un cajón del cuarto de huéspedes. Una sobrina de mi esposo la descubrió escrita a mano en ese cuarto y se la llevó así a Virginia Fábregas que era la gran actriz.

Una tarde empezaron a llegar autores de teatro y Virginia y me hicieron que se las leyera.

M: ¿Virginia Fábregas es pariente de Manolo Fábregas?

ACL: Abuela. Ella y los autores me ayudaron y me animaron. Con el entusiasmo de mi éxito formé lo que se llamó "La Comedia Mexicana".

M: ¿Con María Luisa Ocampo y el Grupo de los Siete?

ACL: Sí, pero la formé yo y los invité a ellos. Fui a ver al presidente que por fortuna era de mi tierra y conocía a mi familia, don Emilio Portes Gil. Le pedí ayuda porque los actores mexicanos no querían representar obras de autores mexicanos y éstos necesitaban ayuda. Entonces invité a un grupo de autores mexicanos que incluía Ricardo Parada León, los hermanos Lozano García, Pancho Monterde, María

Luisa Ocampo, en fin un grupo muy bueno. Pusimos las obras de todos nosotros y de los autores que nos enviaban de todas partes y se llenó el teatro. Después nombraron a mi esposo gobernador de Nayarit. Tenía yo la Comedia Mexicana, Acción Social, Diversiones Populares y las escuelas de las cárceles. En Nayarit mi esposo formó el sistema educativo. Se llevó a Agustín Yáñez, a mi madre que era maestra de español, a una doctora suiza muy inteligente. Mi esposo fundó la Universidad de Nayarit. Agustín Yáñez daba sus clases y mi madre daba matemáticas y español, la doctora daba higiene, yo castellano avanzado y mi esposo español e historia. Y así se fundó lo que ahora es la Universidad del Estado de Nayarit.

(México, D. F., 15 de julio, 1976)

GUADALUPE DUEÑAS

GUADALUPE DUEÑAS

Guadalupe Dueñas (1920 nace en Guadalajara, Jalisco). Hace estudios literarios en la UNAM y bajo la dirección de Emma Godoy, publica sus primeros relatos con el título "Las ratas y otros cuentos" en la revista *Abside* durante 1954. El Fondo de Cultura Económica edita en 1958 su colección de relatos *Tiene la noche un árbol* y Joaquín Mortiz le publica en 1976 otra colección de cuentos, *No moriré del todo*. La Editorial Jus tiene en imprenta su novela que escribió como becaria del Centro Mexicano de Escritores durante 1958-1959 y que se llama *Máscara para un ídolo.*

Tiene la noche un árbol (1958) es, hasta la fecha, su colección más conocida y más afortunada. Ganadora del premio José María Vigil en 1959, ha sido editada varias veces y adoptada como libro de texto en clases de literatura. El humor y el miedo son constantes en esta colección. "Guía en la muerte", por ejemplo, es un relato de una visita a un museo de momias en Guanajuato. El guía da una relación completa de todas las momias a excepción de una mujer que fue enterrada viva. El interés y el terror crecen paulatinamente y culminan cuando la narradora, y el lector, se dan cuenta de que el guía es el hijo que enterró viva a su madre. "Conversación de Navidad" es un humorístico monólogo dramático a manera de charla telefónica que narra lo gratuito y ridículo de una convención familiar: la cena navideña, acontecimiento que a todos indigesta e incomoda pero que ninguno perdona.

El lenguaje de Dueñas capta frecuentemente la situación cómica y/o angustiosa de los personajes. En "El moribundo", por ejemplo lo ineludible de la muerte de un tuberculoso infectado como castigo por ser cristero se capta en la frase: "Él era un bosque encendido que se extinguía leño por leño".[1] Del oficio del escritor Dueñas ha dicho: "Creo en la gracia, en la chispa, en el talento, en el genio, en la lotería, en el soplo divino que existe para aquellos que, además de lo anterior, tienen cimientos culturales verdaderos; pero es que con toda la cultura del mundo, no se escribe si no hay 'magia', un don regalado que no se adquiere en los libros, ni en las aulas, sitio donde no he puesto un pie desde luego. Es por esa suerte que algunos salvajes incursionamos en las resbalosas orillas del Parnaso."[2]

Asimismo Dueñas ha escrito guiones para la televisión. Su serie histórica *Carlota y Maximiliano*, que fue la primera telenovela a colores hecha en México, tuvo gran éxito y fue comprada por una compañía austriaca. Otra serie exitosa es *Las momias de Guanajuato* que son trece episodios basados en el cuento "Guía en la muerte". También ha hecho adaptaciones de obras de Shakespeare, Faulkner, Poe, James y Stendhal. Actúa además como asesora de teatro del IMSS y como asesora cinematográfica de la Secretaría de Gobernación y ha enseñado literatura en varias instituciones.

Si su obra creativa es importante, su labor como impulsora de la literatura de mujeres no lo es menos. Dueñas funda en 1958 lo que se llamó después "El Taller Literario" que consistía en reuniones semanales en su casa de un grupo de escritoras que se leían sus obras mutuamente. Fausto Vega

---

[1] Guadalupe Dueñas, *Tiene la noche un árbol* (México: Fondo de Cultura Económica, 1958), p. 39.

[2] *Los narradores ante el público* (México: Joaquín Mortiz, 1967), p. 61.

primero y Agustín Yáñez, después, asisten como invitados de honor a estas veladas literarias. El grupo, que posteriormente se reúne los miércoles en casa de Margarita López Portillo, ha incluido entre otras a Carmen Andrade, Beatriz Castillo Ledón, Guadalupe Dueñas, Margarita López Portillo (protectora del grupo), Alicia López Portillo, Mercedes Manero, Angeles Mendieta Alatorre, Esther Orduño y Margarita Urueta.[3]

ENTREVISTA CON GUADALUPE DUEÑAS

M: Lupe, quisiera saber qué opinas del cuento.

D: Lo mismo que hace diez años. Insisto en que el cuento cobró nuevo impulso cuando la obra de Juan José Arreola y de Juan Rulfo avivó la imaginación de otros autores, sin que por otra parte varíen los contenidos que nos heredó la Revolución. La preponderancia del tema rural, la insistencia en escenas provincianas, la preferencia por acontecimientos de barrio bajo, el rescate del mundo indígena. Estos cuatro elementos polarizan los registros y el tono de casi todos nuestros cuentistas y cabe preguntar si hemos superado el realismo del siglo XIX. Yo pienso que aunque las técnicas difieren, desde Maupassant hasta Faulkner, nada se ha hecho más adelante. La concepción sigue siendo la misma. Nuestros autores permanecen anclados en la recreación por alianza o por condena. Hacen narraciones en bloque, monótonas, largas en descripción, por lo que dan la idea de bellos edificios aunque inhabitables. Por más exquisita que sea la forma del escritor que recuenta

[3] Hace poco se editó una antología que contiene prosa de siete autoras de este grupo, prologada por Agustín Yáñez, *Girándula* (México: Porrúa, 1973).

157

este tema, tiene que someterse a un cliché fatigante. Esto es lo que realmente pienso del cuento.

M: Quería preguntarte si tú habías escogido los dos cuentos que aparecen en esta antología, *14 mujeres escriben cuentos*.*

D: No. Casi siempre es sorpresivo el gusto de los antologistas. Tienen libertad en su selección; no me preguntan cuál deben poner. Todos los cuentistas tenemos nuestras criaturas amadas. Y resulta que no sabe uno siempre por qué. Pero es muy emocionante descubrir que a tal o cual persona lo que le interesan es lo más inesperado para uno.

M: Son dos cuentos muy distintos: "Teresita del niño Jesús" y "La señorita Aury".

D: Son muy diferentes en tema, en tono y en actitud interior.

M: En "La señorita Aury", además, tú tienes mucho más distancia. El primero es muy personal.

D: Muy bien visto. Realmente es un recuerdo casi de infancia. Tiene una cosa irónica de declarar: no estoy madura para la santidad; no he podido con ella.

M: Pero la ironía en la literatura es muy difícil, no tanto para el escritor como para el lector; a veces no sabe hasta qué punto está hablando en serio el autor.

D: En la nueva colección *(No moriré del todo)* tengo un cuento "Carta a una aprendiz de cuentos", en que tú verás con qué ironía le digo cómo se hace un cuento a la persona que me pregunta: "¿Cómo se hace un cuento?" Le doy la receta, pero esa receta tiene mucho de verdad, de mi verdad, y mucho de ironía. Al último

---

* México, Federación Editorial Mexicana, 1975. Incluye cuentos de Inés Arredondo, Raquel Banda Farfán, Sarah Batiza, María Elvira Bermúdez, Rosario Castellanos, María Amparo Dávila, Emma Dolujanoff, Guadalupe Dueñas, Beatriz Espejo, Elena Garro, María Esther Perescano de Salcido, Elena Poniatowska, Carmen Rosenzweig y Graciela Santana Szymanski.

le digo que lo que importa es que se salga al sol; que
el cuento se abraza como una mujer abraza a un novio,
con toda el alma o nada. Es un poco de broma. Luego,
yo tengo bastante cosas que yo me imagino que son iró-
nicas, y la gente a veces las toma como maldad o como
negativismo, y no. Yo tengo una visión sumamente sonriente de la vida, sumamente graciosa del mundo. No
soy trascendente. A todo le veo un lado de mucho amor
y de mucha gracia. No sé por qué dicen que siempre le
doy un lado amargo a las cosas. El lado crítico, claro,
es un poco amargo porque la inteligencia, a la hora de
hacer un juicio, necesita aplicarse con fuego, no blan-
damente.

M: "Teresita" es muy cortito, dos páginas y media.

D: Todos mis cuentos son bastante cortos. Yo soy de respiración corta.

M: ¿Has pasado por una crisis religiosa? Eso parece evidente en tus cuentos.

D: Sí, es evidente. Sí, yo había tenido un gran anhelo de
ser mejor y lo sigo persiguiendo, pero se me hace cada
vez menos alcanzable, más lejos.

M: Me acuerdo que cuando te hice algunas preguntas hace
dos años, me contestaste muy irónicamente. Te pregunté si creías que las escritoras en México tienen dificultades por su sexo, en cuanto a la publicación de sus
obras, por ejemplo, o a la recepción crítica, y tú dijiste: "La obra valiosa abre todas las puertas, menos las
del banco". Indudablemente es cierto que es difícil
vivir de la literatura.

D: En mi país, sí es difícil. En otros lados, como Estados
Unidos, la promoción cultural es enorme y un *bestseller*
saca de la pobreza a un escritor. Aquí aunque fuera un
bestseller, no lo sacaba de la barranca. Pero en México
realmente para que un escritor tenga un éxito de venta,
tiene que vender muchísimos libros. Yo considero ha-

159

ber tenido dentro de mi poquísima producción un éxito muy grande, puesto que voy en la cuarta edición de *Tiene la noche un árbol,* y lo han tomado todas las escuelas como libro de texto para literatura. Es la mayor satisfacción que he tenido.

M: También has escrito mucho para la televisión.

D: Sí, he escrito para la televisión pero es que soy un poco avergonzante. La televisión representa una gran posibilidad para un día llegar a hacer una literatura formal y absoluta. Pero hasta ahorita, no creo que se pueda. Pasará mucho tiempo para que se eduque al público en la belleza del lenguaje. Ahorita, todavía está muy primario el gusto del gran público que o no acepta que se le diga con palabras y frases trilladas asuntos románticos totalmente baladíes y de lo más bobos. Hay un cliché infernal, infame, que nadie rompe. Diría uno que todas las historias de amor son iguales. Todas son iguales, pero sin embargo tenemos *Romeo y Julieta* y tenemos *Love Story* que dentro de las mismas cosas rompen los estereotipos, y con un sentido de belleza y de delicadeza infinita y de hermosura espiritual. Todo puede elevarse.

M: ¿Es cierto que has escrito treinta telenovelas?

D: Más de treinta, y casi todas tratando de levantar el gusto y la calidad literaria. He hecho muchísimas leyendas y realmente de eso no estoy apenada. Estoy apenada de las historias románticas, que no dan la medida de lo que sueño hacer. Las leyendas de México son sumamente bellas; tienen un encanto y una fantasía increíbles y van mucho con mi temperamento artístico. He hecho muchas leyendas de México y de otros países. También he hecho cosas históricas, como *Carlota y Maximiliano,* de toda una época de México, tratada con veracidad hasta donde es posible. Leí más de veinte libros para información a fin de hacer una cosa que sirviera para las escuelas más adelante.

M: ¿Y se usa actualmente *Carlota y Maximiliano* en las escuelas?

D: No fue aceptado porque mi ideología no corresponde a la oficial. Yo quería hacer historia, no política; yo creía que se podían plantear las cosas históricas tal y como sucedieron sin importarnos si en algún momento fue traidor tal o cual grupo de mi misma patria. Pero eso no es siempre fácil porque en estas materias se atraviesan cuestiones políticas y cívicas. Yo creo que en mi país tienen razón en tener reservas sobre estas cosas históricas, manejadas con romanticismo.

M: ¿*Carlota y Maximiliano* fue una serie larga?

D: Fue una serie muy larga, la primera telenovela a colores que se hizo en México. Tuvo tan grande resonancia que la compraron en Austria. Pienso que, conociendo ellos perfectamente la historia de un antepasado, podían haber tenido reservas, pero no, porque basé la obra en datos históricos tomados de libros clásicos y autorizados de diferentes autores nacionales y extranjeros, de opiniones diversas. Quizá tomaba yo partido, hasta cierto punto, no en favor del imperialismo, como me quieren hacer cargar, sino en favor de un espíritu selecto y maravillosamente fino, que era el de Maximiliano, cuya visión patriótica y amorosa de México no fue comprendida por motivos políticos.

M: ¿Podrías mencionar algunas otras series que te parecen de interés o de valor especial?

D: Creo haber hecho adaptaciones de muchas novelas famosas y también hay muchísimas obras que inventé totalmente. Por ejemplo, hubo una serie de trece historias que se llamó *Las momias de Guanajuato*. Me inspiró un museo de Guanajuato, el de las momias, que es un museo terrorífico. Están allí disecados una serie de personajes. Esta obra es fantasiosa, nada histórica. Yo inventé una posible historia de cada una de las gentes que aparecen en el museo. Estas historias formaron la serie de televisión *Las momias de Guanajuato*. Hay una sobre una mujer que enterraron viva y que se volteó en la caja, rompiéndose las manos para tratar de escapar. Ahora las momias están tras un cristal, pero hace quince o veinte años, estaban en un salón, muy a la mano, como sucede en muchos museos medio primitivos. Entonces, mi fantasía se avivó con lo que contaba el anciano cuidador. Me mostró, por ejemplo, una mujer que se murió al dar a luz y que tenía su niñito qué apenas había nacido pegado el cordón umbilical.

M: ¿Estas momias inspiraron también tu cuento "Guía en la muerte"?

D: Claro que allí es un cuento solo. Después de ese cuento resaqué a cada personaje para la telenovela. Regresé a Guanajuato y estuve más de una docena de veces en el museo compenetrándome del drama íntimo vivido por cada uno de los personajes. Yo lo hice realmente bajo una presión emotiva intensa. Y de allí salieron trece historias muy impresionantes y trágicas.

M: ¿Y los capítulos eran de media hora?

D: Eran de una hora y era diario. Fueron como unos ciento treinta capítulos.

M: Y todo inventado...

D: Lo único real eran los personajes que vi en el museo, disecados. Hay en Guanajuato una situación especial por la sequedad de la tierra. Las gentes estas fueron enterradas y luego sacadas cuando hubo necesidad de meter otros cadáveres. La tierra allí tiene alguna sustancia que le da una propiedad especial —no hay corrupción, sólo disección. Entonces se va el jugo del cuerpo, pero queda el pellejo. Es decir, queda igual la cobertura del cuerpo; quedan los rasgos, lo ancho de los dedos. La gente gorda queda igual, como si fuera un globo en que se hubiera secado lo de adentro. Había cadáveres que guardaban el color rosado, como el día que fallecieron. Todos parecían seres vivos, no tenían ningún aspecto tremendo; eran como estatuas, momentáneamente quietas.

M: ¿Y fue el aspecto de seres vivos lo que te impresionó?

D: Sí. No había la destrucción que viene con la corrupción de la carne, sino esta cosa un poco de eternidad. No había visto semejante cosa. Estamos acostumbrados a ver las momias. Son secas; casi pierden las facciones. ¿Has visto los cueros de puerco cuando los inflan? Quedan muy secos, muy bonitos; no hay nada dentro, pero está la silueta, la forma, la naricita, todo.

M: ¿Piensas seguir escribiendo para la televisión?

D: Pues, si hay alguna oportunidad ventajosa. Si hay una oportunidad de ganar algo y de hacer algo de calidad, me atrevería, pero no tengo ahorita un proyecto exacto. Quizá en este sexenio que promete tener tantas reformas para la televisión en eso. Pero ya te digo: no quiero hacer televisión si no se puede hacer algo de calidad.

M: Yo creo que sería maravilloso. Hasta ahora las telenovelas siguen casi igual.

D: Sí. Creo que al principio había el desconocimiento de la trama pero ahora ya son fatigantes, verdaderamente aburridas, yo pienso. Si las personas siguen viéndolas, quiere decir que aún esta gente tiene hambre. Si se le da la salsa, come la salsa, pero si se le dan flores, a la mejor se las come. Realmente es un desperdicio si sabemos que hay una posibilidad de dar cultura, de impartir belleza, y se nos paga, ¿por qué dar cosas tan torpes. por qué dar basura? Si podemos dar mejores cosas. Yo creo que el escritor que está decepcionado del trabajo de televisión que hacen los demás, debería preocuparse un poco por intentarlo. Yo hablo por experiencia porque yo en algunas ocasiones, sí lo logré. Logré en medida muy pequeña hacer algo mejor de lo que se estaba haciendo. Pero no estoy satisfecha, desde luego, no creo haber hecho lo que se debe hacer todavía. Hay muchas posibilidades.

M: ¿Y qué otras telenovelas muy largas has hecho?

D: Hice muchísimas adaptaciones.

M: ¿Por qué dices adaptaciones?

D: Porque una cosa es la creación. La creación me pertenece y la considero un trabajo personal. Pero yo adapté, por ejemplo, *La heredera*, una novela famosa que además fue hecha película con Olivia de Havilland. Luego hice adaptaciones de obras un tanto clásicas, como *Romeo y Julieta*. Luego hice muchísimas obras para gran teatro de cuentos ingleses. Y eso lo considero un trabajo serio. He hecho muchísimas adaptaciones para la hora de la noche, el teatro serio, y que no tiene nada que ver con la telenovela.

M: ¿Qué es la hora?

D: Era a las diez de la noche en la televisión. Hice adaptaciones de cuentos poco conocidos y siempre ponía, "adaptado de un cuento de Stendhal" o de quien fuera, sobre todo durante una temporada en que uno de los contratadores y directores quiso hacer obras de terror. Tenemos una riqueza en los cuentos ingleses. Hice cosas de Edgar Allan Poe.

M: Él es americano.

D: Bueno, sí, pero también hice cuentos de Faulkner y de Henry James y de muchísimos cuentos ingleses sumamente hermosos, y alemanes, en fin, de la literatura de horror. Muchos de mis cuentos están en antologías de terror.

M: ¿Te atrae mucho el terror?

D: Me atrae mucho, sí. Creo que es muy difícil producirlo,

provocarlo. Creo que es tan difícil como la risa verdadera. El miedo es un tema difícil, para no ser muy simple; no es el terror de que hay alguien con una cara fea, es esa cosa interior que James hace en una forma diabólica, increíble en su *Vuelta de tuerca*. Es lo que se encuentra en esas obras que son sugerentes de algo verdaderamente nefasto y terrible, pero que no se dice y no se oye. Es algo íntimo, horrendo. Es el terror exacto; es el mal adentro, es el rompimiento del bien.

M: ¿Tú has leído alguna vez a Iris Murdoch?

D: A mí no me gusta la novela policiaca.

M: No es eso. Murdoch es una novelista inglesa parcialmente en la línea de terror. Todas sus novelas están llenas del "bien" y el "mal".

D: Esa cosa, sí me gusta. Pero te digo, lo policiaco ya implica otros conocimientos y un sentido de lógica del que yo carezco totalmente. Yo soy fantasía. Ni conozco de leyes. Las gentes como Agatha Christie tienen una verdadera sabiduría de leyes. Y hay que tenerse rigor, porque si uno no tiene el sentido de la ley, no logra uno nada. Yo creo que es una de las razones porque en México no hay cuento policiaco, porque nuestras leyes se corrompen con una mordida y entonces nosotros no tenemos esa presión de qué terrible es escapar de la ley. Nosotros sabemos que se escapa fácilmente, entonces nos falta ese *punch*.

M: Creo que tienes razón. Los ingleses tienen mucho respeto por la ley y por Scotland Yard.

D: Y además allí todo es tan exacto.

M: Habíamos dicho que es cierto que escribiendo cuentos es difícil ganarse uno la vida. También has trabajado muchos años en el IMSS, ¿verdad?

D: Sí. He trabajado en el Seguro Social de asesora de obras de teatro. Yo tengo que leer unas seis o siete obras semanales y hacer una sinopsis de cada una, hacer un juicio, una somera crítica para determinar cuáles son las excelencias que merecen darle un teatro, o por qué no se le dé un teatro del Seguro, que es un beneficio ya que no pagan por él ni por muchísimas franquicias.

M: ¿Entonces el gobierno paga estas obras?

D: Sí. Es un beneficio para los escritores de teatro, especialmente tener la posibilidad de conseguir un teatro con todo lo que un teatro implica: luces, tramoyistas, etcétera.

M: ¿Actores?

D: No, actores, no. Hay compañías de actores. Suponte que eres una directora de teatro; tú solicitas el teatro y dices, mi elenco es serio, necesito actores conocidos, pero también pueden ser experimentales si se trata de una compañía experimental seria que ya ha dado muestras de su capacidad. Entonces se les da la oportunidad de tener tres meses para montar un teatro de primera. Y después si tienen éxito y quieren seguir, durante otros tres o seis meses pueden ir rotando, es decir, en otros teatros del Seguro, pero ya de la periferia y de provincia, si es que lo desean, no como una cosa obligada. Hay cuarenta teatros en total.

M: ¿Y tú escoges las obras?

D: No. Yo soy una de las personas. Hay gente muy preparada que está en este trabajo: maestros universitarios, críticos de teatro, y otra gente muy seria. Realmente en este momento, soy la única mujer (siempre me toca a mí ser la única mujer en grupos). Pero se decide según la opinión de los cinco de base. El director es el que dice la última palabra; en este caso es Griselda Álvarez, que está en Prestaciones Sociales. Viene siendo mi jefe.

M: ¿Y crees que van a seguir estas personas en sus puestos durante el próximo sexenio?

D: Yo pienso que van a cambiar. Yo sería muy feliz si

muchas gentes que quiero y estimo permanecieran. Creo que son muy buenas para el desenvolvimiento de su tarea y para México, y espero que queden allí mismo, o en otros puestos de la ciudad de México, del gobierno.

M: ¿Crees que sí hay público todavía para el teatro en México?

D: En México, sí. Cada vez más. Hay un gran entusiasmo y hay mucha gente que escribe teatro y hay mucho interés en traer los mejores autores del mundo y sobre todo hay ahora un interés en que se dé a conocer el teatro de Estados Unidos y de Sudamérica.

M: ¿También ponen obras clásicas?

D: Claro. Somos abiertos a todo. El nuestro no es el único sector que se ocupa de esto; también en el Departamento Central hay otro grupo de teatros: hay Bellas Artes y la Universidad. Es que todos tienen que hacer labor cultural. Entonces cada quien tiene su grupo de teatros. El que tiene un grupo más numeroso y más extenso y más formal es el Seguro Social.

M: ¿No es cierto que recibiste una beca del Centro Mexicano de Escritores para escribir una novela?

D: Qué bueno que me haces esa pregunta. Tengo la respuesta lista. Yo he gozado de esa beca de puro milagro, más por oraciones que por méritos. El Centro Mexicano de Escritores otorga esas becas a los jóvenes, y yo era ex joven. No tenía la edad reglamentaria. Así que la debo a la bondadosa acogida de Margaret Shedd, incansable promotora de vocaciones literarias que no siempre cuajan. Y al empeño que pusieron en ayudarme mis inolvidables amigos Ramón Xirau y Felipe García Beraza, quienes alentaron mis esperanzas e intercedieron ante la junta para hacer una excepción y conseguirme la dispensa por los años sobrantes. Realmente ellos fueron mis ángeles protectores.

M: ¿Y qué significó la beca para ti?

D: Fue una experiencia formidable, un aliciente y una responsabilidad. Las experiencias de acompañar a escritores jóvenes como Vicente Leñero, Miguel Sabido, Inés Arredondo, Shelley y los demás que no menciono para no alargar la lista, significaron para mí una gran enseñanza. El entusiasmo de estos auténticos jóvenes, sus temas y su creatividad me adentraron en un mundo nuevo cuya visión difería de la mía propia y me era muy saludable. Guardo un recuerdo maravilloso de su amistad que conservo y hasta la fecha continúa. Fueron verdaderos camaradas. Me atrevería a decir que a su contacto debo mi afirmación dentro de conceptos literarios y humanos que actualmente manejo. La espontaneidad en sus opiniones, la sinceridad, la pasión y la alegría que proyectaban y de la cual me hicieron partícipe me hicieron mucho bien. Yo creo que en cierta medida aligeraron mi abstención y le dieron rienda suelta a mi locura, si es que eso es posible. En verdad me sentí confortada en su clima de optimismo, de risa continua, de informalidad y de broma, acorde con mi temperamento. Y esto no quiere decir que no fueran sensatos y capaces de discutir temas inteligentes y profundos. Pienso que sólo entonces pude ser joven y me sentí liberada. En el mundo cerrado, hecho de irrealidad, de fantasías siniestras y de tradiciones me ahogaba un poco. En el Centro de Escritores encontré el oxígeno que me faltaba. Estos jóvenes poseían un prisma diferente para ver la vida. Eran valientes y tenían ideas propias, aunque no todas fueran acertadas. En una palabra, su trato me fue provechoso. Además, considero muy importante el haber escuchado los sabios conceptos literarios de Xirau, su valiosa crítica que posee, el don de aconsejar sin herir, fue el guía ideal de numerosos grupos de becados durante su ejercicio. También Felipe García Beraza era un puntal importante y continúa siéndolo con ese amoroso interés que pone en cada posible escritor. Su tenacidad y su entrega son admirables.

M: Pero no me has dicho nada sobre tu novela.

D: Ah, sí. Realicé varios trabajos literarios publicados en diversos periódicos y revistas, y escribí una novela titulada *Máscara para un ídolo,* que tengo el compromiso de publicar y que precisamente ahora trato de pulir y rejuvenecer para entregarla a mis editores y salir así de mi deuda con el Centro.

M: Entonces realmente era muy alentadora la beca.

D: Sí, porque aparte de que se hacía una crítica, también daban una ayuda económica —que también es muy positiva para un escritor— sin más obligación que hacer uno el trabajo amoroso que quiere hacer. Eso de que te pagan para que hagas lo que quieres es muy precioso. Tienes la posibilidad de hacer un trabajo amoroso.

M: Quería pedirte, puesto que tienes tanta experiencia en el teatro, tu opinión profesional y de lectura de algunas de las pocas dramaturgas que hay en México.

D: Bueno, si yo digo nombres, ofendo a las que omita.

M: ¿Te gustan las obras de teatro de Luisa Josefina Hernández?

D: Me parecen extraordinarias. Yo tengo una gran admiración por la literatura de esta maestra, y aunque no tengo el gusto de conocerla, me parece que es lo mejor que tenemos.

M: ¿Hay otros grandes maestros de teatro en México?

D: Tenemos a Carlos Solórzano que realmente no tiene rival como maestro de teatro. Ha vivido en Europa, en París, en Nueva York, y en fin, él está perfectamente compenetrado de lo que es una obra de teatro.

M: ¿También trabaja en el Seguro Social?

D: Sí. Yo le he aprendido muchísimo, de verdad. Es un maestro, un sabio.

M: ¿Hay otra gente que sabe mucho de teatro?

D: Otra gente que no habría que desperdiciar es Luis Reyes de la Maza, un crítico y un conocedor.

M: Dijiste que también habías aprendido mucho de Agustín Yáñez.

D: He aprendido mucho de Agustín Yáñez, y del licenciado Fausto Vega, que han sido mis maestros. También he tenido la suerte de recibir clases de Emma Godoy. Todo me ha servido. Realmente lo único que soy es una entusiasta estudiante de todo.

M: ¿Por qué te resultó tan difícil terminar tu novela?

D: En primer lugar, como te decía, yo soy una persona de respiración corta. Me da muchísimo trabajo desenvolver temas grandes. No soy coherente. Se me escapan los caracteres. Tengo todas las dificultades que seguramente tiene una persona que jamás ha hecho novela y que por primera vez se enfrenta a esa tarea. Voy a hacer esta experiencia, y quizás no va a salir novela sino una serie de cuentos pegados con chicle unos con otros.

M: Pero hay cuentistas excelentes que no escriben novela, por ejemplo, Borges. Cortázar sería un maestro en cuentos si nunca hubiera escrito novela.

D: Quizá no es necesario, pero sí creo que es una dedicación, un estudio especial y otra idea del rigor. El cuento, para mi modo de ver, es un poco como la poesía. Es una cosa de inspiración de un momento. Algún escritor decía que el cuento es como un conejo. Se atrapa en un minuto, en ese momento en que se salta, o se escapa. Igual a un poeta se le va la inspiración, si en el momento en que la tiene, no la capta.

M: ¿Cómo explicarías que hay en México mucho más escritores en todos los géneros que mujeres? Y no hablo de dos o tres que se consideran *grandes*. Apenas se encuentra en antologías generales las pocas *buenas* escritoras que hay.

D: Yo creo que en México la mujer ha escrito poco, aunque a mí me tocó pertenecer a una época de oro de México —de 1954 a 1965 ó 1968— en la que hubo una proliferación de mujeres que escribían: Rosario Castellanos, Emma Godoy, Elena Poniatowska, Carmen Rosenzweig, Amparo Dávila, Inés Arredondo, en fin, una cantidad muy grande. Había una gran cantidad de escritoras que esporádicamente siguen escribiendo. Pero algo pasa; a pesar de lo que dicen de la liberación de la mujer, ésta tiene una carga mayor que la posibilidad que necesita para escribir. Le falta aire o será que las vocaciones de las escritoras no son muy socorridas en México. Porque sí es verdad lo que tú dices, que cada vez, en lugar de aumentar la cantidad de escritoras y aun de poetisas (o de poetas, como dicen ahora), yo veo que los hombres vuelven a tomar la delantera. Y es urgente que las mujeres escriban. Ahorita quisiera hablarte del taller literario en el que yo estoy.

M: Por favor. Me interesa mucho.

D: Pertenezco a un taller literario que se inició en mi casa en 1958. Se inició una especie de seminario, un grupo de escritoras bajo la dirección del crítico y maestro, el licenciado Fausto Vega. Después, hace tres años, por ausencia del licenciado, vino con nosotros el licenciado don Agustín Yáñez, que es el que ahora está en este grupo —que ya no sigue en mi casa, sino en la casa de Margarita López Portillo. Es un grupo formado por unas siete mujeres interesadas en la literatura seriamente y que publican. Está Mercedes Manero, poetisa, sonetista, que también escribe cuento y novela. Está Carmen Andrade, prosista también, y Ester Ortuño, una cuentista verdaderamente inquietante, con cuentos muy especiales, muy dignos de atención. Está desde luego Margarita López Portillo que ha deslumbrado con un libro de poemas (*Los días de la voz*) y que también hace cuentos y novela. Ella tiene mucho talento y es la protectora de este grupo.

M: ¿Se reúnen una vez a la semana?

D: Nos reunimos los miércoles, una vez a la semana. Todas publican, todas hacen trabajos de diferentes tonos. Está una persona muy importante y la considero la más profesional de este grupo, que es Ángeles Mendieta Alatorre, maestra universitaria. Ella hace teatro y una obra suya "Carmen Serdán" ganó el premio del Seguro; se ha dado en toda la República. También hace novela, ensayo sobre todo y cuento. Es una escritora completa, con mucho conocimiento y mucho oficio.

M: ¿Ustedes son siete?

D: También asiste Alicia López Portillo, hermana de Margarita, que es una de las gentes que más nos ayuda porque es una gran lectora y también hace trabajos literarios. Está Beatriz Castillo Ledón, que hace ensayos psicológicos y Margarita Urueta, cuentista y dramaturga.

M: Qué larga vida ha tenido este grupo...

D: Sí. Ha sido un grupo permanente porque la fidelidad de la asistencia es lo que le ha dado cohesión y realmente lo ha proyectado como un grupo serio.

M: ¿Ustedes se critican?

D: Sí. Hacemos una crítica y una autocrítica también. Yo soy la más vitriólica.

M: Pero siempre con una sonrisa.

D: Digo verdades que no siempre son gratas, pero con mucho deseo de que todas mejoremos. Y realmente sí se trabaja allí. Además vemos los trabajos de otras personas, no nada más los nuestros. Comentamos escritores contemporáneos sobresalientes, también los clásicos y los últimos trabajos de don Agustín Yáñez, que no sólo nos alientan sino que nos llenan de envidia.

(México, D. F., 29 de julio, 1976)

MARCELA FERNÁNDEZ

MARCELA FERNÁNDEZ

Marcela Fernández Violante (1941) nace en el Distrito Federal. Estudia diversos cuursos en Filosofía y Letras en la UNAM y cine en el Centro Universitario de Estudios Cinematográficos, CUEC. Desde su egreso del CUEC ejerce la docencia en la misma institución. Los problemas sociales son el tema favorito de Marcela Fernández quien considera los sucesos del sesenta y ocho formadores de una nueva conciencia política del mexicano. Ha hecho dos cortometrajes: *Frida Kahlo*, ganador de varios premios nacionales e internacionales, y *Azul*, cine experimental ganador del "Diosa de Plata" del PeCime. Ha participado en varios concursos de cine internacional en Nueva York y en Oberhausen.

Además de directora cinematográfica, Fernández es guionista. Escribió el guión y dirigió *De todos modos Juan te llamas,* su primer largometraje. La película trata la suerte de una niña, Rocío Brambila, que se rebela y se libera de la tutela familiar durante la revuelta cristera. Los personajes femeninos de esta joven directora responden a la concepción de una mujer fuerte, autosuficiente y se parecen más a las encarnaciones de María Félix o Ninón Sevilla que a sus antípodas de Dolores del Río o Marga López. Cuando se realizó esta entrevista. Marcela Fernández estaba por terminar el guión de su segundo largometraje, *Cananea,* que trata sobre la famosa masacre de unos mineros huel-

guistas en 1906. A pesar de sentirse atraída por los temas
sociales, trata de no caer en las tentaciones del cine político:
"Con *Cananea* no quiero caer en las actitudes del cine cubano o soviético de que todas las cosas suceden en el pasado.
Me interesa revivificar la historia".*

Marcela Fernández es quizá una de las primeras reali-
zadoras cinematográficas mexicanas de películas de largometraje. Sus trabajos en este campo han dejado una marca
en una industria que hasta hace poco era dominio exclusivo
del hombre. Por otra parte, su juventud y talento auguran
mayores éxitos.

ENTREVISTA CON MARCELA FERNÁNDEZ

M: La escritora más joven que hasta ahora he entrevistado
es Esther Seligson.

F: Sí, está casada con Alfredo Joskowicz quien trabaja en
el CUEC, igual que yo.

M: Esther se dedica a ensayo y a traducciones. Pero también ha escrito cuentos y una novela que ganó un premio Villaurrutia.

F: Sí, *Otros son los sueños*.

M: Y hablando de esposos, ¿qué hace el tuyo?

F: Dirige cine también. Se llama Roberto J. Sánchez.

M: No lo conozco.

F: No, nadie lo conoce. Ese es el problema. Su carrera ha
sido más breve, desde el punto de vista de realización
cinematográfica. Yo me he llevado más tiempo y he
hecho cosas de largometraje. Él sólo ha hecho cine documental y se fue a trabajar para el gobierno, y este

* Margarita García Flores, "La directora respetuosa", *La Onda, Novedades* (9 de mayo, 1976), p. 7.

178

camino ha sido para él más difícil para llegar a la realización de largometraje. Pero trabajó desde el 68, con *El grito*. Leobardo López, el que hizo *El grito*, el documental sobre los eventos del 68, quiso que mi marido co-dirigiera con él. Después de que yo hice *Frida Kahlo*, él realizó *Que vivan los estudiantes*, donde hizo de camarógrafo, dirigió y editó. Como él lo hace todo solo, dilata muchísimo para terminar las cosas. Además hay el problema del dinero. Tenemos que aprender a reirnos de estas cosas como la "fama", el "éxito" y evitar los motivos de conflicto entre nosotros, esto de que me conozcan más a mí que a él.

M: ¿Y cómo ves esta situación?

F: Los latinoamericanos en su mayoría nunca han aceptado que la mujer sea su igual desde el punto de vista intelectual. Ahora que en mi caso el equivalente ya no se da sino que empieza a desproporcionarse. No porque yo sea más capaz, sino porque manejo un elemento de comunicación, como es el cine, más abiertamente —es decir, que se exhibe al público— mientras que mi esposo se ha mantenido al margen. La mujer, en general, si el marido se destaca, no se siente mal, se siente muy orgullosa.

M: A veces eso pasa con los salarios, cuando la mujer gana más que el hombre.

F: Sí. Entonces ese problema se agrava. Esto también provoca conflictos. Uno debe de estar consciente de ello y de la inseguridad que le crea al hombre.

M: Lo entiendo porque también tengo marido y la mía es una situación parecida a la tuya.

F: ¿Qué hace tu marido?

M: Pues, ahora está trabajando en planificación de ciudades, en un puesto burocrático. Al mismo tiempo, está entrando ahora en el mundo académico, pero yo em-

pecé como ocho años antes. Y entonces va a haber conflictos, seguramente. Ya lo hay.

F: Hay que cuidarse para que esto no degenere en un complejo de culpa. Y a mí ya me ha pasado eso desde hace
mucho tiempo y si una se siente mal, pierde la capacidad
de crear. Entonces, pues, hay que hablar y hablar y
hablar sobre ello. Además tenemos en contra la imagen
tradicional femenina. Es decir, el tipo de mujer con
la que el hombre podría identificarse, es una mujer
como su madre —esas mujeres muy tradicionales, muy
pasivas cuyo mundo es un mundo muy reducido, en el
que lo más importante es *cumplir* con el trabajo doméstico y la formación y cuidado de los hijos. Pero de
pronto al propio hombre, ese tipo de mujer ya no le
nutre porque ya tuvo un tipo de compañera diferente,
que discute, que en un momento dado no está de acuerdo, que pelea. El hombre que se casa con una mujer
que empieza a tener un desarrollo intelectual o un
oficio cualquiera fuera de la casa, de pronto si desea
volver a la mujer tradicional por seguridad, se va a
sentir peor. Yo no creo que esto cambie en la siguiente
generación, sino dentro de dos generaciones. Soy muy
optimista al pensar que las cosas se van a plantear al
nivel de pareja de otra forma.

M: ¿Tú y tu marido tienen más o menos la misma edad?

F: La misma edad y diez años de relaciones. Desde cero
empezamos, los dos éramos estudiantes. Yo trabajaba
en una empresa, daba clases en la Escuela de Cine de
la Universidad y atendía a mi hijo. Era la cosa más
espantosa del mundo. Después ya ampliaron los puestos a tiempo completo en la Universidad dentro de la
Escuela de Cine y renuncié a la empresa privada. Otro
hijo llegó y entonces todo se empezó a complicar. Sin
embargo siento que estoy mucho más madura que a los
veinticinco años. Empiezo a tener una posición intelec-

tual, y me digo: "Necesito tanto apoyo para esto y no estoy dispuesta a que por un problema familiar se altere mi vida de trabajo". Entonces ya una mujer sí pone condiciones. Pero si empezamos los dos juntos con nada, los dos estudiando y los dos en la quinta pregunta, de pronto las cosas cambian en la medida en que uno de los dos se desarrolla más que el otro. Me pregunto si para nosotros hubiera sido mejor al revés.

M: Puesto que estamos hablando de esas cosas, ¿no dirías que eres casi la única mujer directora en México de algún renombre ahora?

F: Bueno, lo que hizo que en un momento dado empezara a manejarse mi nombre fue que dirigí un largometraje. Porque en cortometraje hay varias directoras. Hay una muchacha, que incluso estuvo en la Escuela de Cine en la Universidad, que hizo una película de cortometraje, *No nos moverán*, sobre la resistencia chilena antes de la caída de Salvador Allende. Obtuvo un "Ariel". Se llama Brenny Cuenca. Ella llegó con todo este material filmado desde Chile. Se lo habían dado unos compañeros chilenos y aquí lo organizó, lo montó, lo editó, y le dio forma final. O sea, en realidad no lo dirigió ella en el propio sentido de la palabra, decir dónde poner las cámaras, qué cosa quiere que saquen, pero por lo menos le dio coherencia a todo un material caótico. Luego hay una muchacha que vive en Cuernavaca y tiene de 30 a 35 años. Dirigió un corto sobre ruinas prehispánicas en México. Ella se financia sus propios materiales porque no utiliza el cine como un oficio constante, como en el caso mío —yo lo necesito para vivir y para muchas cosas— sino que tiene, digamos, medios económicos desahogados. Creo que ha hecho tres cortos sobre algunos aspectos de la cultura prehispánica. Ella también obtuvo un "Ariel" por un cortometraje. Hay otra que está empezando a editar una cosa sobre el aborto —es una muchacha liberacionista que se llama Rosa Marta Fernández. Y por ahí debe haber otras.

M: Y además es cada día más difícil conseguir los medios para hacer un largometraje.

F: Claro, es difícil que a uno le confíen el dinero, el equipo humano y todo lo que se requiere porque para hacer largometraje se necesita mucho apoyo de la Universidad. Desde que obtuve con *Frida Kahlo* bastantes premios y un premio internacional, la Universidad pensó que era bueno promoverme al largometraje. Entonces en cuanto yo regresé de Alemania (yo había ido a Oberhausen representando a México con *Frida Kahlo*) insistieron, pero me dilaté mucho en hacer el guión y el argumento porque soy muy lenta para trabajar.

M: El argumento para *De todos modos Juan te llamas*, ¿no?

F: Sí, pasé más de un año en eso. Al año ya estaban presionándome.

M: ¿Qué otra película hiciste además de *Frida Kahlo*?

F: Una que se llama *Azul*, que es experimental, de cuando yo era estudiante. También obtuvo una "Diosa de Plata" del PeCiMe del cine experimental. Total, los premios que gané fueron haciendo que me tuvieran confianza. Porque el premio opera para crear una opinión y un consenso de que hay calidad. Y a lo mejor lo que pasó es que ese año las películas que salieron estaban peores y no había gran calidad. En mi caso, el premio fue lo que me ayudó muchísimo, lo que me impulsó, para poder hacer largometraje.

M: En todo el mundo hay poquísimas directoras de cine. Puedo pensar en quizá tres o cuatro. ¿Crees que la situación está empezando a cambiar?

F: Sí. Está Vera Chitilova de Checoslovaquia. Luego tenemos a Lina Wertmüller de Italia y a esa de *Portero de noche*.

M: Liliana Cavani.

F: Que también es de Italia. Tenemos la francesa, Agnes Varda.

M: Y en Estados Unidos está Elaine May.

F: Y también Ida Lupino.

M: ¿Ida Lupino dirige ahora?

F: Sí, ¡tiene como diez años de dirigir! Maneja muy bien el oficio. Pero hay más directoras todavía. Hay una polaca que dirigió hace como diez años una gran película que se llamaba la *última parada* o algo así. Era sobre los campos de concentración en tiempo de los nazis. También está Maya Deren del grupo de Nueva York que hizo cosas sobre la danza.

M: Sé que ahora hay directoras de cortometraje, algunas incluso han hecho películas feministas, a veces muy buenas, muy interesantes. Pero no hacen grandes cosas comerciales.

F: No. Maya Deren hizo también cosas experimentales. Ahora desde la época de la vanguardia francesa de los veinte está Germaine Dulac y ella dirigió largometraje. Ella es la primera surrealista. ¡Fue anterior a Buñuel! Ella hizo una película que se llamó *La caracola y el clérigo*. Y fíjate, a finales del siglo, alrededor de 1898, hubo una mujer directora que era una de las secretarias de la productora Pathé.

M: Todavía estamos hablando de excepciones, de una minoría. Creo que incluso hoy mismo va a ser más difícil para una mujer que para un hombre empezar a dirigir largometraje —en París o en Hollywood o aquí— conseguir el dinero, el apoyo y todo eso para hacer una película de largometraje. Aun si tiene el mismo talento y la misma experiencia que un hombre.

F: Claro. ¿Pero sabes quiénes son las que se están lanzando a dirigir? Las actrices. Jeanne Moreau ya empezó, pero tiene toda una trayectoria importante porque ha sido inteligente y ha sabido leer bien sus *scripts*. Y acabo de leer en el periódico de la mañana que Leslie Caron también va a dirigir cine. Es más fácil para ellas, con el prestigio que tienen, conseguir el dinero que para uno que no tiene ningún nombre. Pero si no logras dominar el oficio, entonces dependes de la asesoría del hombre, porque al fin y al cabo la formación de la tecnología es hacia el hombre, no hacia la mujer. La mujer es muy difícil que la maneje y le cuesta muchos años más de aprendizaje.

M: Si, por nuestra educación.

F: Sí, pues, con muñecas y casitas y el plumero y el trapito para limpiar. Los juguetes mecánicos eran para los hermanos, no para las mujeres de la casa. El problema es que el cine es el arte más complejo en cuanto a técnica. Porque no es lo mismo escribir o pintar o esculpir. Es mucho más difícil dirigir cine, porque el cine está rodeado de técnica y se nutre de todas las artes para ser un arte. Tienes problemas específicos, desde dónde poner la cámara, el dirigir a los actores, la forma en que se puede hacer el diálogo, la escenografía, el vestuario, etc. Luego, al concluir la película, el resultado hay que verlo en la Moviola, montarlo, editarlo, meterle sonido. Y sobre todo aquí en México donde todavía hacemos doblaje. El actor emplea unos tonos increíbles en la escena misma y luego tiene que doblar eso en un cajón y repetirlo y sentirse en el papel. Y no puede hacerse. Le cortas unos pedacitos de tres frases cortas o una oración larga. De pronto, dile: "Vuélvalo a sentir", pero ya no es igual el ambiente, la atmósfera que se creó en el *set*. No la puede reinventar, no es una máquina. Y si no llegó la actriz al doblaje, el actor tiene que generar las respuestas, hacer todos sus parlamentos solo, como chorizo, y entonces llega un momento en que se pierde. Y luego dicen que no sabemos dirigir actores en México, pero no es cierto. Es que tenemos el grave problema de doblar. Y luego las máquinas de sonido para el doblaje son de hace quince años y no se renuevan los equipos. En suma, no tenemos los medios ni los recursos. Por eso, *Actas de Marusia* la fueron a terminar a Italia, y logró calidad en el sonido.

M: ¿Entonces *Actas de Marusia* no tuvo ese problema del doblaje?

F: Sí, claro, el problema siempre lo va a tener una película doblada. Pero no es lo mismo que termines el sonido con un buen equipo técnico, con excelentes laboratorios de sonido, en que todo está protegido. Littin llevó todas sus pistas y allá hicieron toda la regrabación. Y no es el problema nada más el de los laboratorios independientes. El propio Churubusco tiene pésimas máquinas. Fíjate que ahorita en el cine canadiense, que no tiene largometraje más que excepcionalmente porque no tiene industria cinematográfica, el realizador dispone, a veces, de cuatro grabadoras Nagras para hacer un cortito sobre un señor, un indígena equis, que hace raquetas para pisar en la nieve.

M: ¿Cuánto vale una grabadora Nagra?

F: Antes como 75 000 pesos y ahora, ¿quién sabe si 90 000? Es la grande, la profesional. Yo conseguí una, pero como no tenía *blimp* mi cámara —la cosa que protege la cámara para que no se oiga el motor— se oye todo el ruido: rrrrrn. La usé como sonido guía para que los actores oyeran los tonos al doblarse, pero casi siempre están mecánicamente reproduciendo ese tono. El actor no está haciendo las cosas con la barriga, sino con la cabeza. Eso no sirve. Una de las pocas películas en México que tiene sonido directo es *Reed, México Insurgente* de Paul Leduc. Y sin embargo hay partes que tuvo que regrabar porque no salieron bien.

M: ¿Y *Canoa?*

F: *Canoa* es doblada. Pero ésa la terminaron en Estados Unidos. Entonces tú entras con tu producto típicamente mexicano y, claro, hay unas limitaciones espantosas. Hay desniveles en la voz del actor, a veces hasta un relincho domina una voz. Son a veces cinco o seis días en la sala de grabación. O tres, en nuestro caso, porque no teníamos dinero. Imagínate, montar todo otra vez en la Moviola. Vas grabando por pedacitos, vas uniendo los pedacitos de sonido que grabaron porque los actores no pueden decirlo todo de corrido, porque se les olvida. Ojalá se pudiera hacer toda una escena. Pero, pedazo, a pedazo, a pedazo, lo vas armando. Es horrible.

Cuando llevé mi película al Museo de Arte Moderno en Nueva York, tuve que advertirles que estaba doblada, y que eso les iba a molestar, porque el público norteamericano está acostumbrado al sonido directo. La mía, con una película griega, una francesa y una africana, pues se notó de pronto y la gente se preguntaba: "¿Qué pasa con estas voces?" Y además, todo está en primer término, o sea, no hay profundidad, no hay niveles en el sonido.

M: Entonces, ¿lo que te hace falta son los medios para poder hacer sonido directo?

F: No sólo eso. En mi vida he visto una cámara Panavisión. Y he hecho largometraje. En la UNAM se hacen las cosas con una cámara 35 vieja. Y no tiras siete a uno o diez a uno como cualquier película hecha industrialmente. Tiras tres a uno, o sea, el *ratio* es de tres tomas para que salga una. Y si te pasas, se te acabó el material. Tienes siempre que reducir y reducir porque el material Kodak es carísimo en México. Una película de 35 mm. de hora y media, de puro material, fácilmente te cuesta 150 000 pesos, sin revelado.* En México —o en cualquier país latinoamericano— tienen que superar enormes *handicaps* para poder sacar adelante el producto. Ni sé por qué te cuento todo esto.

M: Había empezado a preguntarte sobre los problemas de la mujer en el cine, pero resulta que más grave aún es el problema de hacer cine en un país que carece de los medios necesarios.

F: Sí. Aquí se ve, más que nada, nuestra dependencia de otros países. Es una dependencia no sólo económica, sino tecnológica.

M: También te quiero preguntar sobre tu obra como escritora. Eres guionista, ¿no? ¿Habías hecho otros guiones anteriores a *De todos modos Juan te llamas?*

F: Sí. Tengo dos guiones de largometraje guardados. Incluso empecé una película en junio de 1968 que iba a ser en 35 mm. blanco y negro y con sonido directo. Pero uno de los problemas es que no había actores profesionales, no porque no los pudiera conseguir, sino porque era la historia de tres ancianos que se habían conocido en la juventud y de pronto se volvían a encontrar y cada quien trataba de reconstruir la parte en que habían perdido el contacto entre sí durante muchos años. Uno de ellos había sido sacristán de una iglesia. El sacristán en México es el secretario dentro de la iglesia, pero no es cura, sino que es un civil que toma nota para las partidas de matrimonio, los que se van a bautizar, etc. Es un empleado pagado por el clero. Pero a este empleado, después de más de treinta años de servicio le dieron 500 pesos y lo mandaron a su casa. Y como no tiene derecho a prestaciones, ni a Seguro Social, ni nada, los tuvo que aceptar. Y así cada

* Cuando se hizo esta entrevista, el cambio era 12.5 pesos a un dólar estadounidense.

uno de los personajes tenía que enfrentarse a un problema para resolver su falta de medios económicos en la vejez y su falta de perspectivas. Elaboré este tema mucho antes de que saliera en México el libro de Simone de Beauvoir sobre la vejez.

M: ¿Ese es un tema que te interesa mucho?

F: Sí. Esa era una de mis preocupaciones vitales —el sistema social en el que vivimos, cómo protege al viejo. Pero estalló el conflicto del 68, y como se necesitaba gente que estuviera filmando los acontecimientos del día, llegó un momento en que yo misma paré la película porque no era posible seguir haciendo una ficción en lugar de reportear y filmar los acontecimientos que iban a ser tan definitivos en la conciencia política que ahora tenemos todos. Mi marido era mi camarógrafo y él se fue a filmar y yo me quedé con mi película guardada esperando una mejor ocasión. Pero mientras tanto dos de los ancianitos se murieron y el proyecto se quedó inconcluso.

M: ¿Te gustó trabajar con actores no profesionales?

F: Era increíble. Como ellos nunca habían actuado, tenía yo que tenerlos en mi casa memorizando las líneas. O sea, lo que el sacristán había vivido, que lo contara a la cámara, jugando un poco con otro anciano que a su vez había sido ferrocarrilero y que actuaba también su propia vida. Pero cuando quedó frente a la cámara, no quería comprometerse y denunciar la situación. Empezó a decir: "Viva la Virgen de Guadalupe" y "Viva Juan Diego" y yo decía: "¡Corte! Otra vez". Entonces dijo: "Viva López Mateos y viva Díaz Ordaz" y otra vez "Corte". Era un relajo con los viejitos, pero claro fue una experiencia bonita porque hubiera salido un buen cine directo, fantástico, con mezcla de ficción —eso era lo que yo quería.

M: ¿Todavía te interesa el problema de la vejez?

188

F: Eso no deja de ser mi obsesión. Esto era un primer guión que tenía; luego seguí con otro guión y también seguía yo interesada en la vejez. No sé por qué en esa época me preocupó tanto ese problema. El segundo se guardó también. Este era inspirado en un tema de Ghelderode: el viejo es a veces tan egoísta que prefiere sacrificar al joven y no sacrificarse él. En fin. Hasta que llegó *De todos modos Juan te llamas* y esa ya era mucho más pretensiosa. No era época actual, había que investigar la historia de México de los años 20 e irse hacia atrás, estudiar desde la caída de Porfirio Díaz, la Revolución, etc. para llegar a entender el conflicto de la guerra cristera.

M: ¿Y tú crees que una persona que no tiene nada que ver con el cine puede escribir buenos guiones?

F: Sí. Creo que sí, porque en todo caso la novela contemporánea (estoy hablando de la novela latinoamericana) ha sido totalmente influenciada por el cine. Y si tú tomas un texto de García Márquez, por ejemplo —no *Cien años de soledad* porque es la locura en el cine— *La hojarasca* o *La buena hora* o *El coronel no tiene quien le escriba*, de pronto tú ves que está contado con pura imagen. O sea, no es esa cosa de la abstracción literaria, que está recurriendo al intelecto, lo que pasaría con Borges. Borges es un juego, digamos, de bromas muy privadas entre él y el lector, un juego de abstracciones, es una cosa muy complicada. Pero hablando, digamos, de Mario Vargas Llosa o Gabriel García Márquez, incluso gentes un poquito más para atrás, han sido nutridas tanto por el cine que manejan la imagen constantemente en la literatura, incluso montaje paralelo y corte directo. Lo único que tendría que aprender la persona que quiera hacer guión es este oficio: cómo dividir tiempo y espacio, jugar un poco con las imágenes de otra manera y la capacidad de sín-

189

tesis, todavía agudizarla más. Aún no se puede hacer como hizo Von Stroheim en *Avaricia* que ya que duró ocho horas la lectura de la novela hizo que la película durara ocho horas también.

M: Andy Warhol lo hizo, y también hay esa película muy famosa, *La hora de los hornos* que está en tres partes y dura como ocho horas.

F: Sí. Lo que pasa es que, claro, es un documental y no hay ficción como en *Avaricia* de Von Stroheim que sí estaba inspirada en una novela que trasladó totalmente a la pantalla, respetando todo. Y ese es un excelente experimento. Pero lo malo es que aquí en México está mutilada, no queda nada. Pasó también con Visconti. Todo lo que llega aquí lo mutilan. Igual pasó con *El gato pardo*, la versión que corre en México está cortada.

M: ¿Conoces la obra de Elena Garro, *Los recuerdos del porvenir*? ¿Crees que se podría hacer película?

F: Ya se hizo. La hizo Arturo Ripstein hace ocho o nueve años.

M: ¿Y cómo salió?

F: Pues, mal, porque no pudieron hablar del problema cristero. Además, yo no estoy de acuerdo con la posición política de Garro en cuanto a su interpretación de la época. Pero en cuanto a su oficio, ella maneja mucha imagen. Incluso se hizo una película de la obra de Elena Garro que se llama *El árbol* y se le puso como título *La criada* o *Juego de mentiras* y funciona de maravilla. La dirigió Archibaldo Burns. Lo que pasa es que con *Los recuerdos del porvenir* el conflicto religioso no se pudo señalar y se creó una atmósfera cerrada —no está manejada con tonos muy intensos, a pesar de que es un auténtico y bellísimo melodrama. Resultó ser un interesante experimento pero no una gran obra. La adaptación la hizo Julio Alejandro.

M: No sé cómo empezaste en el cine. ¿Hiciste otros estudios antes? ¿De literatura o algo?

F: No. Entré directamente a la Escuela de Cine, que se abrió oficialmente en el 64. Me llamó la atención porque a mí me gustaba escribir. Desde niña escribía —cosas horribles que tengo guardadas. Y de pronto pensé que podía hacer argumentos para cine. Pero las cosas cambian, en la medida que uno vive las experiencias, y acabé siendo directora al año de haber entrado allí.

M: ¿Qué es exactamente el CUEC?

F: El CUEC es el Centro Universitario de Estudios Cinematográficos, que es la escuela de cine que depende de la Universidad Nacional Autónoma de México. Y allí se cursa una carrera profesional para realizador cinematográfico de cinco años (se requiere bachillerato para entrar a la escuela). Claro que se estudia todo desde el primer año; yo soy coordinadora del primer año. Se enseña guión y argumento, fotografía, edición, puesta en escena, dirección de actores, etc. Todo lo que significa la compleja gama de actividades en el cine.

M: ¿Has visitado alguna vez la escuela de cine de USC o la de UCLA que son muy famosas en los Estados Unidos?

F: No. Las que conocí fueron las de Londres y de Bélgica. No dudo que son buenas las de California. Fíjate, en 70 conocí a una muchacha de Ithaca, de la Universidad de Cornell. Tenía un montón de cámaras Arriflex, cuando nosotros no teníamos ni una. En los Estados Unidos las escuelas de cine son increíbles y ya muchas universidades tienen departamento de cine y también de televisión. Pues Francis Ford Coppola, el del *Padrino*, salió de la UCLA, del departamento de cine.

191

Eso es lo bonito, que ya las propias universidades han producido profesionales para el cine.

M: Pero también aquí, ¿no?

F: Ese es otro problema. Aquí en México todavía tienen sus reservas y sus dudas de que si un estudiante en la Universidad puede aprender mejor el cine que si va directo a la industria y allí aprende desde cero, desde cargar cables.

M: Dijiste que trabaja contigo en la Universidad Alfredo Joskowicz.

F: Sí. Trabaja conmigo en el CUEC. Es maestro igual que yo. Somos los únicos en la Universidad que hemos dirigido largometraje. Él está trabajando ya sobre su cuarto proyecto y yo sobre mi segundo, *Cananea*. Pero a mí me lo pidió la industria.

M: ¿Has decidido hacer cine "dentro del sistema"?

F: Tengo que hacerlo porque tengo que aprender dentro del sistema industrial a desarrollar más mi oficio. Ya veremos cuánta libertad hay para desarrollarse.

M: ¿Y cuál es la segunda película?

F: Es sobre la huelga de Cananea de 1906, antes de la Revolución Mexicana, en plena dictadura de Porfirio Díaz. Estoy haciendo el guión.

M: ¿Y para cuándo crees que va a salir?

F: Yo creo que lo termino en tres semanas. Llevo investigando desde noviembre del año pasado.

M: ¿Y te fue difícil escribir tu propio guión?

F: Sí, mucho, porque abordo un tema histórico. La huelga de Cananea es importante porque fue propiciada por el floresmagonismo, el movimiento político que curiosamente fue más anarquista que marxista, como todos los movimientos en Latinoamérica en el siglo pasado. Los Flores Magón tuvieron que emigrar a Estados Unidos huyendo de la persecución que se desató contra ellos creyendo que iban al país de la democracia. Pero después hubo un contubernio entre el gobierno de Estados Unidos y el gobierno mexicano para mantenerlos controlados. Ellos publicaban *Regeneración* y a cada momento estaban por cualquier pretexto en la cárcel. Con los años se vino a descubrir —después de la muerte de Ricardo Flores Magón, cabeza del movimiento, en una cárcel de Estados Unidos en 1922— que el gobierno norteamericano les abría su correspondencia. Y todo se lo comunicaban al cónsul mexicano y él enviaba fotocopias al gobierno de Díaz.

M: ¿La fotocopiaban con qué?

F: No con fotocopiadora, pero la podían fotografiar. El mejor archivo de la correspondencia de los Flores Magón está en Washington. Los Flores Magón habían creado clubes liberales en todo el país. Cananea era el sitio donde se extraía el cobre. Es una población casi fronteriza y era la mina de cobre más grande del mundo. El dueño era un norteamericano de apellido Greene y sofocó la huelga trayendo *rangers* de Arizona, matando a los obreros mexicanos. Lo que yo estoy tratando de analizar no es nada más una huelga, sino el fenómeno del capital extranjero de principios del siglo, cómo va expandiéndose, cómo va haciéndose un estado dentro del Estado. Eso era Cananea, un estado dentro del Estado.

M: ¿Colonial?

F: Sí, totalmente. Con toda la tradición política y económica heredada de Inglaterra. Los capitalistas norteamericanos echaron fuera de Latinoamérica a los ingleses y a todo el capital europeo con la Doctrina Monroe, y empezaron a crear todo este dominio de capital.

M: ¿Y cuándo vas a escribir un guión feminista? El año pasado se publicó un estudio en Inglaterra por la Asociación de Técnicos de Cine y Televisión (ACTT) que demostró con estadísticas una terrible discriminación

193

contra mujeres dentro de la industria y también dentro del sindicato. Según la investigadora Sarah Benton, quien escribió el reportaje, este papel mínimo que han podido desarrollar las mujeres en la producción de películas ha afectado la manera de presentarlas en la pantalla en cuanto a la perpetuación de mitos culturales acerca de lo femenino.

F: Pues, ésta que escribí, *De todos modos Juan te llamas*, es muy feminista. Lo que pasa es que el feminismo queda muy diluido. Pero el personaje que tiene conciencia, el personaje que toma decisiones, es una niña de catorce o quince años. Claro que el pleito es entre el hombre y la corrupción, pero la niña tiene conciencia y se va, abandonándolo todo. Por ello, la película sí es feminista.

M: Sí, todo va junto.

F: No se puede separar. Porque la opresión, en cuanto a la mujer, la ha hecho que siempre esté dependiendo del criterio de otros para tomar una decisión. Yo he estado pensando, desde hace mucho tiempo, hacer una película sobre la viuda de un guerrillero contemporáneo que fue muerto en la guerrilla. A mí se me hace que ningún hombre que tenga un compromiso con hijos y con mujer podría ser guerrillero, si esa mujer fuera una mujer tradicional. Pienso un poco en el Che Guevara. Pudo irse a Bolivia porque la Revolución Cubana le garantizaba la formación de sus hijos y que su mujer no iba a quedar desprotegida, siendo víctima de agresiones y de inseguridad económica. La mujer del guerrillero es la que evidentemente sufre. Así que quiero hacer una película sobre ella.

M: ¿Y crees que esto de que haga de comer, que ponga frijoles en la estufa, le quita posibilidades de lucha?

F: Es el problema que yo tengo con una amiga liberacionista. Yo no pienso que esto impida participar en la lucha. Yo no pienso que haya nada malo en saber hacer un buen filete. Puede ser una forma de actividad revolucionaria por lo que esto significa para el núcleo familiar y el bienestar de los hijos. Claro, yo no le pido que esto sea lo único que haga. Le pido que eso lo haga sin sentirse utilizada, sino sentirlo como algo tan natural como escribir a máquina o hacer una entrevista o estudiar. Porque existe la tendencia de pensar que si el hombre se va, y él se realiza en la guerrilla, la mujer está siendo utilizada, puesto que a ella le ha dejado estas responsabilidades que deben de compartir los dos.

M: Sí, estoy de acuerdo contigo. Pero lo que pasa es que muchas veces la política es un pretexto más para seguir manteniendo a la mujer en su lugar, casi como la religión. Esto se ve mejor cuando no se trata de guerra ni de guerrilla. Lo vimos, por ejemplo, en Berkeley en los sesenta, cuando empezó todo el movimiento estudiantil. Allí no era cuestión de quedarse la muchacha en casa para ayudar al marido, pues casi nadie estaba casado y no había bebés. Y nadie preguntó entonces —aunque sí unos cinco o diez años después— por qué estaban atrás las mujeres. Era por unas tradiciones culturales muy arraigadas y por el inconsciente sexismo de esos muchachos radicales.

F: Igual pasa ahora en toda la guerrilla urbana en Japón. También es muy de los setenta. La muchacha siempre está atrás, y el muchacho siempre está en frente, como líder, como motivador de acciones. Esto lo vi mucho en el 68. A mí no me dejaban participar. Yo tenía que estar refundida, haciendo otras cosas para no exponerme físicamente a la violencia o a la represión. A mí me caía mal eso. Yo soy demasiado irreflexiva en muchas cosas y en aquel entonces era peor. Pues, si me daban una patada yo les daba tres. Una mujer puede ser tan

195

agresiva como un hombre, tan hábil para dar un discurso que mueva a las masas. Lo que pasa es que las masas no están acostumbradas a que la mujer tenga el liderazgo.

M: Qué lástima que no fuera diferente la reciente historia de la líder en Argentina.

F: Sí, hombre. Isabel Perón ha tenido problemas, e Indira Gandhi y también Golda Meir.

M: De las tres yo creo que la que sale mejor es Golda Meir. Pero, hablemos de las mexicanas que has conocido.

F: Fíjate que para mí una de las mujeres más inteligentes que he conocido fue una maestra mía en Filosofía y Letras. Primero tomé cursos con Luisa Josefina Hernández, y después logré crear una relación personal con ella y ya era más que mi maestra. Una vez platiqué con ella de mis dudas en cuanto a la carrera en el cine, y me estuvo orientando en muchas cosas; en fin, me dio grandes apoyos. Un día quisiera filmar una obra suya.

M: Y ¿a qué otras escritoras conoces o has conocido que admiras?

F: A mí me gusta mucho Elena Poniatowska. A Rosario Castellanos la admiro mucho como mujer, independientemente de su obra, aunque nunca la conocí en lo personal. Son gentes que se han abierto camino solas.

M: ¿Tú crees que hay diferencias entre las obras escritas o dirigidas por hombres y las escritas o dirigidas por mujeres?

F: Yo creo que no debe haber diferencia. Yo comparto el criterio de Virginia Woolf, que nunca se debe saber si una obra es de un hombre o una mujer. Lo que importa es la capacidad creadora del individuo. A mí me dijeron que *De todos modos Juan te llamas* parece una obra dirigida por un hombre porque presento una batalla entre cristeros y federales. Además estoy contando una historia de hombres fuertes y el conflicto del poder entre ellos, y analizo cómo la corrupción destruye todo y acaba con todas las posibilidades del amor.

M: Yo creo que cuando Virginia Woolf habló del artista andrógino estaba hablando idealmente. Además, creo que no estaba pensando en escritores machos, equivalentes a Norman Mailer. Sí puedes ver cuando algunas obras han sido escritas por un hombre.

F: En el cine también. En la pantalla sale la agresión del macho.

M: Claro, incluso en *La princesa del Palacio de Hierro* de Gustavo Sainz. Como persona quiero mucho a Gustavo, pero estudiándolo bien, a veces a esa princesa la traiciona él sin querer. Entonces, pues sí yo creo que Virginia Woolf estaba pensando sólo en ciertos hombres, de cierta experiencia, quizá un hombre inglés, un escritor ya "andrógino" y no macho.

F: También eso de ser macho tiene sus virtudes porque sus imágenes pueden tener una enorme fuerza en la pantalla. Porque el macho tiene como complemento, afortunadamente, energía. Entonces esta actitud agresiva de los machos en cuanto al sexo provoca una mitificación del sexo, su justificación es una justificación de que el hombre debe siempre dominar. Y el tipo de mujer que te está presentando es una mujer pasiva, tranquila, y la agresiva es prostituta. O es María Félix, la cúspide de toda negación de los valores femeninos, o la prostituta, como Ninón Sevilla, que siendo prostituta, no tiene complejos de culpa y está muy afirmada en su posición corrupta, y es capaz de utilizar un cuchillo y matar al chulo o a cualquiera que se ponga en su camino. La mujer profesionista es para ellos una maestra estéril y castrante porque no pueden entender la mujer creadora ni pugnadora ni rebelde. Dolores

197

del Río al revés de María Félix es la maestra que va de negro y le matan en la Revolución al marido y llora todo el tiempo. Y María Félix es la que se pone en las filas y echa las mentadas de madre "porque también las mentadas duelen" al enemigo. No entienden el equilibrio. Ellos, los machos, están en el otro extremo exacto, como la antípoda del hombre culto, que maneja ideas y que tiene una perspectiva social de la trayectoria femenina.

M: ¿Qué te parece *Tristana* de Buñuel como película feminista?

F: ¡Es bellísima! *Tristana* para mí es una de las mejores obras de Buñuel. Aquí se instala en toda la realidad de una mujer. Un ser humano al que no se le ha dejado ninguna posibilidad de hacer algo y entonces tiene que destruir. A mí eso me gusta mucho. El aspecto filosófico de que si se hubiera ido por otra calle no habría conocido al pintor, me interesa menos.

M: Sí, pero también la importancia de la figura del tío.

F: Se repite mucho de *Viridiana* en *Tristana*.

M: Y se repite mucho del libro. Incluso se usan diálogos de la novela de Galdós. Lo que hace Buñuel es trasladar la escena de finales del siglo pasado a los años treinta de éste. Cambiando el tema, ¿te parece feminista Lina Wertmüller? A mí no.

F: No, no lo es. Es antifeminista y misógina.

(México, D. F., 17 de mayo, 1976)

ELENA GARRO

ELENA GARRO

Elena Garro (1920) nace en la ciudad de Puebla y pasa su niñez en un pueblito del estado de Guerrero donde recibe instrucción escolar de su padre y familiares. Más tarde hace estudios en la facultad de Filosofía y Letras en la UNAM y trabaja como coreógrafa en el Teatro Universitario. Por un tiempo estuvo casada con el poeta y ensayista Octavio Paz y ha viajado y vivido en España, Francia, el Lejano Oriente y los Estados Unidos. Se inicia como dramaturga cuando en 1958 la Universidad Veracruzana le edita tres obras en un acto: *Andarse por las ramas, Los pilares de Doña Blanca* y *Un hogar sólido.* Al año siguiente la revista *La Palabra y el Hombre* publica *La mudanza.* En 1960 la Universidad Veracruzana saca *Un hogar sólido y otras obras en un acto,* volumen que incluye *El Encanto, Tendajón Mixto.* En este mismo año se representa en la televisión *El rey mago* y se publica *La señora en su balcón* en la colección Teatro Mexicano preparada por Maruxa Vilalta. *El árbol* (1963) aparece en la *Revista Mexicana de Literatura; La dama duende* (1963) y *La dama boba* (1964) salen en la *Revista de Arte Teatral* del INBA; *Los perros* (1965) en la *Revista de la Universidad* y *Felipe Ángeles* (1967) en la revista *Coatl.* Curiosamente, su última obra es su primera ya que fue escrita en 1954. Varias de sus obras han sido traducidas y representadas en el extranjero. Además de dramaturga y prosista, Elena Garro ha publicado crítica, ensayo y entrevistas para semanarios como *La Cultura en México* (1965-1967), y tiene un guión cinematográfico, *¿Qué pasa con los tlaxcaltecas?* (1964).

El teatro de Elena Garro, según Gloria Orenstein, muestra la lucha de la mujer para liberarse de las restricciones impuestas sobre ella por la sociedad y el hombre, encarnando así en la Melusina de Bretón que guía a la humanidad hacia un descubriminto de lo maravilloso ahora y aquí.[1] En la pieza corta *La señora en su balcón,* por ejemplo, vemos a una mujer de cincuenta años recordando momentos claves de su vida. Ella simboliza el espíritu de la libertad y de la fantasía mientras que sus interlocutores masculinos representan las normas inamovibles de la sociedad y de la realidad. Sus relaciones con los hombres nunca son completas pues exigen un rechazo de lo ideal y de lo libre y una aceptación de lo rutinario y constrictivo. El efecto que produce la lectura de esta obra es igual al de la lectura de *Abajo* de Leonora Carrington: una profunda tristeza y amargura al presenciar la destrucción del individuo por las normas ciegas de una sociedad indiferente. En *Un hogar sólido,* de acuerdo con Antonio Magaña Esquivel, para mostrar la íntima frustración femenina "no se da nada parecido a la zona intermedia, etérea, indefinida, sino la cripta misma con sus muros y techos de piedra y sus literas empotradas en sus muros para descanso de sus cadáveres; la losa sobre la tumba completa el hogar sólido".[2] Sin ser una feminista consciente, muchas de las obras de Garro son una protesta por la situación de la mujer y coinciden "con una parte medular de lo que dicho movimiento [feminista] viene expresando".[3]

[1] Gloria Orenstein, "Surrealism and Women", *The Theater of The Marvelous* (New York: New York University Press, 1975), p. 110.

[2] Antonio Magaña Esquivel, *Teatro mexicano del siglo XX* (México: Fondo de Cultura Económica, 1970), p. 57.

[3] Gabriela Mora, "*Los perros* y *La mudanza* de Elena Garro: designio social y virtualidad feminista", *Latin American Theater Review* (Spring, 1975), p. 13.

Si el teatro de Elena Garro ha tenido gran resonancia, su prosa, por su pequeña producción y gran calidad, nos hace pensar en la obra de Juan Rulfo. *Los recuerdos del porvenir*, su novela traducida al inglés por Ruth L. C. Simms como *Recollections of Things To Come*, ha sido llamada por John S. Brushwood "quizá la mejor novela de 1963" y la mejor novela escrita sobre los cristeros.[4] Ganadora del premio Villaurrutia, la obra versa sobre la suerte de una joven y sus hermanos durante la revuelta cristera y es una mezcla de realidad histórica y de fantasía. El pueblo de Ixtepec narra en primera persona la lucha de sus habitantes por escapar a su momento histórico. A la opresión militar y temporal se anteponen la representación teatral, la magia y la locura.

La aparición de su libro de relatos, *La semana de colores* en 1964, suscitó también comentarios favorables. "La culpa es de los tlaxcaltecas", primer cuento del volumen, trata de una dama azteca que no pudiendo soportar la destrucción de su pueblo, se transporta mágicamente al México de nuestros días. Esta mezcla de fantasía y realidad no es distinta de la que encontramos en algunos cuentos de Borges y Cortázar. Mientras que la prosa de Garro se caracteriza por una "sensibilidad poética en el uso del lenguaje, una mezcla de fantasía y realidad, una sutil ironía y la inclusión de elementos folclóricos tradicionales mexicanos", la médula de la producción literaria de Elena Garro es, según Esther Seligson: "Retornar al comienzo del tiempo, al tiempo sin tiempo de la infancia".[5]

---

[4] John S. Brushwood, *Mexico In Its Novel* (Austin: University of Texas Press, 1966), pp. 52-53. La traducción es nuestra.

[5] Ver respectivamente, Carmen Parr, *Técicas narrativas en la prosa de Elena Garro*, tesis doctoral inédita, University of Southern California, 1978; y Esther Seligson, "In Illo Tempore (Aproximación a la obra de Elena Garro)", *Revista de la Universidad de México*, vol. 29 N° 12 (1975), p. 9.

ENTREVISTA CON ELENA GARRO *

S: Primero, Elena, ¿no quisieras comentar un poco cómo
te formaste como escritora?

G: Pues, como escritora, no sé. Yo me formé en un pueblo en el sur de México. Mi padre era español, pero
era un español muy culto, entonces, en la casa no íbamos al colegio. Era una casa muy grande en un pueblo
de indios nada más, en el estado de Guerrero, muy
primitivo. No había luz eléctrica, ni había nada. Y
mi papá y mi tío, eran ocultistas. Ellos habían estudiado en Europa y eran así, muy locos, muy románticos.
Nos daban clases en la casa a mí y a mis hermanos.
Entonces, nos enseñaron francés, nos enseñaron latín
y tenían una biblioteca muy grande, con todos los clásicos españoles, griegos, latinos, ingleses y alemanes.
Franceses casi no había. Y leíamos todo el día; no íbamos al colegio. Nos daban clases también de álgebra,
porque mi papá había estudiado arquitectura. Era arquitecto. Mi abuelo también fue arquitecto, mi bisabue-
lo también. Y cuando vine a México, entré directamente a la secundaria y luego ya al bachillerato. Y
fue cuando empecé a leer libros malos, porque yo no
había leído más que a los clásicos. En una clase la
primera vez que fui a la clase en la universidad, el profesor preguntó que quién había leído *La Ilíada*, entonces yo levanté la mano y era la única chica que la
había leído. Éramos setenta y dos alumnos y luego preguntó que quién había leído *María* de Jorge Isaacs y
levantaron la mano todos menos yo, entonces el maes-

* Esta es una entrevista inédita hecha por Joseph Sommers en el Distrito Federal el 26 de agosto, 1965.

tro dijo que yo tenía que leer *María* y ellos, *La Ilíada*. Pues a mí no me gustó *María*, y a ellos, a algunos les gustó *La Ilíada* y a otros no. Así es que mi formación la debo exclusivamente a mi casa. Porque en la universidad... Sí, estudié luego el bachillerato, fui a la Facultad de Letras, luego trabajé de periodista. Pero yo seguí leyendo por mi cuenta, y aprendiendo idiomas. Los que más me gustaban eran los alemanes, los románticos alemanes, los poetas alemanes. Por eso, no sé. Después me casé muy joven con Octavio Paz, y empezamos a viajar y él es muy culto. Seguimos leyendo juntos, pero yo nunca escribí, hasta hace como doce años que escribí *Los recuerdos del porvenir* en París, porque me acordaba de un pueblito, el pueblito en que yo crecí, y todo lo que cuento es verdad.

S: Y esta formación tan extraordinaria que acabas de explicar... bueno, ¿de dónde vienen las influencias? ¿Hay influencias en esa formación que tengan que ver con *Los recuerdos del porvenir*?

G: ¿De dónde vienen las influencias? ¿Literarias? Pues, no sé. Yo no puedo juzgar *Los recuerdos del porvenir*. Porque es un libro de memorias de infancia. Los generales sí existieron. Todos los personajes; algunos viven todavía.

S: Pero, ¿la manera de tratar el tiempo, o la irrealidad temporal?

G: Tal vez me viene de que en mi casa se hablaba mucho de Einstein y de la relatividad, y de que papá era budista también, entonces el tiempo en el budismo, el tiempo cambia con las religiones, y comentábamos mucho también el tiempo en México, que el tiempo era finito entre los antiguos mexicanos. Pero el tiempo es variable. Pero como decía mi padre, que como éramos ayer, éramos hoy, y éramos mañana, que es como un juego de espejos. Es bastante oriental eso, ¿verdad?, pero coincide mucho con los científicos modernos. Porque todo lo que aprendí de chica en mi casa de los alemanes, del budismo, está de moda ahora... de los ocultistas también. Papá tenía una biblioteca muy grande... como vivíamos solos, pues sus únicos interlocutores éramos sus hijos. Entonces discutíamos todo desde chicos y yo tengo esa idea del tiempo. No la pude expresar bien en la novela.

S: Yo creo que sí.

G: No... A ver...

S: A mí me parece que en *Los recuerdos del porvenir* hay una especie de negación de la visión materialista o científica que tienen algunos del hombre en donde se tiene la idea de que el hombre puede, es capaz, de auto-conocerse y de auto-analizarse finalmente. Tú pareces que implicas otra cosa, por ejemplo, en cuanto al tiempo o la memoria. ¿Quisieras comentar?

G: Yo creo que la memoria es el destino del hombre, porque cuando nosotros nacemos, ya el destino que vamos a llevar, ya lo tenemos dentro, por eso ya no nos acordamos de él. Y podemos salvarnos por un acto casi mágico. Los católicos decimos un acto de contrición. Y los budistas dicen el *satori*, es la iluminación repentina. Es lo único que nos puede salvar de la memoria, de la repetición.

S: Bueno, y me parece que *Los recuerdos del porvenir* es una novela trágica.

G: Sí, porque no se salva ninguno.

S: Sí, y que implica quizás la imposibilidad de salvación.

G: Porque en ninguno hay la voluntad de salvarse, yo creo.

S: En la novela.

G: En la novela.

S: ¿Y en México? Porque yo leyendo en los Estados Unidos esta novela la acepto como una visión más amplia.

Es como Elena Garro ve a México por medio de una...

G: Sí, por eso hablo yo allí de la Revolución, porque hay que dar siempre anécdotas, ¿verdad?

S: Sí.

G: Entonces, yo mezclo Revolución con Iglesia, porque el mexicano al final de la novela dice que el que vuelva a pasar por Ixtepec lo encontrará igual porque no hay la voluntad ni hay el poder externo, capaz de mover, de salvar al pueblo de México. Ni los mexicanos, no quieren salvarse... no puedo explicarlo ahora.

S: Elena, ¿qué ha pasado con la Revolución Mexicana?

G: Pues, con la Revolución Mexicana ha pasado lo que ha pasado con todas las revoluciones. Que las únicas revoluciones en las que yo creo son las revoluciones perdidas o derrotadas como fue la Comuna de París que dio frutos. Pero las revoluciones triunfantes, la Revolución Francesa, la Rusa, la Mexicana, son movimientos que se corrompen porque son ideas abstractas que cuando se aplican a la realidad son inaplicables. Entonces se convierten en "slogans" y degeneran en dictaduras políticas. Y en México sucedió que ganó la Revolución, es decir, ese movimiento maravilloso contra un tirano. Se ganó la batalla y en ese momento mismo en la Convención de Aguascalientes se corrompió todo, porque hubo un individuo, Carranza, que tomó el poder a la mala porque no se lo dieron y empezó a comprar directamente a los generales con dinero, y a fusilar a los que no quisieron entrar en su juego, como pasó en Rusia y como pasa en todas partes. Entonces, una vez que esa camarilla tomó el poder pactó con la alta Iglesia Católica, con la jerarquía eclesiástica y con los porfiristas. Y por eso yo digo en la novela que era la mafia de la Iglesia Católica, el Arzobispo de México, los antiguos porfiristas, que eran los terratenientes y los generales triunfantes. Y nos repartieron la tierra. pero...

como la Revolución estaba muy nueva todavía, muy fresca, Calles empezó a repartir un poquito de tierra, pero los campesinos querían la tierra e inventaron la revolución cristera, para exterminar a agraristas, y de eso se trata la novela. Como no estaban dispuestos a dar la tierra y el revolucionario Calles y la Iglesia Católica se pusieron de acuerdo para hacer el movimiento cristero. Es un movimiento artificial.

S: Pero tú dices que Calles, el líder revolucionario, tiene en parte responsabilidad.

G: Claro, Calles y Obregón. Sí, Calles y el arzobispo de México hicieron la revolución cristera. De acuerdo. Mira, tomaron el poder cuando Obregón estabilizó la revolución. (Yo me estudié muy bien la revolución). El ministro de Guerra era Juanito Barragán. Entonces pactaron Calles, Obregón y Barragán y un grupo de generales corruptos y pactaron en seguida con la Iglesia porque en México no se puede hacer nada sin la Iglesia Católica. Y la Iglesia Católica pacta siempre con el poder, con el que está en el poder. Y pactaron con los porfiristas. Tú ves que inmediatamente después los porfiristas volvieron a tener los latifundios. Los generales expropiaron algunos latifundios para ellos, y cuando el pueblo empezó a pedir las tierras, Calles hizo algunos decretos expropiatorios. Y luego no se repartió hasta Cárdenas. En ese lapso de catorce años hubo la revolución cristera que fue alimentada por la Iglesia y por el callismo para impedir la reforma agraria, para impedir el reparto de tierras. Ahora, yo estoy con el reparto de tierras, porque es una solución económica. Yo soy muy práctica. Yo creo que la única manera de terminar con el hambre es dando pan. Y estoy contra el latifundio porque es antieconómico. Yo lo he estudiado ahora. Son gentes... Los latifundistas tienen ochenta mil, doscientas mil hectáreas, ciento cuarenta mil hectáreas, y cultivan cuatro o cinco mil o mil hectáreas y el resto queda sin cultivo. Y los campesinos se mueren de hambre. Entonces, eso sí puede ocasionar una revolución más moderna en México, una revolución comunista, porque no me parece solución tampoco, pues yo trabajo por los campesinos para que se reparta la tierra, para que se democratice México. Porque no hay democracia en México. Y si no puede haber un estado monárquico, que haya una democracia, porque la monarquía era más democrática que los gobiernos sudamericanos o que los gobiernos totalitarios. Y todos los países subdesarrollados van hacia el totalitarismo... Están a un paso, ¿verdad?

S: Elena, a mí me parece ver cierta disyuntiva entre Elena Garro, novelista, cuentista, dramaturga en cuyas obras se nota siempre un énfasis sobre lo irreal, lo mágico, lo fantástico, y Elena Garro persona, cuya vida diaria se concentra alrededor de ciertos problemas bastantes concretos, muy reales. ¿Cómo lo explicas?

G: Mira, en México hay una dualidad. Hay un *décollage*, se dice en francés, es un abismo entre lo que es el mexicano de la ciudad que va a la escuela y el mexicano del campo que no estudia. Son dos culturas. Podemos decir que los de la ciudad somos los occidentales de México. Somos occidentales a medias, ¿verdad? porque disfrutamos de la cultura occidental, y la gente del campo vive en una realidad mágica, y en una cultura que no tiene nada que ver con la cultura occidental en donde la idea del tiempo cambia, la idea de Dios cambia, en donde se aparecen fantasmas todos los días, en donde todo es mágico. Y como yo convivo mucho con los campesinos, entonces yo sé que el defecto de los escritores mexicanos de la ciudad justamente es que no reconocen esa dualidad mexicana. Si fuéramos realmente inteligentes podríamos inventar una cultura importante en México. Pero no lo somos.

S: Entonces, para ti, *Los recuerdos del porvenir* es una novela realista que trata la realidad...

G: Sí...

S: ...¿campesina?

G: Sí, la mentalidad... Mira, cuando pasa algo fuera de la ciudad de México o en los pueblos, le dan mil finales. Bueno, eso te pasa en cualquier parte del mundo, ¿verdad?... que todo se vuelve mitológico. Pero como en México la cultura todavía no tiene los mitos necesarios... Una cultura parte siempre de unos mitos. Como en México no están sentados todavía los nuevos mitos, no están establecidos, entonces en el campo se están fabricando todos los días la posibilidad de hacer mitos. Tú pasas por un pueblo y cada gente va a dar una versión extravagante de quién eres, qué fuiste a hacer, si desapareciste por el aire, si te quemaste en el comal... y como yo viví así de chica, si no me dormía, las criadas me decían: "Vamos a dejar las cenizas calientes y vienen las brujas a calentarse las canillas." Yo lo creía. Entonces para mí es muy real eso también. Así es que yo creo que sí es realista mi novela.

S: Otra posible disyuntiva que me parece entrever, y no sé si existe, es que en la novela, ya acabamos de decir, se entrevé un mundo angustiado, un mundo sin esperanzas, mientras que tu trabajo con los campesinos implica que tienes esperanzas, que tienes planes, que ves posibilidades.

G: Sí, mira, mi parte occidental es práctica, ves, entonces yo como occidental y como he vivido muchos años en Europa y todo... por mi familia, creo que se pueden hacer las cosas y creo que mientras no se hagan ciertas cosas, México no tiene destino. Y los mexicanos no tenemos destino. Y sí es un pueblo angustiado, por eso en la novela una señora dice: "Ojalá y hubiera un buen temblor de tierra." Porque el mexicano tiene una nostalgia de catástrofes; yo lo digo siempre. Como cuando no se pueden arreglar las cosas reales, así, prácticas de todos los días. Mira, nadie puede ser marino en México. ¿Tú crees que no hay marinos en México? Debe haber. Nadie puede ser sabio. Pero debe haber gente con la vocación de sabio o con la vocación de ir a la Luna, como Cooper o como Gagarin. Pero no tenemos posibilidades. No tenemos destino realmente más que para morirnos de hambre o desesperación.

S: Entonces, estás implicando que la visión de la novela es de angustia.

G: Sí, es angustiosa.

S: Pero, ¿cómo compaginas?...

G: Porque mi parte occidental práctica dice: "Tenemos que encontrar la solución. Y la solución se encuentra siempre por lo más pobrecito, por lo más bajo. Si queremos hacer una casa, hay que poner el cimiento. Por eso trabajo mucho por los campesinos.

S: Entonces, ¿crees que es posible...?

G: Creo que es posible, sí, yo lo creo... aunque a veces no lo creo.

S: Elena, en la novelística actual mexicana, que trata directamente o indirectamente de la Revolución, por ejemplo, la obra de Fuentes o de Castellanos, o de Mojarro, se nota una crítica de la Revolución Mexicana, y creo yo ver implícitamente una crítica que implica la necesidad de cambios más radicales, cambios quizás que critican el hecho de que la Revolución no haya ido bastante más allá de reformas del día, etc. ...implican quizá la necesidad de radicalismo, y de nuevo izquierdismo, de una manera u otra. No estoy implicando dogmatismo, sino ideas más o menos izquierdistas. ¿Dónde cabe tu obra dentro de esta... corriente?

211

G: Mira, ellos parten de las ideas materialistas del siglo
XIX, y muy directamente de Marx. Pero Marx después
de todo, no era más que un resultado del romanticismo
alemán, pero un resultado *materialista* del romanticismo alemán. La importancia del romanticismo alemán
es que es una filosofía transcendente que surge como
respuesta al materialismo de la enciclopedia francesa,
el siglo de las luces. Bueno, ellos, mis amigos, los novelistas mexicanos, no han revisado... la filosofía es-
piritualista o trascendente, sino que parten estrictamente de Carlos Marx. Carlos Marx no es un filósofo.
Es un teórico que da una solución económica para un
estado de cosas X. Pero la cultura de un país, o las
civilizaciones, los movimientos, vienen de más atrás.
Surgen siempre de corriente filosóficas. Y yo creo
que la corriente marxista es muy limitada. Por eso ha
dado estas revoluciones tan limitadas, como la Revolución Rusa, y la Revolución... China. Yo no creo en
nada de eso. Yo les he dicho que deben hacer una
revisión anterior al marxismo, de las ideas anteriores
al marxismo, compararlas con lo que está sucediendo
en 1965. Que no tiene ya nada que ver con Carlos
Marx. Porque además el marxismo no es solución tampoco. No es solución, porque Marx, por ejemplo, no
contó con el aumento demográfico del mundo. Ningún
sistema marxista alcanza ahora para... para el aumento demográfico del mundo, según las estadísticas, ¿verdad? Y ellos creen, aplicando el marxismo, que la Revolución Mexicana es anticuada porque no llegamos
hasta la... hasta la socialización de las fuentes de
riqueza. Sí la socialización de las fuentes de riqueza
puede solucionar ciertas cosas, pero la base no está
allí. La base está en la idea generadora filosófica, que
tiene que surgir una filosofía nueva a partir de que lleguemos a la Luna. Todos los experimentos que hacen

en Estados Unidos, en la misma Rusia, con los institutos de parasicología, pues van a dar un mundo muy nuevo en donde el marxismo es una teoría viejísima ya. ¿No estás de acuerdo? Yo no creo que haya que ir más adelante en las ideas marxistas para la aplicación en México.

S: ¿En dónde ves tú la solución? ¿En cierto espiritualismo, en cierto renacimiento de valores espirituales?

G: Sí, yo sí lo creo.

S: ¿Y podrías desarrollar un poco...? ¿cómo se puede desarrollar... cómo se puede crear un...?

G: Pues en Europa hay un movimiento muy importante... La misma revista *Planeta*. No está fundada ya en el marxismo, que es una teoría torpe para todo lo que estamos viendo ahora. Marx no calculó nunca que íbamos a llegar a la Luna, ni calculó el átomo. Ni calculó que íbamos a ver todo lo que es invisible. El materialismo está muerto porque está fundado en la idea de que somos materia. Y no somos materia. ¿Verdad?

S: Bueno, Elena, acabas de negar una serie de ideas y de tendencias de lo izquierdista, lo marxista, etc. Entonces, quizás sería conveniente preguntarte, ¿qué es lo que afirmas?

G: Yo afirmo... Yo niego el marxismo porque el marxismo terminó en una dictadura política que encajonó al hombre y que estableció una política de terror, pero yo afirmo que se puede hacer una reestructuración económica en estos países atrasados, que no tiene nada que ver con la política. De una mayor reestructuración económica y de la liberación de miseria, vendría una mayor libertad si no se aplica una dictadura política como es la que quieren aplicar los comunistas. Yo sí creo en la reestructuración económica de América Latina, pero no estoy dispuesta a pasar por la dictadura política que me dicen los marxistas.

S: Vamos a pasar a literatura mexicana.

G: Bueno.

S: ¿Qué opinas de la novela mexicana reciente? Hablando desde Yáñez, por ejemplo.

G: Pues me gusta Rulfo; me gusta mucho Juan Rulfo. Me parece que es el único novelista que me gusta a mí, de México. Los demás... yo creo que son muy antiguos, que son muy anticuados.

S: ¿En qué sentido?

G: Que vienen de escuelas literarias francesas muy pasadas de moda. No son solución ni ofrecen nada nuevo. Yo los veo a todos que vienen directamente del naturalismo... de Zola, pasando por algunos tamices así de la escuela francesa. Unos tienen influencia de Robbe-Grillet, otros... pero es, en general, una literatura colonial. El mejor escritor, el más americano, puedo yo decir, es Juan Rulfo. Y hay otro escritor, que casi no escribe, pero que me gusta mucho, que es Juan de la Cabada. Porque el escritor también es idioma; también es lenguaje.

S: ¿Quisieras comentar, Elena, los valores literarios que encuentras en Rulfo y en De la Cabada?

G: ¿Los valores de Rulfo y de Juan de la Cabada? Es que ellos vuelven... al español esencial. Yo creo que la literatura son palabras porque forma y contenido son la misma cosa. Entonces el lenguaje de este grupito de novelistas modernos es un lenguaje del siglo XIX o de 1910, que es la época peor de la literatura española. Y todavía los mexicanos somos una rama de la literatura española porque escribimos en español. Y no hemos inventado el lenguaje mexicano importante literario. No hemos tenido grandes escritores todavía. Y entonces los únicos escritores que no parten de 1900 ni del siglo XIX español, del idioma de esa época, son Rulfo y Juan de la Cabada, que van más lejos. Se remontan casi a los clásicos españoles; entonces su idioma es muy rico, muy flexible, muy variado. Y como la literatura son palabras, y como forma y contenido son la misma cosa, son los que han hablado de México, del paisaje, de cómo somos, con mayor validez.

S: Entonces, ¿por qué no crees, Elena, que todavía se haya escrito la novela de la ciudad que iguale a *Pedro Páramo* en su tratamiento del hombre campesino de México?

G: Porque el mexicano de la ciudad es un hombre, como te dije antes, con una dualidad. Es el hombre con cultura occidental y con un pie en lo indígena también. Entonces es un hombre muy contradictorio, que vive en dos tiempos o en dos mundos. Y todavía no hay un novelista que vea a ese mexicano que está parado en los dos tiempos o en los dos mundos. Páramo sí está en el campo. Él goza de toda la mitología antigua mexicana. Se nutre del maíz, de todos sus mitos bárbaros, lo que tú quieras. Para el mexicano de la ciudad, no hay ningún personaje en las novelas con esa dualidad. El día que haya un escritor que le dé eso a un personaje en sus novelas, habrá novela en México. Y yo creo que el escritor es el que da el patrón de cómo vamos a ser. Homero inventó al griego. A partir de Homero todos los griegos fueron iguales. Todos fueron Aquiles. Cervantes inventó al español. A partir de Cervantes hubo Sancho Panza y el Quijote. O'Neill ha inventado a los americanos. Scott Fitzgerald inventó toda la época moderna. Pero el mexicano. Todavía no ha nacido el genio que nos diga cómo somos, o cómo debemos ser. Porque Fuentes nos dice cómo no debemos ser, más bien, pero cómo debemos ser, no nos lo dice.

S: Entonces, tú encuentras a Artemio Cruz como una figura negativa.

G: Sí, sí. No nos puede servir de patrón, a ninguno. En

215

cambio, por ejemplo, Scott Fitzerald nos dio Gatsby, y fíjate que es Kennedy. ¿No te fijas que es Kennedy? Tiene algo romántico, así como un pasado si tú quieres, un poco aventurero, y de pronto se convierte en un héroe a través del amor. Es el héroe moderno de nuestro tiempo. Y en Kennedy se pueden reconocer todos los americanos. Y en Gatsby también. Pero en la novela mexicana, dime un personaje en el que yo pueda reconocerme. Hay en los que no me puedo reconocer, que digo: "Así no hay que ser".

S: Pues yo diría que en Artemio Cruz hay cierta conciencia por una parte de un nacimiento rural en donde se funden tradiciones negras, tradiciones indias, tradiciones campesinas, etc. También hay momento de amor, amor que Artemio Cruz deja atrás en su vida, en su trayectoria como revolucionario venido a bien, ¿no? Pero hay estos elementos fundados allí. Para mí. Me parece una figura bastante compleja y una figura que encierra ciertas dualidades y ciertas contradicciones, quizás.

G: Pero no maneja ideas, no maneja conceptos, aunque Gatsby, sí. Gatsby sí está luchando por algo importante. Por una idea que es el amor y que es la aventura. Pero en Artemio Cruz no existe la aventura. Ahora, todos los hombres creemos en la aventura y es la manera de salvarnos. Pero a mí no me digas que los mexicanos nos podemos salvar a través de la aventura modestísima y casera de Artemio Cruz, que es casi la cocina. ¿O no?

S: ¿Quisieras comentar lo que estás haciendo ahora. O lo que has hecho desde que salió *Los recuerdos del porvenir*?

G: He hecho mucho. Mira, he terminado una novela que se llama *Reencuentro de personajes* que es una pareja de mexicanos viajando en Europa. Entonces no se conocen.

El personaje femenino desconoce casi al personaje masculino y lo quiere adivinar. Y van pasando una serie de aventuras entre mucha gente europea. Pero giran casi siempre en el mundo... homosexual. Entonces son... La novela está escrita en cuatro cuentos, y tú puedes leer la novela desde el primer cuento, o en el de en medio, o en el último. Es indiferente. Pero son siempre los mismos personajes, y se llama *Reencuentro de personajes* porque en cada cuento se plantea una situación nueva, y ella busca quién es ese individuo. Que lo conoce muy bien, pero que no lo acaba de situar, no sabe qué es. Y al final, bueno, no al final, en uno de los cuentos, ella reconstruye a su amante a través de los personajes de l a s novelas modernas importantes. Hay personajes de Fitzgerald, hay personajes de Aldous Huxley. Entonces a través de las grandes novelas modernas, ella sabe quién es él.

S: Ella lo busca a su amante. Busca la identidad... verdadera... del tipo...

G: Del tipo, sí. Porque siempre que hay una relación humana hay un misterio. Tú siempre serás un misterio para mí y yo para ti. No nos podemos descifrar las gentes, ¿verdad? Somos islas. Y son los dos amantes muy solitarios, pero la novela está vista más desde el punto de vista de la mujer. Se encuentra frente al gran misterio de ese hombre al que ella ama pero que no sabe qué es, ni por qué actúa de determinada manera, ni por qué hace determinadas cosas.

S: ¿Y ya terminaste esta novela?

G: Sí, ya la terminé.

S: ¿Y va a salir?

G: Sí, pero... es muy fuerte, ¿sabes? No sé. Es muy terrible y no me atrevo a publicarla.

S: ¿Tienes otras cosas escritas?

G: Sí, tengo un volumen de cuentos, es decir, unos diez

cuentos de amor, y todos son más o menos como del estilo de *La culpa es de los tlaxcaltecas*, que juegan dos épocas, o personajes que pasan de un tiempo al otro.

S: Con toques de ironía.

G. Sí, a mí me gusta reirme. Y luego una obra de teatro en tres actos, *La dama boba*. Otra en tres actos, *La muerte de Felipe Ángeles*, es una crítica de la Revolución, pero no de la Revolución Mexicana, sino lo que es la revolución en sí, por qué se devoran las revoluciones. Y el ejemplo de Felipe Ángeles sirve muy bien como motivo dramático trágico. Y luego tengo muchas en un acto. No sé, en gran desorden, por allí revueltas entre los gatos... Y otra en dos actos que se llama *Un traje rojo para un duelo.*

S: *Un traje rojo para un duelo.* ¿Y en qué consiste?

G: Consiste en que hay un duelo en una casa. No te la puedo contar. Es muy bonita. A mí me gusta. Hay un duelo en una casa y la chica de la casa quiere ir a una fiesta, verdad, y se compra un traje rojo para ir a la fiesta, que es al mismo tiempo que el gran duelo. Pues la muerte es tristísima pero no impide que la niña quiera ir a una fiesta. Y a propósito de ese traje rojo, sucede —yo como creo en los misterios— sucede que se termina en un misterio. Empieza la obra cuando se muere el personaje en la casa... Y se produce un misterio muy bonito. Cuando se va a morir el viejito, dice: "Quiero mis calcetines. Me voy al parque con mi madre." (Porque cuando una persona se va a morir, se ven cosas. Yo me he fijado. Eso está sacado de una muerte que yo misma miré). Y entonces la familia se queda en el cuarto donde murió el viejito, se queda en el parque de la infancia del viejito, porque realmente él se fue al parque donde jugaba de niño. Y cuando la niña quiere ir al baile vestida de rojo, el parque sigue aunque no se ve, porque dicen: "¿Sigue lloviendo en el parque? Sí, sigue lloviendo en el parque." Y cuando contrarían a la niña, por los prejuicios de que no debe ir con el traje rojo, se acaba el parque. Viene la criada y dice: "Ya no está el parque".

S: Sí me parece que es una idea muy bonita.

G: Así contado no, porque el teatro ya ves que es muy complicado; se plantean muchas cosas.

S: ¿Y no quisieras comentar la traducción que has hecho?

G: ¿De Heinrich Von Kleist? Pues traduje la *Katchen Von Heil Bronn* que es una obra de teatro, que para mí es tan importante como si fuera obra de teatro griego. Porque para mí hay dos grandes momentos en la historia de Occidente, que son Atenas y el romanticismo alemán.

(México, D. F., 26 de agosto, 1965)

EMMA GODOY

EMMA GODOY

Emma Godoy (1918) nace en Guanajuato, estado de Guanajuato, México. Hace sus estudios superiores en la ciudad de México, graduándose en la Escuela Normal Superior como maestra titulada en Lengua y Literatura. Prosiguió sus estudios en la Universidad Nacional Autónoma de México en Pedagogía y Psicología, terminando la maestría y el doctorado en la Facultad de Filosofía. Hizo también estudios de postgrado de filosofía en La Sorbona y de historia del arte en la escuela del Louvre. Es catedrática desde 1947 en la Escuela Nacional de Maestros y desde 1949 en la Escuela Normal Superior. Entre las muchas materias que impartió como catedrática en la Escuela Normal Superior se encuentran etimologías grecolatinas, etimologías indígenas, historia general del arte, arte moderno, arte mexicano y literatura universal.

La obra literaria de Emma Godoy es extensa e incluye poesía, teatro, novela, ensayo y biografía. En 1948 recoge sus primeros poemas en *Pausas y arena* y más tarde en *Del torrente* (1975). Publica *Caín, el hombre* (1949), obra de teatro religioso que ha obtenido fama universal. En 1961 publica su novela *Érase un hombre pentafásico* que ganó el premio William Faulkner en 1962. Ha escrito numerosos libros de ensayos entre los que destacan *Doctrinas hindúes* (1967), *Sombras de magia* (1968) y *La mujer en su año y en sus siglos* (1975). Entre sus biografías se cuentan la de Mahatma Gandhi y la de Gabriela Mistral. Ha publicado innumerables artículos y ensayos en revistas como *Ábside* y *Revista de Occidente,* también en revistas para mujeres, tales como *Casa.*

Su poesía es esencialmente religiosa y amorosa acercándose al misticismo. Frecuentemente se encuentra la unión de Dios con el alma en términos carnales: "Beso de Dios en boca de la amada", y "Bajo el cielo oriental mi fe prendida; / no hay miedo a la llegada del Esposo; / de cierto me amará por encendida!" * Religiosa es también su obra teatral que versa sobre el primer fraticidio, *Caín, el hombre* Sus ensayos tienen que ver principalmente con las cosmogonías y filosofías orientales. Mientras que su novela trata el problema filosófico del libre albedrío y fue inspirada por el cuadro "Hombre pentafásico" de José Clemente Orozco. El protagonista-narrador, Esteban, simboliza la existencia. Las cinco posibilidades del ser, o esencias, son representadas por Damián (lo religioso), Federico (la cultura), Vicente (lo trivial), Siquem (lo sentimental) y Bromio (lo sexual). Para poder ser, Esteban tiene que escoger diariamente una esencia y éstas luchan por ser escogidas para así poder existir. Esteban termina cansado de ser libre, de tener que escoger. La autora se coloca dentro de la novelística actual por un prólogo humorístico que ella llama "Guía del lector". Hablando directamente al lector, da una síntesis de su novela, para aquél que no quiera leerla, que termina con el encabezado: "Más advertencias (para quien a pesar de todo quiera leer)".

Simplificando su obra un tanto, se podría decir que a esta escritora mexicana le interesa la novela por la exposición filosófica que conlleva y la poesía como una suerte de terapia sicológica. Godoy ha sabido compaginar la docencia con el arte y ha tenido éxito en ambos campos. Como cate-

---

* Emma Godoy, *Pausas y arena,* 2ª ed. (Guanajuato: Univ. de Guanajuato, 1964), pp. 15 y 40.

drática ha inspirado a miles de estudiantes; como poeta, dramaturga, novelista y ensayista ha adquirido cierta fama en México y en otros países hispanos.

ENTREVISTA CON EMMA GODOY

M: ¿Estabas diciendo que durante 25 años diste cursos de Historia del Arte?

G: Sí, pero junto con otras materias, especialmente Filosofía. Lo que me agrada es la filosofía; esa es mi especialidad.

M: ¿Y también te gusta escribir poesía?

G: Sí, pero creo que la poesía más que nada es para la juventud; la madurez necesita prosa. Tengo la idea de que cuando uno es muy joven está lleno de tantas emociones contradictorias que no se acaba uno de entender ni a sí mismo. Necesita expresar sus ideas para ayudarse a saber quién es; es una necesidad de cierta egolatría. Pero llegada la madurez, aunque no se ha alcanzado esta serenidad hermosa, esta alegría, ya no tiene uno desconfianza en el mundo, le agrada la vida y también la muerte. Todo nos gusta cuando se ha llegado a esta plenitud. Ya no tiene uno por qué estarse mirando, sino que mira hacia alrededor, y entonces comienza a pensar en algo que no es uno. Piensa en ideas, en lo que nos rodea, el mundo, el hombre, Dios. El yo ya no es el centro, sino que uno es espectador interesado por toda la realidad.

M: ¿Entonces, ahora te interesa la novela?

G: Me interesa la novela, pero novela de ideas. La novela que publiqué en 1961, *Érase un hombre pentafásico*, era la exposición filosófica del hombre del libre arbitrio. Y en lugar de hacerle el tono doctoral, sorbónico,

225

preferí escribir una novela para que fuera vivo el problema. El hombre ante sus posibilidades en el mundo. El hombre no sabe qué elegir, por lo tanto, no sabe todavía quién es porque lo que elige es lo que será. La novela, pues, sí es literatura, pero eso es accesorio; lo que me importaba era lo filosófico. Escribí también una obra de teatro, *Caín*, que trata el problema de la cultura que nunca llegará a realizar los valores del bien y la belleza en plenitud, sino que siempre es un camino que no llega: es la angustia de todos los que nos dedicamos a la cultura aunque sabemos que nunca llegaremos a la belleza perfecta ni alcanzaremos la verdad total. En cambio, la mística llega sin camino, algo así como que la cultura es un monte al que vamos subiendo como alpinistas trabajosamente y quién sabe si nunca lleguemos. En cambio, el místico es un trepador en un helicóptero y de un salto llega. La prosa para mí es una etapa única; hago poesía sólo cuando me encuentro ante un caos mental, alguna mañana que despierto y digo no tengo claridad en las ideas, estoy indispuesta, atontada, casi en estado de trance. Entonces puedo hacer un poema.

M: ¿Después de levantarte?

G: O durante el día cuando las hormonas, la tiroides, nos obnuvilan el entendimiento y está una dormidita. Ese estado irracional es el que aprovecho para hacer un poema. Pero a esta edad ocurre muy poco. Siempre amanezco con el sol.

M: ¿Cuándo empezaste a escribir?

G: En primaria yo no podía escribir, pero mis compañeras eran tan amables que me hacían las composiciones y yo las firmaba. Pero al llegar al sexto año, que en México es el último año de primaria, nos obligaron a escribir sobre la expropiación petrolera, y nadie me quiso hacer la composición. Cuando se trataba de la primavera, ponían tres pajaritos y dos mariposas, pero acerca de la expropiación petrolera nadie podía escribir. Tuve que escribirlo sola y gané el primer lugar en el Distrito Federal. Me sorprendió más que a nadie porque era la primera vez que yo cogía el lápiz, y luego al siguiente año gané otras composiciones a la Madre.

M: ¿Qué dijiste de la madre?

G: Pinté a una madre que no era la mía. Mi madre era muy seca, muy arisca y yo puse otra tal como yo hubiera querido que fuera. En mi casa no les interesó absolutamente nada; no quisieron oír la radio a la hora en que yo leía mis composiciones. Esto es muy bueno para que uno no se llene de vanidades la primera vez, porque está uno perdido si uno cree que ha llegado. Los aplausos hacen mucho daño. Cuando yo estudiaba preparatoria escribía en la *Revista de Occidente* (no me conocían los directores). Allí escribía Agustín Yáñez y el padre Garibay, gente de primera. Yo era una chica de trenzas largas quien no valía nada como escritora. No escribía más que poesía. Entonces en 1948 me publicó la *Revista de Occidente* mi libro, *Pausas y arena*. Ya después entré a Filosofía que me entusiasmó muchísimo y, por otro lado, me entusiasmaba la Biblia. Así, hice una mezcla de ambos y escribí *Caín* para la *Revista de Occidente*, no para el teatro sino para la iglesia. Aquí la puso Salvador Novo, y comenzó a correr mundo, y voy ahora a cualquier país y siempre encuentro algún sacerdote que recuerda del seminario algunos de los personajes de *Caín*. Hasta el Director de la Radio Vaticana allá en Roma había representado *Caín* con asistencia del Papa. Todo esto ocurrió cuando yo estaba sin terminar la carrera en Filosofía. Desde hace doce años estoy estudiando también religiones orientales para escribir un libro sobre la Diosa Madre. Ya tengo muchos apuntes. La religión del neolítico que inventamos las mujeres era algo satánico, con orgía sagrada, danza y sacrificios humanos. Toda mujer tiende a la adoración de la maternatura material.

M: No creo. ¿No es cierto que nos enseñan a respetar al padre sobre todo y a creer en un Dios masculino?

G: Lo ponemos en sexo masculino por lo activo.

M: Pero usted es mujer, y no me parece nada pasiva.

G: Es que yo creo que hay un tercer sexo.

M: ¿Andrógino?

G: Eso. Creo que la mujer que destaca, que se interesa por la cultura, ya sea política, literatura o deportes, no es tan mujer como la mujer-mujer. Creo que preguntando qué te interesa, se puede saber más que examinando tu cuerpo: "Dime qué te interesa y te diré quién eres." Entonces una mujer como Safo o Sor Juana no era nada femenina; ni Santa Teresa, aun dentro del cristianismo, ni Isabel la Católica tampoco. Eran mujeres con otro destino. Para las mujeres del tercer sexo, aunque sean esposas o madres, no es lo esencial su rol femenino, sino sus actividades que desbordarán hacia afuera. No se concentran en su útero sino en su cerebro.

M: ¿Y tú crees que haya diferencias entre obras literarias escritas por hombres y por mujeres?

G: Bueno, hay también hombres del tercer sexo y son más femeninos que muchas mujeres. Hay cuentos dulzones del Bécquer femenino, y en cambio hay mujeres totalmente viriles, mucho más viriles, como Gabriela Mistral quien era mucho más hombre que mujer. Yo viví con ella año y medio. Propiamente no se puede hablar de hombres y mujeres en la literatura. Ambos son andróginos.

M: Sí, estoy de acuerdo en parte, pero ¿sabes que hay muchas escritoras que creen que sí te determina la biología y que, por ejemplo, una mujer tiene una intuición muy especial, distinta de la de los escritores hombres?

G: La mujer-mujer sí, pero la mujer andrógina no.

M: Explícamelo otra vez porque no está muy claro para mí, ¿qué entiendes por mujer andrógina?

G: En la antigüedad lo femenino y lo masculino no eran tan estimados como esos otros seres que tenían bisexual el alma. El sexo no es cuestión de órganos genitales. ¡No, no! Lo masculino y lo femenino es algo amplio.

M: ¿Muy abstracto?

G: Totalmente abstracto. El eterno masculino y el eterno femenino. Se puede hablar de la madre tierra femenina y del cielo como masculino, y no tienen órganos genitales. No, el sexo no es más que una forma muy concreta de esto otro más amplio: la electricidad positiva y negativa, el sol masculino, la luna femenina: La antigüedad veía las cosas así, pero había también unos seres que participaban de ambos, es decir, que eran dobles, que tenían doble potencia. Eran los creadores de todo. El hombre y la mujer nunca son puros porque siempre hay glándulas femeninas en el hombre y glándulas masculinas en la mujer, y todos tenemos las hormonas revueltas. Llamamos mujer a la que tiene cierta proporción, y decimos que algunas son hechas para el matrimonio y para dar hijos, y están encantadas pariendo y ocupándose de la crianza y del porvenir de los hijos.

M: ¿Pero no te preocupa el problema de la sobrepoblación?

G: Bueno, estoy hablando de la tendencia, otra cosa es que la reprima. Pero en cambio, hay otros seres, por ejemplo Sor Juana, que no hallaban cómo salirse de esa costumbre de que debían casarse. Sor Juana tenía sicológicamente una mente un tanto masculina que se castigaba por no aprender latín cortándose el pelo como hombre. Puesto que no escogió el castigo de no tomar azúcar o cualquier otro, sino que iba hacia aquello porque era una mujer-mujer y además hombre, era doble. Miguel Ángel y Leonardo DaVinci lo mismo tienen aspectos feminoides y masculinos. En la antigüedad los simbolizaban con la doble serpiente, la doble sabiduría. Entonces un pintor, por ejemplo, tiene como hombre la visión universal del problema, la idea abstracta, y como mujer el detalle de la luz y la sombra. Lo mismo en poesía una mujer que está nada más pensando en sus sentimientos, en sus problemas afectivos, pues no pasa de ser una poetisa de quinta categoría. En cambio, la que de pronto pesca una idea universal estilo hombre, que probablemente no la comprende como mujer, está pensando como un hombre, pero poniendo la ternura o el miedo de una mujer.

M: Yo enfoco todo de otra manera. Tú partes de una polaridad, pero te tengo que decir que no creo en absoluto en esa polaridad. Creo que son mucho más importantes las influencias culturales.

G: Y desechas lo biológico, que el hombre está determinado por los genes de la herencia, por los cromosomas, y se puede saber por las leyes de Mendel de qué color va a tener los ojos y también cómo va a reaccionar con la ira.

M: Pero en el siglo pasado —pienso en el naturalismo y en el marxismo, por ejemplo— también se hablaba mucho del determinismo social o sociológico o socio-económico.

G: Pero no predominaba tanto, y en cambio ahora es al revés. Se cree que el hombre no es más que un producto, que yo tengo un destino trazado a causa de mi herencia, de quienes fueron mis abuelos. Cuando leo la vida de mis tatarabuelos se me parecen mucho a mí. Y, por otro lado, ni soy merecedora de honores ni culpable, porque soy producto del ambiente. Y entonces me digo que no soy yo, que soy mis antepasados. Es decir que lo que yo siento no es mío, no es más que mis antepasados que están viviendo en mi sangre y que no se quieren morir en su tumba. Y suben por mi savia, por mis raíces, y obran allí; yo no soy más que una tierra esclava donde ellos mandan. Esto es el femenino biológico. Entonces yo no soy más que mis antepasados. Es que lo que se hereda realmente, para la configuración mental, pues, es la hipófisis, la tiroides, los suprarrenales, el sistema endocrino, y éstos nos determinan mentalmente. Las personas ante un misma situación cultural o socioeconómica reaccionan de manera diversa porque tienen distinta la tiroides. Y si soy producto del medio ambiente, no soy yo tampoco, soy un espejo de lo que me rodea. Entonces yo afirmo una tercera cosa que es, como la expresa Margarita Michelena, que cada niño que nace es un coche en potencia.

M: ¿Un coche en potencia?

G: Sí, un coche en potencia, porque si va a tener un coche, es un coche más. La juventud es el desquiciamiento y la madurez es haber logrado saber vivir. He sostenido que el problema inmediato es la explosión demográfica, pero que el problema distante, el de pasado mañana, es el desploblamiento del planeta. Y te voy a decir por qué: algo está ocurriendo a los varones en los países ultracivilizados, aunque no en México todavía. Están ya dejando de desear a la mujer. Los hippies, por ejemplo, nada más quieren caricias superficiales y no quieren llegar al orgasmo.

M: Viví entre "hippies" y los enseñé durante cuatro años en California y no estoy de acuerdo.

G: ¿Son muy sexuales?

M: Muchos de ellos sí. Otros buscan cosas espirituales.

G: Pero mira, una mujer puede andar desnuda en Inglaterra y casi no despierta deseos sino en un número muy reducido de hombres, y antes con enseñar una pierna se le hubieran ido como veinte. Recuerdo que mi madre nos ponía en la sala dos o tres parejas de novios para que se cuidaran unos a otros, y además cruzaban por ahí a la criada cada tres minutos. No nos dejaron solos, pero estábamos cogiéndonos las manos y besuqueándonos; era una pasión de veras pasión. Ahora mis alumnas se suben en su coche con su compañero y no pasa nada; hay una disminución de la fuerza sexual. ¿Recuerdas aquella escena de la película de Antonioni, "BLOW UP", donde el fotógrafo ve una pareja de personas maduras en el jardín tomándose las manos? No se besan. No hay nada y es sicalíptico. Tan fuerte era aquella pasión que hasta hubo un asesinato pasional, y en seguida va el fotógrafo a su estudio y se encuentra con dos chamacas que lo violan, pero lo violan sin pasión, como quien se toma una taza de té.

M: ¿Como un juego?

G: Ándale, como una diversión. Eso antes era capaz de mover a una guerra, es decir se ha perdido la importancia sexual ahora que tanto se habla de sexo. Entonces aquí hay un motivo para pensar que en el futuro el hombre va a tender más bien al homosexualismo que a conseguir mujer. Por el otro lado, la mujer ha perdido el instinto de esposa y madre y no por la explosión demográfica. Eso es un pretexto. No está pensando en el problema que va a causar al mundo por no querer ser madre-esposa.

M: ¿No es quizás que ya no quiere estar en una posición subordinada, como siempre se ha encontrado como madre-esposa?

G: En Inglaterra, por ejemplo, no está tan subordinada, ni en Suecia. Es que no quiere ser esposa, no quiere fidelidad, no quiere esta cosa del amor que es abnegación también, es placer y es dolor, que es vida y es muerte; no, no, ella quiere sólo esta cosa inmadura de su egolatría infantil.

M: ¿No podría decirse lo mismo de ti, una mujer que prefiere no casarse?

G: Es que tenía otra cosa a que entregarme. En cambio ellas quieren sólo el placer sexual, pero sin el esposo, sin el compromiso eterno del amor de un hombre, y sin la fecundación, dos cosas que tienen las vacas y las perras. Por otro lado, el hombre cada vez tiende más a la homosexualidad. Leí que en Inglaterra eso les pasa a veinte mil niños por año. Ya no saben los médicos cuando nace el bebé si es hembra o macho porque se está reduciendo su órgano, es decir que ya la naturaleza responde a esto.

M: No creo.

G: Es sicológico. La cuestión física depende muchísimo de la mente. Entonces el problema éste de la importancia masculina se está extendiendo. Por un lado, no se van a conseguir niños porque al hombre le interesa más el homosexualismo y a la mujer le interesa el sexo sin los resultados. La vida se está haciendo infecunda, y en cambio hay una amenaza de destrucción ya presente a causa de todas las contaminaciones y por nuestros satélites que se pueden equivocar y se nos vienen encima.

M: Quisiera preguntarte mientras estamos aquí si hay mujeres que te han ayudado en tu carrera de profesora o en la de escritora.

G: Tendría que pensarlo mucho. Pero los hombres, bueno, no acabo de decirte todos los hombres que me han ayudado, y no sólo como escritora. No creo en la envidia del hombre; creo que en cuanto ven a una mujer intelectual se apasionan por ella con una pasión verdaderamente grande y quieren cogerla y subirla, subirla. Gabriela Mistral me contaba de todos los hombres que

M: la ayudaron; en cambio, cuando me hablaba de ciertas mujeres, dijo que la habían obstaculizado.

M: Guadalupe Amor afirmó lo contrario.

G: Bueno, porque ella es una homosexual.

M: Quizá bisexual, pero eso no tiene nada que ver. Sin embargo, en cuanto a la ayuda mutua, en general estoy de acuerdo contigo. Creo que por varias razones no ha habido solidaridad entre las mujeres en este país, ni en muchos otros.

G: Hay un dicho: "Mujeres juntas sólo difuntas". Tú piensas siempre en el factor sociocultural, pues yo te aseguro que cuando el matriarcado las mujeres se mataban entre sí.

M: ¿Dónde? ¿En qué país?

G: Neolítico, universal. Las esclavizaban igual que la abeja reina esclavizaba a las abejas obreras. Mira, en mi casa, por ejemplo, la que mandaba era mi abuela; era una especie de matriarca. Hasta mi padre que era tan recio obedecía a su suegra. Era un ambiente sociocultural de matriarcado y, sin embargo, ¡si vieras qué pugnas tenían entre ellas las mujeres! Yo me tenía que refugiar entre mis hermanos a veces porque ahí había compañerismo, pero a mí me hacían horrores las hermanas. Entre ellas y entre las tías era todo un caos, mientras que entre los hombres había una cosa hermosísima, y me sentía encantada con mis hermanos, tanto que mi madre me prohibió la amistad con ellos. Todavía me ocurre eso, que me siento mejor en la compañía de los hombres. Con un conjunto de mujeres no sé ni de qué hablar. También es verdad que nunca he querido casarme, pero eso es otra cosa.

M: ¿Qué opinas del movimiento de las mujeres contemporáneo?

G: Que las mujeres hemos sido engañadas. Las palabras nos impresionan, y con poco de halago nos toman el pelo y nos dan gato por liebre. Entonces la liberación femenina es más bien liberación masculina. ¿De qué nos hemos liberado? Ahora la mujer tiene los mismos derechos de mantener a la familia porque el hombre se larga y la deja. Antes el hombre pensaba que tenía que hacer con el hijo como con la llave del agua que se había descompuesto. Ahora toda la responsabilidad carga sobre la mujer que tiene que conseguir el plomero y ver en qué escuela meter al hijo y tener toda la responsabilidad del hijo. Y el hombre se hace a un lado. A la hora que el hombre ve que la mujer se va a trabajar, dice ya no necesita mi aporte económico ni necesita mi fuerza moral; que ella se las vea sola y a la hora que el hijo se embriaga o va a la cárcel, el hombre le echa la culpa a la mujer. Es decir, el hombre se ha liberado de las cargas y se las echa encima a la mujer. Claro que hemos ganado el derecho a andar de pie en los autobuses; el hombre ya no nos cede el asiento. Al contrario, ven un asiento vacío y se apresuran a llegar primero. Tenemos ya el derecho a ser tratadas como iguales, es decir, a lo pelado que nos griten cualquier insolencia en la calle. Tenemos el derecho de subirnos a los postes, y si más nos empeñamos, nos van a dar el derecho a cargar piedras. Yo no quiero derechos; quiero que me devuelvan mis privilegios. Este movimiento feminista ya no es femenino. Fue creado más que nada por la mujer andrógina masculinoide que tenía los intereses distintos, muy legítimos para la mujer inglesa del tercer sexo, pero no apropiados para la mujer latina. No los son para la mujer-mujer.

M: ¿El ama de casa?

G: Sí. El ama de casa es mujer-mujer por naturaleza, y las pobres no deben cargar con los horribles derechos

de las andróginas. Las andróginas están muy contentas con sus derechos.

M: ¿Y tú?

G: Yo me considero entre ellas. Me manejo sola. Llego
a mi casa a las tres de la mañana y estudio y me veo
en las negras para sacar dinero y luego para conseguir
esto y lo otro. Pero mis pobres hermanas cuando sus
maridos las dejan volver a casa a las tres de la mañana solas se mueren. Entonces estos derechos son sólo
para cierto tipo de mujeres, no para todas. Esto ha
sido un error básico del movimiento de las mujeres.

(México, D. F., 21 de enero, 1975)

LUISA JOSEFINA HERNÁNDEZ

LUISA JOSEFINA HERNÁNDEZ

Una de las más prolíficas de las escritoras mexicanas, Luisa Josefina Hernández (1928), nace en la ciudad de México. Su padre, juez de la Suprema Corte, tiene una gran influencia en su formación académica. En la UNAM hace estudios de leyes, letras inglesas y teatro, obteniendo su maestría en arte dramático. Aunque empieza a escribir teatro desde las postrimerías de la Segunda Guerra Mudial, no se da a conocer sino hasta 1950 con *El ambiente jurídico*. En 1951 publica *Aguardiente de caña y agonía*. Sigue más adelante con *Botica modelo* (1953), *Los sordomudos* (1954), *Los frutos caídos* (1956), *Los huéspedes reales* (1958), *Paz ficticia* (1960), *Los duendes* (1960), *Historia de un anillo* (1961), *La alondra y el ruiseñor* (1962), *La calle de la gran ocasión* (1962), *Arpas blancas, conejos dorados* (1963), *La hija del rey* (1965), *La fiesta del mulato* (1965), *Popol Vuh* (1966) y *Quetzalcóatl* (1968).

Los frutos caídos, obra que escribió como tesis de maestría bajo la dirección de Rodolfo Usigli en 1955 y *Los huéspedes reales* son representativas de su primera etapa; mientras que *La paz ficticia*, *Historia de un anillo* y *La fiesta del mulato* marcan un cambio hacia un teatro más comprometido.[1] Su teatro ha tenido gran éxito en México y en el

---

[1] Ver John K. Knowles, "Luisa Josefina Hernández: The Labyrinth of Form", en *Dramatists in Revolt: The New Latin American Theater*, ed. Leon F. Lyday y George W. Woodyard (Austin: University of Texas Press, 1976).

extranjero. Por ejemplo, hace poco se representó en Los Ángeles *La fiesta del mulato*.[2] Aunque es conocida como dramaturga, desde *Quetzalcóatl* se dedica exclusivamente a la novela.

La producción novelística de Luisa Josefina Hernández incluye *El lugar donde crece la hierba* (1959), *La plaza de puerto santo* (1961), *Los palacios desiertos* (1963), *La cólera secreta* (1964), *La noche exquisita*, *La primera batalla* (1965), *El valle que elegimos* (1965), *La memoria de Amadís* (1967), *Nostalgia de Troya* (1970) y *Los trovadores* (1973).

Una de las características que llaman más la atención de la novelística de Hernández es el tratamiento de temas poco comunes en la literatura mexicana. En *La memoria de Amadís*, por ejemplo, desarrolla los temas de la opresión del niño por sus padres, el complejo de culpa del homosexual y el sueño de gloria del fracasado. La autora presenta estos personajes socialmente marginados principalmente a través del diálogo, y así les da voz. El viejo homosexual en esta novela no es tanto un pervertidor de menores, aunque los seduce, como un ser infinitamente solo en busca de compañía. En el caso del fracasado, Hernández crea un personaje patético, soñador aspirante a héroe que por una parte es un borracho abusador de mujeres y por la otra un Walter Mitty mexicano.

La primera batalla compara la Revolución Mexicana con la cubana y critica a México sobre todo por no haber incorporado al indio en la planeación económica posrevolucionaria. En cuanto a sus ideas sociales y políticas, es Hernández una figura bastante enigmática dentro del mundo literario mexicano. *La cólera secreta* es quizás su novela más polémica. José Donoso la criticó quizá injustamente por fe-

---

2 Dan Sullivan, "Stage...", *Los Angeles Times: Calendar* (November 28, 1976), p. 70.

menina, sentimental y burguesa.[3] En cambio, Huberto Batis la alabó por su madurez de estilo, por la novedad de la protagonista, víctima del sadismo de tres hombres, y por ser antiburguesa.[4]

Además de dramaturga y novelista, Luisa Josefina Hernández ha colaborado en revistas como *México en la Cultura* y ha ejercido la docencia dando cátedras de teatro y literatura en la UNAM y en el INBA. Asimismo ha obtenido tres becas: dos de un año del Centro Mexicano de Escritores (1951-52 y 1953-54) y una Rockefeller para estudiar teatro en Nueva York. También ha hecho traducciones de dramaturgos europeos y norteamericanos como Brecht, Miller y O'Neill.

ENTREVISTA CON LUISA JOSEFINA HERNÁNDEZ

M: ¿Te has casado dos veces?

H: Sí.

M: ¿Quieres hablarme un poco de tus maridos?

H: Realmente no tengo mucho que decir.

M: ¿Sabes por qué me interesa? Me interesan las cosas de las mujeres, de las escritoras, tanto sus obras como sus reacciones prácticas ante la vida.

H: No tengo nada que decir porque yo considero que un divorcio es un desacuerdo de dos personas, ¿verdad? Pero dos divorcios, lo que quieren decir es que una no debe estar casada, claramente no. Entonces eso es lo que quiere decir para mí —que yo soy una perso-

---

[3] José Donoso, "Una pálida y defalleciente novela...", *La Cultura en México* (17 febrero, 1965), p. 16.

[4] Huberto Batis, "Los libros al día", *La Cultura en México* (19 de mayo, 1965), p. 16.

na que definitivamente me gusta estar sola porque me gusta mandar, porque me gusta decidir y porque disfruto mucho estando sola porque yo me divierto bien sola y puedo realmente sentirme muy plena.

M: ¿Disfrutas de una posición económica desahogada por parte de tu familia o recibes ayuda de tu esposo, ex esposos?

H: No. Yo trabajo. Soy profesora en la Universidad desde hace dieciocho años.

M: Yo me casé tarde, hace cinco años, tengo una niña de tres años. Creo que habría podido ser feliz sin casarme, aunque me llevo muy bien con mi esposo. Pero como sabes, para muchas mujeres el no casarse supone el fin del mundo.

H: Porque lo que pasa es que tienen o viven en mundos muy pequeños.

M ¿Cuándo empezaste a escribir?

H: Cuando tenía veinte años.

M: ¿Y a publicar?

H: También inmediatamente.

M: ¿Te consideras dramaturgo, dramaturga o no te limitas?

H: Pues escribo novelas también. Siempre pienso que soy una persona que escribe, no especializada por fuerza.

M: ¿No escribes poesía, verdad?

H: Nunca lo hice, nunca. Ni ensayos. Nada más novelas y obras de teatro.

M: ¿Sabes qué obras tuyas se han traducido?

H: Bueno, sé de algunas. Por ejemplo, los diálogos de *La calle de la gran ocasión* se han traducido y publicado en varias universidades. También tengo una obra que se publicó en inglés y que no se ha publicado en español. Me la tradujo William Oliver de la Universidad de California. Yo no quería publicarla en español y la razón para ello es que una vez que se publica el teatro, inmediatamente cualquiera lo pone sin permi-

so. Por eso todos los autores de teatro publicamos sólo
cuando ya hemos representado la obra.

M: ¿Te acuerdas de la obra *La hija del Rey*?

H: Sí.

M: Es muy corta pero a mí me gusta mucho. Hice una
traducción de ella hace muy poco, pero no traté de publicarla. ¿Crees que tiene una intención feminista?

H: No. Yo nunca tengo intención feminista.

M: Pues, ¿que entiendes por feminista?

H: Tener un problema debido a la condición femenina y
yo nunca he tenido ningún problema por eso, no. Nunca creo que haya puesto mi atención en un problema
femenino específicamente. Creo que tanto las oportunidades que he tenido como la falta de oportunidades
las han tenido los compañeros míos que eran varones.
Entonces, por ejemplo, si yo puedo estudiar en una
universidad, si puedo graduarme, empezar a enseñar,
ganar suficiente dinero, publicar, todo lo que quiero,
más o menos, y poder poner en escena lo que escribo,
no siento que tenga ningún problema. Y si pienso en
mis problemas, en mi propia vida, creo que ellos los
tienen también los hombres. No creo que el ser mujer
sea ninguna desventaja ni ningún problema especial.

M: Yo estoy pensando no en tu propia vida, sino en un
sentido más general. No creo que la hija del rey en la
obra pudiera haber sido el hijo del rey.

H: Bueno, no. Porque está hecha bajo el modelo de *Electra y Clitemnestra*. Entonces aparecen sentimientos que
rodean a una mujer con más facilidad de los que pueden rodear a un hombre, porque creo que hay una diferencia muy grande entre los sentimientos a los que una
mujer tiene acceso y a los que un hombre tiene acceso.

M: ¿Por qué será eso?

H: Por su misma situación. Por ejemplo, una mujer tiene
acceso muy directo a la maternidad y el padre...

243

M: Pero yo soy madre y realmente me siento como si fuera abuela. Mi esposo es como la madre de mi hija.

H: Bueno, yo no pienso así. Pienso que los hombres tienen una relación muy intelectual aunque lleguen a tener una relación directa con un hijo porque ese hijo no significó nada especial para ellos, ningún esfuerzo especial. No, ellos siguieron su conducta normal y de repente ocurrió que tuvieron un hijo, por lo tanto debe de ser una sensación muy curiosa, ¿no? En cambio, una mujer siente esa transformación en su organismo que lo hace cambiar todo.

M: Yo tuve una experiencia muy diferente. Mi esposo estuvo conmigo, presenció el parto y sufrió y sintió conmigo y por mí.

H: Eso debe ser muy lindo. Pero de todas maneras no es lo mismo. Ser compañero de alguien es muy distinto que ser uno el sujeto de un fenómeno.

M: En fin, lo que yo creo es que es más bien una actitud cultural o social. ¿Crees tú que es biológica?

H: Yo creo que sí. Hay cosas que la biología determina. En serio.

M: ¿Y la diferencia entre el hombre y la mujer?

H: Pienso que el hombre tiene un tipo de intuición muy diferente al de la mujer.

M: ¿Puedes decirme si tienes alguna obra favorita?

H: No, porque todas pasan por ser las favoritas antes de escribirlas. Cuando pienso una obra, cuando estoy escribiéndola e incluso al terminarla todavía tengo una gran ilusión por esa obra, pero en el momento que se me ocurre la próxima, se me olvidan las otras. Entonces ya pasan a un grupo de cosas hechas que ya no toco ni pienso, como enamoramientos pasajeros, acabo una obra y empiezo otra.

M: Pero, ¿crees que se pueden ver como obras de una mujer porque tú eres mujer?

244

H: A veces me lo han dicho pero yo no puedo verlo. Me acuerdo de una entrevista en que me preguntaban si yo pensaba que en mis libros se podía ver una sensibilidad muy femenina. Y yo creo que eso depende más del tema que de la forma en que estén escritos los libros.

M: Sí, yo también. En eso estoy de acuerdo, ¿pero crees que en el tema se trasluzcan tus experiencias?

H: No. Yo tengo por ahí un libro que se llama *La cólera secreta*, que está narrado en primera persona, pero suponiendo al narrador varón. Allí sería imposible que yo hubiera inventado que esta persona procediera con una sensibilidad que yo no le atribuyo. En cambio, digamos, otros libros como *Nostalgia de Troya* que está escrito a modo de pedazos en los que a veces habla una mujer en primera persona y en otros un hombre o varios hombres en primera persona, estoy poniendo toda mi atención en darle a cada quien la sensibilidad que su carácter le permite. Por eso digo que el tema es lo que me limitaría o me haría dar una u otra diferente impresión.

M: ¿Y la crítica? Yo sé que generalmente te tratan muy bien, que tus obras son buenas y te reciben bien, pero ¿no has notado nunca una cierta condescendencia por parte de los críticos hombres?

H: No. He notado más bien agresividad. Eso sí he notado.

M: ¿Agresividad? ¿En qué sentido?

H: Agresividad.

M: ¿Celos?

H: Simplemente desautorizar por cualquier motivo que no sale a la claridad aquello que yo he hecho y sin razonarlo adecuadamente. Y yo estoy dispuesta a admitir un error, pero quiero que me lo demuestren.

M: ¿En qué estás trabajando ahora?

H: Me pasó una cosa muy curiosa. Desde finales del '73

que estaba reuniendo datos para escribir algo que había pensado relacionarlo con el grupo de grabados de Durero del *Apocalipsis con figuras*. Pensaba que podría funcionar como obra de teatro. Y entonces me voy enterando que la última obra de Grotowsky se llamaba *Apocalipsis con figuras* y que estaba escrita en latín y no sé cuántas otras cosas. Entonces decidí hacer una novela en vez de una obra de teatro. Y esto es lo que tengo como posible trabajo de este año.

M: Interesante. Debe ser difícil, ¿no?

H: Tengo la sensación de que sí va a serlo. Pero vamos a ver si funciona.

M: ¿Hay muchas mujeres que enseñan en la Universidad?

H: Sí.

M: ¿Escribían tus padres?

H: No. Mi padre era un hombre muy culto, era un abogado que tenía una gran biblioteca sobre asuntos de leyes y sobre todo de asuntos de historia. También literatura, pero mucho más de historia. Mi padre fue el que dirigió mi educación. En cuanto a mamá no obtuvo educación, ni tenía interés en tenerla ni de que yo la tuviera.

M: Típica de su generación, ¿no?

H: Creo que es más bien un poco exagerada. Porque todavía ahora, en este momento está muy orgullosa de lo que ignora.

M: ¿Tienes hermanos?

H: Tuve dos medios hermanos de un matrimonio anterior de mi padre. Cuando yo nací ya ellos estaban casados, así es que en realidad yo crecí como hija única de padres mayores.

M: Quizás eso ayudó en parte a tu educación.

H: Sí. Mi padre en su juventud vivió una vida muy agitada, tenía intereses políticos, intervino en la Revolución y hacía tantas cosas que en realidad no le hubie-

246

ran permitido estar pendiente de un niño chiquito. Cuando yo nací él ya había llegado a una época de gran calma y pudo cuidarme.

M: Dime ahora, en cuanto a otras mujeres profesionales, ¿has sentido solidaridad con algunas que hayan tenido problemas o dificultades por su sexo o no crees que hayan tenido dificultades por su sexo?

H: No. Creo que es una actitud personal. La mujer que ha tenido dificultades ha sido porque las ha fomentado por sí misma, porque ha sido incapaz de ver la realidad, de reaccionar, de prepararse para enfrentarse a esa realidad. Pienso que cada persona tiene la obligación de cuidarse por sí misma. Creo que acá, la mujer más humilde siempre tiene una oportunidad y si no se aprovecha es por un elemento de descuido, de un deseo de no ocuparse de las cosas.

M: Y en cuanto a las escritoras, ¿qué otra mujer, aparte de Sor Juana, crees que ha sido o puede considerarse como gran poeta?

H: Ninguna.

M: ¿Y en cuanto a las mediocres? Por ejemplo, sé de una poetisa del siglo pasado, Isabel Prieto de Landázuri.

H: Si miro hacia el pasado, pienso que las mujeres estaban demasiado contentas. Eran mantenidas en gran escala. No tenían que trabajar.

M: Tenían que trabajar en la casa.

H: No. Tenían muchos hijos y cada hijo tenía una sirvienta a su cuidado. Yo conozco a ancianas que tenían diecisiete, dieciocho hijos y están todavía sanas y fuertes, animosas, sonrientes y es que nunca supieron qué les pasaba a sus hijos porque todos eran educados por las sirvientas. Ellas no hacían otra cosa que tenerlos. Bueno, bastante cómodo, ¿no?

M: Es parte de una educación...

H: No hay educación. Es la ley del menor esfuerzo, que

247

es muy fuerte. Una mujer con muchas sirvientas se vuelve floja, y es grato ser flojo. Estar todo el día sin hacer nada atrae mucho. Si una mujer, aparte de tenerlo todo, tiene a un hombre, ¿para qué tiene que preocuparse de más?

M: Pues, un hombre si no hace algo, no es nadie. La mujer si no tiene nada que hacer, siempre tiene la alternativa de ser ama de casa.

H: Sí, y esa alternativa puede resultar muy cómoda.

M: Estoy de acuerdo contigo, pero echas la culpa a las mujeres mismas; yo a la sociedad, a la educación, a la cultura.

H: Sí, porque lo que yo vi, por ejemplo en mi casa, es que yo siempre tuve la alternativa de pertenecer a una clase media mexicana muy normal, de vivir en mi casa, de dedicar mis ratos libres a cualquier cosa, porque todas las amas de casa tienen infinidad de ratos libres. Tienen muchas amigas, pasean con sus amigas, toman un café, hacen muchas cosas. Pero yo no quise eso. No lo quise conscientemente porque no me divertía. Lo que a mí me divertía era trabajar. Pero conozco a muchas que están felices siguiendo esa clase de vida.

M: Y, ¿qué piensas del Movimiento de las Mujeres?

H: Yo creo que las mujeres aquí están contentas. Se piensa que no tienen las mujeres muchos derechos, pero en realidad están bien, si se emancipan van a tener que luchar mucho más. Con las escritoras, por ejemplo, todas tienen que trabajar en otras cosas, porque es raro la mujer que puede tener suficientes recursos económicos y dedicarse a escribir como un lujo más. Recuerdo cuando yo tenía los niños chiquitos. Era levantarse a las seis de la mañana para poder escribir de seis a ocho, a las ocho empezar a llevar a la escuela a los niños, después hacer comida, ir a recogerlos a la escuela y luego a trabajar toda la tarde y llegar por la noche y hacer cena. Era morirse.

M: ¿Pero no ves que eso no pasa con un hombre, que él no tiene tanta responsabilidad?

H: Sí. Por eso digo que el que no haya muchas mujeres escritoras implica que la mujer está contenta donde está.

M: ¿Qué piensas de Elena Poniatowska?

H: Creo que es la más hermosa de las personalidades femeninas de México. Esa sí es una mujer florecida en toda su integridad, inteligente, talentosa, con una emotividad bien encaminada, con sentido del humor y honradez. Realmente no creo que haya algo más que se pueda destacar.

M: Estoy de acuerdo. Y, ¿qué piensas de Elena Garro?

H: Es una persona también excepcionalmente inteligente, y creo que ese libro que se llama *Los recuerdos del porvenir* es el libro mejor escrito por una mujer en México. Nada más que es sólo uno, ¿no?

M: En cuanto a las mujeres en las letras hispanoamericanas en general, ¿no crees que haya habido ninguna mujer que haya tenido la atención, o quizás el talento de un Neruda o de un Borges o de un Cortázar o incluso de un García Márquez?

H: No.

M: ¿Gabriela Mistral, en su época?

H: Yo creo que no.

M: ¿Conoces la obra de una joven, Esther Seligson?

H: No. Las novelas que me encantan son las de Nancy Mitford. Me entusiasman. Me acuerdo ahora, sin embargo, de dos mujeres que son mi desesperación, porque no puedo imaginar nada más horrible que lo que hacen esas dos. Una es Iris Murdoch, que es espeluznante y la otra es Agatha Christie.

M: Tienen un algo, un estilo que se impone, y tienen público.

H: Pero lo que no tienen es nada en la cabeza ni en el corazón.

M: Resulta una ironía. Los lectores de Iris Murdoch, por ejemplo, ya la conocen tan bien, que la aprecian. Todo resulta tan sofisticado, sus personajes tan exagerados...

H: ¿Sabes qué siento? Lo que más me fastidia es ver que no quiere a nadie. Hay una falta de amor tan grande. Yo no creo que valga la pena escribir así. Yo no creo que haya personajes como ella los relata, pero si los hay, no vale la pena escribir sobre esa clase de gente.

M: ¿Lees a Borges?

H: Yo no soy admiradora de Borges, pero en cambio soy admiradora de García Márquez. Yo siento en él amor por las gentes. De Borges creo que usa muy bonito lenguaje y mucha inteligencia pero no me provoca entusiasmo, no. Todo escritor tiene el derecho de trabajar en otras cosas que no sean entusiasmo, pero yo prefiero entusiasmar.

M: Pues sí. Yo me pregunto por qué los críticos norteamericanos escriben tanto, tanto, tanto sobre Manuel Gutiérrez Nájera. ¿Por qué será? ¿Son escritos de un genio? Pues, no.

H: Yo creo que esos son fenómenos culturales. Cuando empezó el interés en las universidades norteamericanas por los asuntos de Hispanoamérica también uno podía encontrar, y hacerse la pregunta de por qué se ha hecho una tesis sobre éste o aquél escritor. Resulta que se ha hecho por una serie de razones prácticas inmediatas que no corresponden a que tal escritor sea famoso ni importante, ni sirva para algo, sino que realmente que son trabajos académicos que valen por ellos mismos y no por la persona a que están referidos. Y creo que sí es un fenómeno cultural nada más.

M: Es verdad. Pero todavía siguen trabajando sobre Nájera.

H: Sí, pero resulta bastante cómodo trabajar sobre Nájera, ¿no?

(México, D. F., 8 de agosto, 1973)

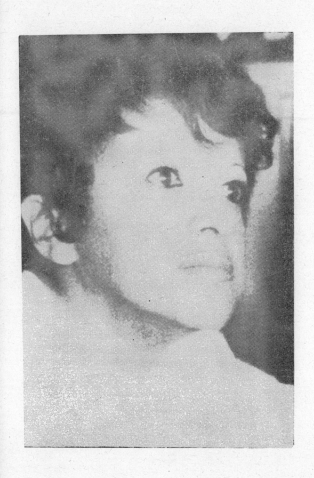

MARÍA LUISA MENDOZA

MARÍA LUISA MENDOZA

María Luisa Mendoza Romero, "La China Mendoza" (1927), nace en Guanajuato. Se gradúa en la Universidad Femenina de México como decoradora de interiores en 1947 y del Instituto Nacional de Bellas Artes como escenógrafa en 1953. Durante estos años hace estudios de letras españolas en la Universidad Nacional de México. Se inicia en el periodismo profesional como redactora del diario *El Zócalo* en 1954 y pasa más tarde al periódico *Cine Mundial*. En 1960 colabora en la fundación de las revistas *Mujeres* y *La Mujer de Hoy* y dos años más tarde en la del periódico *El Día*. Ha viajado ampliamente como enviada especial de varios diarios y recibió varios premios de periodismo. Ha colaborado, además, en revistas como *La Cultura en México*, *Hoy*, *Mañana* y *América*. En la televisión mexicana, formó parte del equipo del famoso noticiero *24 Horas* (1972-1973) y ha sido comentarista durante años en el Canal 2 y en el Canal 13. En colaboración con su esposo, el escritor y periodista Edmundo Domínguez Aragonés, publicó un ensayo sobre Salvador Allende, *Allende el Bravo* (1973).

Obtuvo una beca del Centro Mexicano de Escritores durante el periodo 1968-1969, la cual le permitió escribir su primera novela, *Con Él, conmigo, con nosotros tres* que salió en 1971. La novela versa sobre el efecto de la matanza de Tlatelolco en una narradora-protagonista. El "shock" producido por los sucesos de octubre de 1968 obliga a la prota-

255

gonista a buscarles significado en el pasado nacional y en el familiar. La insensata y absurda masacre de víctimas indefensas sirve de trasfondo a la protesta feminista. Altagracia Albarrán de Zebadúa, antepasada de la narradora, que tiene un hijo por año y una vida cotidiana de semiesclavitud, reflexiona sobre el destino de la mujer que concibe, da a luz y pierde hijos sin planearlo ni desearlo: "mis hijas con los novios afuera listos para saltarles encima y hacerles más hijos y más hijos; entran y salen los hijos, entran lechosos salen hambrientos de más leche y aquí están mis senos y los de mis hijas para seguirlos alimentando. . ." [1] Esta primera novela de Mendoza es de protesta social en dos puntos principales: la represión gubernamental y la opresión de la mujer.

De Ausencia (1974), su segunda novela, trata la vida de una mujer liberada de tabúes sexuales. Ausencia Bautista se comporta con los hombres de la misma manera que el típico macho mexicano actuaría con las mujeres. Vive con el mismo afán sexual que normalmente se le atribuye a un adolescente. El lenguaje de esta *persona* literaria es coloquial, atrevido e innovativo, igual que el de la autora. Al lado de un caló citadino aparecen palabras eruditas ("Mero atrás un corral para gallináceas") y construcciones verbales obsoletas ("poseyóla", "nacióle").[2] Esta yuxtaposición contribuye a caracterizar a una narradora elocuente.

La novela se divide en siete partes, la primera de las cuales enfoca las descripciones de: 1) un dirigible cuya forma fálica despierta fantasías eróticas en la protagonista y 2) la apariencia física de Ausencia vista por un mexicano y el narrador omnisciente. La segunda expone los ante-

---

[1] *Con Él, conmigo, con nosotros tres* (México: Joaquín Mortiz, 1971), p. 69.

[2] *De Ausencia* (México: Joaquín Mortiz, 1974), pp. 32 y 35.

cedentes de Ausencia, las cuatro siguientes desarrollan el asunto y la séptima trata la muerte de la protagonista al naufragar el Gigantic, trasatlántico que trae a mente el famoso Titanic. Por su experimentación lingüística y estructural, ambas novelas de Mendoza pertenecen a la nueva novela hispanoamericana.

Las cosas es una recopilación de artículos publicados a lo largo de dos años para una revista quincenal de mujeres. Estos pequeños ensayos están escritos en un lenguaje coloquial y humorístico que invita al lector a ver las cosas cotidianas con nuevos ojos, algo a la manera de "Oda a mis calcetines" de Pablo Neruda. De la mecedora, por ejemplo, dice Mendoza: "se trata de un mueble enroscado, tílico de patas y brazos".[3] Refiriéndose a la guitarra escribe: "tiene seis tripas de gato y seis clavijas. Lo mejor es usarla de maraca".[4]

Sin ser estrictamente novela ni biografía *Carmen Serdán* (1976) es un relato de las actividades antirreeleccionistas de la familia Serdán durante los últimos meses de 1910. Alternando fragmentos de opuesta concepción del porfiriato, Mendoza logra captar la brillante fachada y el escuálido trasfondo de esa época. Al mezclar pasajes históricos con escenas biográficas, concretiza la opresión del régimen y rescata del olvido a una heroína mexicana.

La popularidad de La China se debe en gran parte a su sentido del humor y "joie de vivre". Escritora polifacética y pintoresca, María Luisa Mendoza es conocida no sólo por sus libros, sino también por sus numerosos escritos periodísticos, sus elocuentes comentarios en la televisión y su labor en pro de los derechos de la mujer.

[3] *Las cosas* (México: Joaquín Mortiz, 1976), p| 16.

[4] *Ibid.*, p. 96.

ENTREVISTA CON MARÍA LUISA MENDOZA, "LA CHINA"

M: ¿Cómo empezaste a escribir?

MLM: Empezaré contestándote que desde hace mucho tiempo. Nací en la ciudad de Guanajuato, dentro de una evidentemente severa, disciplinada y católica familia. En la rama materna hay un profundísimo sentido de humor negro, hiriente, que heredé pero que me hizo sufrir. Soy tan terriblemente sensible y extrovertida.

M: ¿Por qué extrovertida?

MLM: Yo me voy hacia fuera. Cada vez que me lastima alguien lo digo, no lo guardo.

M: Eres muy afortunada porque no te pones neurótica.

MLM: Algo hay de eso. La rama de mi padre es una familia más descentrada, más desparramada, supuestamente aristócrata, seca, escapista... no está nunca. Mi padre fue abogado y político, muy culto, muy sonriente, muy amoroso, muy extrovertido, muy lleno de fracaso. Me le parezco mucho. Yo soy un ser eminentemente citadino. Amo feroz, terca, agresiva y casi impertinentemente a mi país. Considero que es el único que tengo. Amo al mundo porque me parece una gran ciudad.

M: Pero no has contestado mi pregunta.

MLM: Espérame. Yo era una niña enferma de eczema. No podía salir a la lluvia, al sol, ni comer fresas ni pescado.

M: ¿Cuántos hijos tuvieron tus padres?

MLM: Éramos cuatro. Yo fui la mayor, la neurótica, la más sufriente. ¡Qué lata! ¿Verdad? Tuve todas las enfermedades infantiles y esto me obligaba a quedarme en casa y a leer, escribir y dibujar. Al decidir qué carrera debía estudiar, tuve que escoger entre la pintura y la escritura. Me decidí por la pintura y estudié decoración de interiores. Allí pintaba al óleo y acuarelas y diseñaba sueños y sillas. Ahora soy una fregona en todo eso. En cualquier parte me puedo ganar la vida diseñando.

M: ¿Tu familia tenía suficiente dinero?

MLM: No, ya no tenía nada. Se muere mi padre y con él se muere la casa, la fuente, el candil, las jaulas con los pájaros, el piano. Se va todo. Me recibí como decoradora y como escenógrafa. Estudié teatro y me metí como oyente a Filosofía y Letras.

M: ¿En dónde?

MLM: Aquí, en la ciudad de México, en Mascarones. Era todavía el tiempo de Rosario Castellanos y todas esas gentes.

M: ¿Tienes la misma edad que ellos?

MLM: No, soy más chica, yo creo que soy la última. Y soy la última en aparecer en el horizonte. Empecé a trabajar como una obsesa porque soy una persona muy pobre. Nunca he tenido dinero ni nunca voy a tener.

M: ¿Crees que ha sido más difícil para ti la carrera de escritora siendo mujer?

MLM: Muchísimo más difícil. Yo estoy absolutamente segura que vivo en un país de machos, de varones, en donde la prepotencia universal del varón se concentra como en ningún lado. Yo tengo que escribir, dibujar, pintar y comportarme tres veces mejor que un hombre. Somos la Santísima Trinidad las mujeres mexicanas. Tenemos que ser tres veces mejores que el hombre para que así se nos empiece a tomar en cuenta. Me duele mucho que no haya mujeres en puestos más importantes del gobierno, de la banca, de la industria, de la docencia, de los ministerios. Porque siempre nosotras somos que vicepresidentas, que sub-gerentas, siempre "sub". Si hacemos una pregunta importante en una conferencia de prensa, nos voltean a ver, muy enojados los demás, porque estamos saltándonos un tanto las trancas de la lógica. Nacimos para escuchar, no para preguntar. Para silencios, no voces. Nos está permitido el llanto y el aullido para parir. Yo entré al periodismo porque tengo talento. Descubrí que por medio del periodismo, conocería a la gente más importantante del mundo. Empecé con quienes hacían el arte, la literatura, el teatro, como John Dos Passos, Arthur Miller. Te estoy hablando de 1954, que fue cuando me inicié realmente.

M: ¿En qué periódico?

MLM: Primero en *El Zócalo*, que era un periódico muy importante, muy escandaloso, muy sabroso, muy original. Luego, pues, en el *Universal*, *Excelsior*, *Novedades*. En todos los periódicos de México, y en todas las revistas. Fundé el periódico *El Día* en 1962, y trabajé allí diez años. Fue el primero que me envió como enviada especial a cubrir la Feria Mundial de Nueva York, luego a Cuba, a Polonia y a Francia a presentar el grupo de teatro de la Universidad Nacional Autónoma de México. Más tarde fui enviada a Estados Unidos, a Checoslovaquia, Grecia, Chile, Argentina y Brasil. Gracias al periodismo he comido, me he vestido, me he curado, he viajado, he conocido a la gente que hace la historia. El año pasado fui a la Unión Soviética y escribí un reportaje precioso. Yo me casé en 1968, con Edmundo Domínguez Aragonés que también es periodista. Él fue el que me dijo: "Tú tienes que escribir un libro. Tú tienes que escribir una novela". Me lo habían dicho muchos, pero nunca me habían empujado. Y de pronto me ofrecen la beca del Centro Mexicano de Escritores, y, ese sí fue el gran aventón.

M: ¿En qué año fue la beca?

MLM: Fue en 1968-69. Yo soy de la generación 68-69. Acababa de pasar lo de Tlatelolco y basé mi primera novela precisamente en el dos de octubre que es *Con Él, conmigo con nosotros tres*, que me publicó Joaquín Mortiz. Entonces la beca era un poco como el periodismo. Un señor me pedía que escribiera una novela y un señor escuchaba lo que yo escribía. Descubrí algo maravilloso, algo que yo no sabía, y era escribir de largo. La literatura, la novela, es como el matrimonio: larga y llena de amor. Diaria, que no se puede abandonar.

M: ¿Entonces nadie te ha ayudado, sólo tu esposo?

MLM: Mi padre se murió antes de tiempo. Mi padre me hizo amorosa y leal. Me dio la palabra pero nunca escribió nada importante dentro de la literatura. A mí me han ayudado mis "amigos" nada más mandándome a la pared castigada, humillada. Realmente quien me hizo fue Edmundo Domínguez Aragonés, porque creyó en mí locamente, tuvo fe en mí y en la beca del Centro Mexicano de Escritores. La crítica me ha ayudado cuando me elogia. A mí la alabanza me asusta pero me avienta como una saeta, como una estrella fugaz, como una ola poderosa. Soy importantísima ante mí misma. Ahora estoy empezando una novela completamente distinta.

M: ¿Qué dijeron los críticos de tu último libro, *De Ausencia*?

MLM: Bueno, fue bien recibido. Tengo setenta entusiastas notas, lo que es algo insólito en la literatura

261

mexicana. A pesar de mi sexo, está espléndidamente bien escrita. Pero, desde luego, hubo gente que la criticó en una especie de revancha. A mí me duele ferozmente la crítica.

M: ¿Qué es lo importante para ti de tu última novela?

MLM: En *De Ausencia* le estoy dando a la novelística mexicana lo que con dificultades dan los hombres: la relación erótica. O sea, el escritor mexicano, latinoamericano, generalmente nunca toca el sexo por tener un miedo espantoso de ir a caer en la pornografía. Una mujer, ¡jamás! Las mujeres son ángeles, arcángeles con alas, pero sin sexo. No tienen senos, ni nada; vuelan y hacen el amor sonrientes, y por la magia de Dios tienen un hijo. Bueno, pues no, yo en *De Ausencia* pongo una mujer que hace, siente, ejecuta, provoca y logra el amor de veras. Ama y por ello mata; es una mujer entera. Entonces, muy probablemente se van a asustar un tanto los hombres. Me van a mandar al patíbulo, me van a matar, me van a echar piedras. Yo creo que doy el clarinazo en la literatura dentro de esa corriente verídica del amor en la mujer. Vamos a ver qué pasa. Ojalá, ojalá no me hundan. Ojalá no me digan cosas terribles, porque si no, yo tal vez no vuelva a escribir nunca más nada.

M: ¿Tú crees que realmente las mujeres escritoras son diferentes de los hombres?

MLM: Sí, sí. ¡Claro! Yo creo que toda mujer que transita en el arte lo es. Y en los países subdesarrollados es de una valentía nunca vista. Se atreve a ser distinta, se faja los pantalones de veras, alza la voz, se peina corto, grita, escoge, saca a bailar, tiene un hijo de quien le da la gana. En muchos aspectos eso es hacer arte.

M: ¿Piensas que hay discriminación contra las escritoras?

MLM: Bueno, mira, tú puedes visualizarlo en México en todos los aspectos. ¿Cuántos políticos hay y cuántas políticas? ¿Cuántos intelectuales fueron invitados a ir a Buenos Aires a tener una plática con los intelectuales de Argentina? ¿Cuántos hombres fueron y cuántas mujeres? Creo que eran tres mujeres y 150 hombres. Lo mismo pasa en el periodismo. Y las feministas lo niegan, por ese eterno disimulo tan de "señoras bien".

M: No tienes que convencerme a mí. ¿Y en cuanto a la Academia?

MLM: Hay una mujer que está en la Academia. Entonces, ¿por qué diablos no van a aplaudir la obra de una mujer. En Estados Unidos las mujeres de la "liberación" se quitan el sostén y la ropa interior y la tiran en los desperdicios. En un acto aparentemente grotesco y ridículo para llamar la atención. Nosotras, las mujeres de América Latina, no podemos llegar a esos excesos porque nos educaron diferente, pero sí podemos atrevernos a decir: ¡Señores, ved qué inteligentes somos!

M: No estoy de acuerdo. He visto a chicas mexicanas por la calle sin sostén.

MLM: Bien, claro. Porque son chicas hermosas y tienen todo el derecho del mundo; pero yo no puedo ir caminando por Madero con el corpiño en la mano y arrojarlo. .

M: ¿Cómo podemos las mujeres luchar contra el sexismo?

MLM· Creo que las mujeres en América Latina tenemos que luchar con la palabra. Todavía nuestro castellano conduce, sirve al hombre como aquellos "tamemes" que llevaban la carga en la espalda, detenida de la frente, bajo los azotes de los españoles conquistadores.

M: ¿Tú crees que cuando lees una novela, sabes si fue escrita por un hombre o por una mujer?

MLM: Claro que la literatura tiene sexo. ¿Tú te imaginas a Hemingway como mujer? Claro que no. Solamente cuando llega a ser el arte tan aparentemente abstracto como el de Henry James a quien idolatro. Claro, yo escribo como mujer, mal que bien mi excelente castellano tiene un dejo femenino, es lógico, ¡cómo demonios no va a ser! sí hay sexo de veras en la obra de arte. En muchos poemas de primerísima línea se ve la mano de la mujer, y atrás el feroz sufrimiento, el despojo que es ser mujer, el saqueo que es ser mujer, esta "manda", este suplicio que es ser mujer.

M: Hay un artículo excelente de Tillie Olsen que se titula: "Silencio, cuando los escritores no escriben". Olsen piensa que son sobre todo las mujeres que no escriben, por ejemplo, cuando tienen niños. Su ensayo es una maravilla y está lleno de verdades.

MLM: ¡Ay! ¡Tradúcelo por piedad! ¡Qué bello, qué maravilla!

M: Ella empezó a escribir a los 45 años, cuando sus niños ya eran mayores. Escribe, como dices tú, como "una reina". En cuanto a las escritoras de México con quienes he hablado, muchas dicen que no han tenido dificultades en su carrera, que no han sufrido ni más ni menos que los hombres.

MLM: ¿Qué no han tenido dificultades para publicar? ¡Qué dichosas, qué burguesas mentirosas! .. ¿a qué hombres se refieren? No, a mí me ha costado mucho trabajo y me seguirá costando. Yo asusto al hombre, le doy mucho miedo.

264

M: A mí me parece que si las mujeres no pueden te-
     nerse respeto mutuo, ni ayudarse una a otra, se-
     guirán sufriendo las consecuencias.

MLM: Yo tengo por mi trabajo en televisión, una liga
     muy tierna con el público femenino. En cambio las
     mujeres con las que convivo generalmente me lasti-
     man, me dicen algo que me duele. No me atrevería
     a decir que hay una envidia *a priori*, pero sí puedo
     decirte que esa especie de inquietud, de sospecha,
     de resquemor, las hace no ser agradables conmigo
     en muchos aspectos.

M: ¿No me podrías hablar de Bambi?

MLM: Sí, cómo no. Bambi es una periodista muy impor-
     tante, con un estilo propio. Aprendió francés, es-
     cribió un libro muy encantador sobre Francia. Nos
     graduamos juntas en la Universidad Femenina, ella
     de periodista y yo como decoradora de interiores.

M: ¿Qué es la Universidad Femenina?

MLM: Es una universidad que fundó Adela Formosa de
     Obregón Santacilia. En ella se estudian carreras
     cortas como periodismo y decoración de interiores.

M: ¿Todavía existe esa universidad?

MLM: Sí, ¡cómo no! Magnífica. La Universidad Femeni-
     na ha hecho un bien todavía no visualizado en Mé-
     xico. De ahí han salido gentes brillantes en el pe-
     riodismo.

M: ¿Sólo mujeres?

MLM: Sí.

M: Pero algún día debería no haber universidades úni-
     camente para mujeres.

MLM: ¡Pero claro! algún día no deberían existir tampoco
     asociaciones de mujeres (esas son las mujeres a las
     que me refiero). Yo no pertenezco a asociaciones
     femeninas porque me parece que ahí sí empieza la

265

discriminación. Yo no quiero estar entre mujeres periodistas; quiero estar entre periodistas.

M: Pero muchas mujeres no pueden publicar sus obras ni exhibir sus obras en una galería, sobre todo si no tienen dinero. Hacen falta asociaciones que ayuden a la mujer.

MLM: A mí de plano y definitivamente no me interesa pertenecer a grupos de mujeres.

M: ¿Tú crees haber ayudado alguna vez a una mujer?

MLM: Sí creo que he ayudado a todas las mujeres de mi país, poniéndome, haciéndome a un lado de ellas, no estorbándolas, ni siquiera tratándolas.

M: Ya me has dicho que te llevas mejor con los hombres que con las mujeres. Eso es una cosa típica de una sociedad o cultura sexista. Ahora mi pregunta era, ¿has ayudado personalmente a alguna mujer?

MLM: Sí, sí la he ayudado. Te puedo decir que sí he ayudado a alguien, efectivamente, por ejemplo a publicar una obra en una editorial. Esa gente no me respondió en nada, no me devolvió una flor o una manzana, sino que se portó mal y por eso no quiero recordarla, ni a ella ni a nadie, casi estoy amargada.

M: Creo que es mejor equivocarse que ser una persona cerrada.

MLM: Claro. Yo soy una soledad de equivocaciones.

M: Mi carrera es académica, pero yo te puedo jurar que mis profesores ayudaron a los estudiantes hombres, nunca a las mujeres y nosotras ni nos dimos cuenta porque era una cosa natural hasta hace poco.

MLM: ¡Qué terrible, pero qué verdad! ¡Y eso que estudiaste en el imperio de la feminitud...!

M: Quiero preguntarte si hay alguna mujer que tú ver-

266

daderamente respetes o por la cual sientas admiración.

MLM: ¿En todo el mundo? Bueno, una por la que siento admiración es Sor Juana Inés de la Cruz, que es mi hermana de Nepantla. Admiro a la Marquesa Calderón de la Barca, que escribió sobre mi país. Leona Vicario me encanta como heroína, como periodista, como mujer extraordinaria. Yo siempre me quise llamar Leona Vicario. Carmen Serdán, quien con un fusil en la mano derecha, y de pie en el balcón de su casa, echó andar la Revolución en Puebla, me parece más que escritora, que poetisa, que novelista. Amo terriblemente a Virginia Woolf. Creo que es la catedral gótica de la literatura. No hay nada de su vida que yo no admire. Creo que es comparable a Sor Juana. Katherine Mansfield también me parece fascinante, es una escritora del detalle. Simone de Beauvoir, sensacional, por la nitidez y por la inteligencia, por la contemporaneidad y por la necesidad de ser escritora a fuerza.

M: ¿Y de las escritoras mexicanas contemporáneas?

MLM: Hay mujeres que escriben espléndidamente bien en México. Yo estoy enamorada de la obra literaria de María Luisa Mendoza. Me parece que nadie como ella tiene vocación de escribir y lo merece tanto... También me gusta mucho Elena Poniatowska por verídica y auténtica, por haber iniciado un estilo de periodismo literario en México. Le echo en cara que no se haya lanzado a lo que yo le he pedido durante años y que es la gran novela.

M: Ya está trabajando en eso desde hace dos años. Es un problema tener niños, con criados o sin criados.

MLM: La vida me ha herido muchas veces y con mucha

crueldad, pero eso no justifica a mí ni a nadie, dejar de escribir la gran obra.

M: Tú que has escrito en tantos periódicos, ¿has notado alguna agresión o condescendencia hacia las escritoras por parte de los críticos?

MLM: Hay agresión y hay condescendencia. Hay sobre todo en mi país un "deber" en lugar de un "haber". O sea, tachan tu nombre, lo discriminan o lo olvidan y tú ya no existes.

M: ¿Qué opinas de Rosario Castellanos?

MLM: Para mí, Rosario Castellanos era la más importante, la más famosa, la más volátil, la más hábil en todos aspectos y la única poeta. Y era también, tal vez, la única que repartía la admiración en este "páramo de espejos" que es mi país, entre las mujeres que tenían, como ella, la manía divina de escribir. Rosario no tenía derecho a morirse. Nos dejó, me quedé íngrima, sin la voz de la madre en mi literatura.

(México, D. F., 14 de agosto, 1974)

MARGARITA MICHELENA

MARGARITA MICHELENA

Margarita Michelena (1917) nace en Pachuca, estado de Hidalgo. Cursa estudios superiores de letras clásicas en la Universidad de México y publica su primer libro de poemas, *Paraíso y nostalgia*, en 1945. Siguiendo en su vocación poética publica después *Laurel del ángel* (1948), *3 poemas y una nota autobiográfica* (1953), *La tristeza terrestre* (1954) y *El país más allá de la niebla* (1969). Publica en 1970 *Reunión de imágenes*, una recopilación de su poesía publicada anteriormente. Colabora con constantes ensayos y artículos en revistas como *Ábside, Examen, México en la Cultura, Américas, Casa de la Cultura* (Ecuador), así como para las páginas editoriales de *Excelsior, Novedades* y *El Sol de México*.

Michelena funda y codirige la prestigiosa revista *Tiras de Colores* (1943) que dentro de la corriente nacionalista de los cuarenta es "quizás la publicación de más marcada tendencia vanguardista".[1] Directora del consejo editorial de la revista femenina *Kena* (1963), de la literaria *El Libro y el Pueblo* (1960-1962), de la política *Respuesta* (1961-1962), colabora más tarde como guionista de uno de los programas más importantes de la televisión mexicana, *Encuentro* y es directora de la revista *Casa*. Ha servido como jefa de los Servicios de Prensa de la Dirección General de Información

---

[1] Boyd G. Carter, *Historia de la literatura hispanoamericana a través de sus revistas* (México: Ed. de Andrea, 1968), p. 163.

del Departamento de Turismo de México. Ha ejercido también como maestra de laboratorio de radio en la Universidad Iberoamericana (1970) y como maestra de laboratorio de redacción en el Círculo de Estudios de Psicología Profunda (1974). Colaboró también en las secciones de literatura mexicana para la *Enciclopedia Británica*, la *Enciclopedia Salvat* y el libro *Messico*.

Aunque Margarita Michelena se ha dado a conocer como poeta, periodista, ensayista, guionista, redactora, crítica y maestra, vive de su labor profesional como periodista. Su aportación a la literatura mexicana radica principalmente en su obra creativa y de crítica. Su producción poética, aunque reducida, es de gran calidad y ha servido de tema a disertaciones de maestría y doctorado.

De haber proseguido escribiendo poesía, Michelena hubiera sin duda adquirido mucho más renombre como poeta. Parece como si ciertos factores circundantes a esta actividad le hubieran hecho perder su interés dentro de ella; se da cuenta de un público cada vez más limitado dentro de la poesía, de que realmente es muy pequeña la recompensa al esfuerzo a realizar y de que hay de pronto otro nuevo advenimiento que acapara el interés del público: la televisión. En su lúcido ensayo *Notas en torno a la poesía mexicana contemporánea* (1959) escribe: "Es evidente que nuestra poesía actual no sólo no ha ganado auditorio, sino que ha perdido además el que tuvo la lírica del modernismo" (p. 58). Sin embargo, sus poemas están incluidos en un gran número de antologías poéticas y muchos son los críticos y poetas —incluyendo a Jaime Torres Bodet, Gabriela Mistral, Octavio Paz y Pablo Neruda— que la han elogiado. En cierta ocasión María del Carmen Millán la juzga "el valor femenino más significativo en las letras nacionales contemporáneas". Y añade que Michelena es "una personalidad, en suma, afirmada y afirmativa en la que nuestra literatura alcanza aptitudes y limpieza nada comunes".[2]

Existe una muy temprana aportación de Michelena al movimiento feminista. Consiste ésta en una valiosa discusión sobre las mujeres en la poesía mexicana desde alrededor de los veinte hasta finales de los años cincuenta.[3] Después de recordar a Concepción Guerrero Kramer y a Esperanza Zambrano, señala como primer antecedente directo a Concha Urquiza, poeta que se suicidó en Ensenada en 1945. Ve a Carmen Toscano, que publicó su primer libro *Trazo incompleto* en 1934, como poeta que ya no escribía "poesía femenina" —una poesía llena de elementos eróticos y declamatorios— y por lo tanto como inspiradora y precursora del grupo de mujeres poetas que empezaron a publicar sus libros de poesía en los cuarenta: Margarita Paz Paredes, Guadalupe Amor y Margarita Michelena. Habla también de la obra de Rosario Castellanos, Dolores Castro, Emma Godoy, Eunice Odio, Aurora Reyes y Olivia Zúñiga.

ENTREVISTA CON MARGARITA MICHELENA

M: ¿Cómo y cuándo empezaste a escribir?

MM: Lo primero que se me ocurrió en cuanto supe leer y escribir fue hacer algo con las palabras. Nunca dibujé, contra la tendencia de casi todos los niñitos. Escribía y escribía. A los siete años empecé a rimar y a los diez gané un concurso nacional interescolar con una apología a Sidar y Rovirosa, dos aviadores muertos en accidente (causa por la cual entre pa-

[2] Prólogo a *Notas en torno a la poesía mexicana contemporánea* (México: Asociación Mexicana por la Libertad de la Cultura, 1959).

[3] "Las mujeres poetas" en *Notas en torno a la poesía mexicana contemporánea*, pp. 48-54.

réntesis, se morían casi todos los pilotos mexicanos de entonces). Debo decir que ése fue el primero y último certamen de letras en que participé. Hay en México —debe ser así en el resto de Iberoamérica— una clase especial de escritor que trabaja casi exclusivamente para los concursos. Existe pues un género literario que se cultiva para ganar premios y que traiciona las verdaderas finalidades de la creación. A mí no me interesa esa clase de literatura. Lo que me importa es crear con palabras sin pensar en las consecuencias ni en las recompensas. El acto creador lleva en sí su propio premio. Como la obra alquímica hacía con el alquimista, la creación tiene como resultado inmediato la transformación, el aumento del ser del creador. Ni siquiera debe preocupar si lo que se logra es bueno o malo, y menos si gustará o no. Lo que cuenta aquí es la gozosa experiencia de crear, tan fértil para quien la vive. Si se consigue transmitir esa vivencia, aunque sea a una sola persona en todo el ancho mundo, la creación está más que justificada. A mí eso de la fama y el aplauso me sale sobrando. Ser famoso es, casi siempre, gozar de una popularidad circunstancial y efímera, que más quita que añade y que, por eso, se relaciona con el mal. Tampoco creo en la posteridad por ser cosa que no se disfruta. Quisiera yo ocho horas diarias para mí, para leer y escribir como enajenada. Eso sí que me haría feliz.

M: ¿Te consideras escritora principalmente? ¿Poeta sobre todo? ¿Escribir es el centro de tu vida? ¿Se puede vivir en México de escribir?

MM: No sé si realmente seré escritora; sólo sé que no entiendo la vida sin volverla expresión verbal. Escribo casi siempre en verso, aunque pienso que la poesía no es cuestión de metros ni pies. La poesía, como la define Novalis, es la realidad última de los seres y las cosas. Rulfo y Arreola son así, a mi juicio, dos de nuestros más grandes poetas, aunque escriban en prosa. Trabajo con mucha humildad y alegría y no me considero nada, sino una afortunada que disfruta de un tipo muy exclusivo de placer, sea haciendo poesía propia, sea leyendo la de otros.

En México no se puede vivir de escribir. Se vive de redactar, como vivo yo. O se vive y muy bien de poner la pluma —traicionándola— al servicio del presupuesto oficial, caso muy frecuente en este país, donde los "intelectuales" —he llegado a odiar esta palabrita— prefieren olvidar o no averiguan nunca que el intelectual verdadero es la conciencia de su pueblo, el crítico vigilante y sin compromisos de su circunstancia social. Hago constar que no soy oposicionista "full-time" y que inclusive quiero mucho a nuestro actual presidente el licenciado Luis Echeverría. Pero creo que la conservación de la independencia económica es vital para el creador. Si éste abraza cierta posición ideológica, debe hacerlo por convicción honrada, no por transacción comercial. Jamás se vio a un artista "oficial", cortesano, que haya valido un comino. Y no es que el dogma político, que la confesión ideológica o religiosa se oponga en sí a la creación auténtica. Se puede hacer creación auténtica cuando la convicción lo es también. Lo que no se puede es llevar el incensario en una mano y la pluma en la otra. Todo lo que salga entre ese humo y esa tinta no será más que basura.

M: ¿Estás casada? ¿Tienes hijos?
MM: Soy viuda desde hace once años. Tengo dos hijos: una chica de veinticuatro que es poliglota, ya se casó y está por darme mi primer nieto. Y un mu-

chacho de veintidós que estudia el segundo año de la licenciatura en publicidad. Parece hasta ahora que la aventura de formar a estos dos seres humanos —con los que me quedé sola frente a la vida cuando eran niños— no me resultó del todo mal. Si no son unas maravillas salieron cuando menos dos personas decentes, que saben respetarse a sí mismas y respetar a los demás, que reverencian la vida, aman la paz, tratan de entender las ideas ajenas, permanecen abiertos a los cambios y no esquivan las dificultades naturales de la vida. Al chico le he enseñado que una familia es una cooperativa en la que se prestan y se reciben servicios y que un hombre lo es tanto más cuanto menos siente lesionada su virilidad por tomar parte en las tareas de la casa, que no son tarea exclusiva de una esclava llamada "mamá" o "esposa". Debo añadir que, pese a todo lo que he tenido que batallar, bendigo mi decisión de conservar, casada y todo, mi independencia económica y mi contacto con mi mundo profesional. De otro modo, me hubiera sido muy difícil improvisarme en jefe de familia y en satisfactora económica, moral y emocional de mis hijos en el desempeño de un doble papel. Por eso me río mucho de las "feministas" que no saben ganar un centavo, que se dejan mantener por el marido para dedicarse al "activismo liberacionista", o que conquistan posiciones gracias a que, en realidad, son solamente un objeto erótico y explotan a un "sugar daddy". —Dice José Ingenieros que no puede haber dignidad— una forma de libertad —añado yo—, sin independencia económica. La que quiera libertad, que se la gane con el trabajo. Las "feministas" que no saben luchar por la vida a brazo partido y con armas limpias no son más que farsantes con muchas ganas de figurar, cortesanas con un seudónimo honorable.

M: ¿Crees que ser mujer te ha hecho más difícil tu carrera de escritora?

MM: No considero haber hecho lo que podría llamarse una "carrera de escritora". En este sentido, soy un poco "Sunday painter". Mi profesión de la que vivo es la de las comunicaciones: el periodismo, la televisión, la publicidad. En tales terrenos nunca he tenido dificultades por ser mujer y tampoco he permitido que las haya. Lo que sé acerca de mi trabajo lo aprendí de los hombres de talento que fueron mis generosos maestros y promotores y que me ayudan todavía. Para hablar de la poesía, comencé a figurar en las antologías e historias literarias de México, el resto de Iberoamérica y aun de España, apenas publicado mi primer libro. Todos mis antólogos —excepto una mujer, Griselda Álvarez— han sido hombres. Todos mis traductores también. Últimamente otro varón, Stefan Baciu, me ha incluido en una gran antología de la poesía moderna de nuestra lengua publicada por la Universidad de Hawaii. Algunos hombres han sido mezquinos con mi obra a causa de mi postura contra todos los totalitarismos, pero lo mismo puedo decir de algunas mujeres. En honor a la verdad, debo muchos estímulos y distinciones a los hombres superiores con quienes he tenido la suerte de tratar. Una sola persona me ha "colonizado" alguna vez. Y esa fue mujer. Me usó varios años para parecer inteligente e ilustrada.

M: ¿Crees que las escritoras tienen dificultades en México por su sexo en cuanto a la publicación de sus obras o la recepción crítica?

MM: Definitivamente no. Las de otras generaciones, las de la vieja guardia, tal vez, pero no se trataba de discriminación sexista, sino de niveles de calidad. Casi todas esas mujeres eran malísimas escritoras. Ahora la mujer hasta corre con más suerte que los hombres.

M: ¿Puedes nombrar a algunas escritoras a quienes admiras? ¿Mexicanas? ¿Latinoamericanas? ¿De otras nacionalidades?

MM: De entre las mexicanas, a Elena Garro, a Emma Godoy, a Griselda Álvarez, a Guadalupe Dueñas, a Guadalupe Amor, a Amparo Dávila. Y a ese genio desconocido —mexicana por adopción— que fue Eunice Odio, cuyo monumental poema "El tránsito de fuego" acabará ocupando el altísimo sitio que le corresponde cuando, por la sana obra del tiempo, se aplaquen "el ruido y las furias" y cada uno quede en su lugar, más allá de las tendencias políticas y los amigos influyentes. De las latinoamericanas, a la Mistral, por supuesto, cuya prosa es por lo demás hermosísima, con un recio sabor clásico que nadie le ha igualado todavía, y cuya poesía posee el secreto de fustigar el oído de Dios a golpes de amor desesperado; a la divina uruguaya Sara de Ibáñez, cuya muerte me ha dolido tanto; y a la salvadoreña Claudia Lars, también ya desaparecida, que es un poeta aéreo de calidad excepcional. De otras lenguas, mencionaré sólo a dos francesas: Marguerite Yourcenar, la genial autora de *Las memorias de Adriano*, y a la filósofa Simone Weil, cuya lectura fue para mí fundamental.

M: Hay ahora una escritora en la Academia Mexicana de la Lengua y otra sepultada en la Rotonda de los Hombres Ilustres. ¿Qué otras, vivas, merecerían un sillón en la Academia y, muertas, una tumba en la Rotonda?

MM: No me gusta hablar de cosas de "pompa y circuns-

278

tancias". Más que de académicas gloriosas e ilustres difuntas quisiera tratar de las mujeres comunes y corrientes a las que, por una razón u otra, nadie puede calificar de privilegiadas y que viven en una especie de desván social. Las que somos afortunadas debiéramos ayudarlas instruyéndolas en el conocimiento de sus derechos y deberes. De esas mujeres sí que se abusa a causa de su ignorancia. A esas mujeres se las nulifica porque no se las inclina del lado, duro y maravilloso, de la responsabilidad. ¿Quién, junto a esos millones de seres humanos marginados por la falta de educación y oportunidades, piensa en sillones y tumbas cubiertos por las telarañas paralizantes del honor? En cuanto a lo de la Academia, por lo demás, recuerdo ahora la frase de un escritor francés a otro que pretendía un sillón entre los Inmortales: "Si eres alguien, ¿para qué quieres ser algo?" De las tumbas, mejor no hablar. Rosario Castellanos, si pudiera ahora preferir algo, preferiría sin duda su esforzado trabajo de maestra de indios a los laureles fúnebres que la cubren.

M: Quisiera que hablaras un poco de tu propia obra y también de la revista *Casa*. ¿Qué tipo de revista es? ¿Qué clase de artículos contiene? ¿Quiénes colaboran en ella?

MM: Mi obra literaria es muy poco voluminosa y las letras mexicanas no hubieran perdido nada si no hubiera existido. Para colmo, así como redacto con mucha facilidad, escribo con lentitud, muy consciente de los problemas de un oficio que nunca se domina. En poesía me importa únicamente atisbar la "realidad última de los seres y las cosas" y quisiera poder resolver el magno problema de la temporalidad de los signos semánticos y del estilo versus la intemporalidad de esa "realidad última" que el poema intenta aprehender con sus perecederos instrumentos. Leo mucho más de lo que escribo y casi siempre clásicos griegos, latinos, españoles, franceses e ingleses. (Entre las cosas que deploro está la deficiencia de mi italiano. Dante me parece el más grande poeta jamás nacido). Las novedades me tienen sin cuidado. Ya llegué a la edad en que puedo darme ese apacible lujo. ¿Quién en su juicio, pudiendo leer a Proust en el original, va a perder el tiempo con alguna novelilla tan insustancial como elogiada?

Considero también que ningún poeta que se respete puede prescindir del estudio de los mitos. Mircea Eliade, por ejemplo, me lleva mucho más tiempo de lectura que cualquier "chavo acelerado" de los que andan por ahí dando la lata y que como dice Renato Leduc —poeta y muy señor mío—, no son más que "pobres muchachos disfrazados de hijos de la..."

La revista *Casa*, que actualmente dirijo, tiene su mercado entre el vasto sector de mexicanas dedicadas de tiempo completo a su hogar. Mi idea es darles un concepto más elevado de su importante trabajo. El manejo de una casa y una familia constituye la carrera más difícil del mundo y es la única que se ejerce sin ninguna preparación profesional. Sobre eso, produce en quienes la asumen una sensación humillante: la de no hacer nada que "añada peso al mundo". Yo quiero que el ama de casa, que la madre de familia, aprenda su profesión, que la ejerza bien y con orgullo, que se dé cuenta de que sin su trabajo el mundo sería un condenado y caótico desierto. Su labor es absolutamente necesaria. Por lo tanto, no hay que devaluarla. Hay que darle relieve. Hay que hacerse estimar por ella y desempeñarla con eficiencia y dignidad. El ama de casa debe ser una profesional digna de respeto y no, como piensan tantas mujeres desorientadas, una "mantenida", un parásito. Si se tiene vocación por el hogar, hay que seguirla y cumplirla, como se hace en cualquier otra.

Me honra con su colaboración en *Casa* Emma Godoy, maestra eminente, gran escritora y ser pensante de primer orden. Cuento también con la doctora Teresa F. Rohde, joven y brillante historiadora que escribe artículos de divulgación cultural, muy amenos y bien documentados. (Teresa se doctoró en religiones en la Universidad de Harvard y está por hacerlo en historia en la UNAM). Dispongo así mismo de un gran equipo de médicos, psicólogos, orientadores familiares, decoradores, expertos en economía doméstica y artesanías, etc., en español y en otras lenguas.

Mi más inmediata auxiliar es Mina Zamudio, mujer muy inteligente y culta y profesional del periodismo que, como Emma y Teresa, es de extracción universitaria y sostiene mi tesis de dignificar la condición de la mujer de hogar y familia.

M: ¿Crees que hay diferencia entre las obras escritas por los hombres y las escritas por mujeres?

MM: No, aunque les pese a las fementidas hormonas. Las diferencias son siempre de talento, nivel cultural y contexto social. Hay mil escritorzuelos por una Elena Garro y mil escritorzuelas por un Juan Rulfo. Lo bueno y lo malo se reparten muy equitativamente entre hombres y mujeres. Claro que a un contexto social más desarrollado corresponde un nivel de calidad más alto en general. En nuestro medio por ejemplo, "pegan" muchos timos literarios por obvias razones de subdesarrollo, entre ellas la escasa

281

capacidad de la crítica y la inocencia del público lector. Entre nosotros pasa por gran escritor un plagiario de Edmund Wilson, pongamos por caso. Y muchos de nuestros "genios" viven y medran metiendo la mano en el saco ya viejo de James Joyce. La gente, analfabeta funcional, no les ve la hilacha, mucho menos es capaz de trazarles las huellas de sus hurtos. Y ahí andan, muy orondos, vistiendo con galas ajenas su original condición de estafadores.

M: ¿Hay mujeres que te hayan ayudado alguna vez en tu carrera? ¿O a quienes hayas ayudado?

MM: Sí que las ha habido. Entre ellas un Nobel de Literatura: Gabriela Mistral, a quien debo dos actos bellísimos. Cuando ella vivía en México yo criaba a mis bebés y no andaba que digamos muy sobrada de tiempo y dinero. ¿Escribir entonces? Ni en sueños. Gabriela supo mi situación y me pagó la sirvienta hasta que pude salir adelante.

También juzgó que yo debía trascender el ámbito local y me propuso a Emecé de Argentina, editorial que iba a publicarle el que sería el último de sus libros, *Lagar*. Guillermo de Torre aprobó la calidad de mis originales, pero adujo no sé qué problema editorial con México que le impedía editar a mexicanos. Gabriela se enfureció al punto de quitarle a Guillermo de Torre su *Lagar*. Yo fui la causa directa de que lo publicara Radomiro Tomic en *Zigzag*. Estoy contenta de que las cosas sucedieran así. Siento como si yo hubiera sido un instrumento del destino para que los poemas finales de la chilenísima Gabriela se dieran a la estampa en Chile.

Eunice Odio escribió un bellísimo ensayo sobre mi obra. Griselda Álvarez me incluyó en una buena antología de poesía de mujeres mexicanas del siglo XX y allí me regaló un regio soneto. Emma Godoy siempre me estimula y le debo una estupenda nota, de rigor crítico ejemplar. Una chica norteamericana, estudiante de letras iberoamericanas de la Universidad de Berkley, Cynthia Gold —ya debe haberse doctorado a estas horas— escribió también un limpio ensayo, muy penetrante, acerca de mi repertorio de símbolos y mitos. Y si sigo por este camino, no acabo. Y a lo mejor lloro recordando la noble dulzura de Rosario Castellanos.

Yo, desgraciadamente, poco he podido hacer por otros poetas, salvo alegrarme públicamente de su talento, pues la envidia no figura entre mis defectos. Así, tuve el gusto de prologar la edición española de Aguilar con las obras completas de Guadalupe Amor, poeta cuyo valor extraordinario parece olvidado ya en este país de mala memoria, donde hay que escribir un poema por semana para seguir en la nómina de los vivos.

(México, D. F., 20 de enero, 1975)

MARÍA DEL CARMEN MILLÁN

MARÍA DEL CARMEN MILLÁN

María del Carmen Millán (1914) nace en Teziutlán, Puebla. Hace sus estudios en la UNAM donde se doctora con honores en Filosofía y Letras. Junto con Carmen Toscano y otras personas edita la primera revista literaria cuya mesa directiva estaba formada exclusivamente de mujeres, *Rueca* (1941-1948). Ejerce la docencia desde 1946 dando clases de literatura, composición e investigación literaria en diferentes escuelas superiores de la provincia, de la Ciudad de México, de Estados Unidos y de Europa. Siendo directora del Centro de Estudios Literarios de la UNAM dirigió valiosos trabajos claves para el estudio de la literatura mexicana, entre los cuales se encuentran *Índices de "El Domingo"* (1959), *Índices de "El Nacional"* (1961), *Índices de "El Renacimiento"* (1963) y *Diccionario de Escritores Mexicanos* (1967). En la actualidad dirige el Canal 13 de la televisión mexicana.

En cuanto a su labor crítica, Millán ha escrito numerosos ensayos sobre literatura mexicana para revistas como *Rueca, Tierra Nueva, México en la Cultura, Revista Interamericana de Bibliografía, Hispania* y *Letras de México.* Asimismo, publicó *El paisaje en la poesía mexicana* (1952) donde nos presenta el concepto y la función del paisaje en poetas representativos desde la colonia hasta el siglo XIX; *Ideas de la Reforma en las letras patrias* (1956) en donde explora la novela durante el periodo 1858-1891 utilizando un acercamiento sociológico; *Literatura mexicana* (1962), una antología crítica que sitúa la literatura mexicana desde la colonia hasta nuestros días dentro del desarrollo de las letras ibero-americanas. Quizá la aportación mayor de este libro sea el presentar la obra de muchos escritores mexicanos no mencionados en otros trabajos de consulta semejantes. También ha hecho prólogo-selecciones a la producción literaria de Manuel José Othón, Ángel de Campo e Ignacio Manuel Altamirano. Además ha escrito las secciones de literatura mexicana para el *Diccionario de la Literatura Latinoamericana* y el *Diccionario Porrúa de Historia, Geografía y Literatura de México.*

El 13 de junio de 1975 ingresa en la Academia Mexicana de la Lengua como primera mujer miembro. El discurso pronunciado a su ingreso, "Tres escritoras mexicanas del siglo XX", es significativo porque rehuye la designación "literatura femenina" al mismo tiempo que estudia seriamente la obra literaria de mujeres. María del Carmen Millán ve su ingreso como un acto simbólico que abrirá las puertas a muchas otras mujeres merecedoras de tal galardón. Apunta que los miembros de la Academia, desde su fundación en 1875, han producido valiosos estudios críticos sobre literatura femenina y que ella a su vez presentará a tres escritoras que corresponden a tres etapas de la literatura nacional: María Enriqueta Camarillo de Pereyra (1872-1968), Concha Urquiza (1910-1945) y Rosario Castellanos (1925-1974). Millán ofrece valiosos datos sobre la producción literaria de estas mujeres y concluye diciendo: "¿Habrá alguna buena razón, después de las presentaciones que he hecho, para dudar que la profesión de las letras puede ser desempeñada con dignidad y excelencia, indistintamente por hombres o por mujeres, con tal de que —además de la capacidad intelectual y de la vocación— exista en ellos —o en ellas— la disciplina necesaria para aspirar a la perfección?" *

* María del Carmen Millán, "Tres escritoras del siglo XX", *Cuadernos Americanos*, Año 34, Vol. 202, Nº 5 (1975), p. 18.

ENTREVISTA CON MARÍA DEL CARMEN MILLÁN

M: ¿Se considera usted escritora?

MCM: Más que escritora soy investigadora y maestra. Creo que lo que fue muy evidente y que se manifestó muy temprano en mi vida, fue la seguridad de que yo servía para ser maestra. Así, inmediatamente después de terminar la escuela primaria, en vez de dedicarme como entonces se dedicaban las niñas a ayudar a sus madres o a sus parientes en su casa, los directores de la escuela pidieron que yo me quedara más tiempo allí, que ayudara en las labores de enseñanza a algunos de los maestros de los grados más bajos. De manera que quienes decidieron mi ruta, mi camino, fueron los maestros que yo tuve en la escuela primaria.

M: ¿Maestros, no maestras?

MCM: Sí, había de todo, hombres y mujeres. Pero era una escuela sólo de niñas. Y ellos fueron los que decidieron que yo no debía quedarme en mi casa aprendiendo sólo piano y pintura y todo eso, sino que yo debería seguir en la escuela ayudando, haciendo labores de maestra aunque yo tenía sólo trece o catorce años.

M: ¿Y en su carrera en general ha habido mujeres que le han ayudado?

MCM: Sí. En la escuela secundaria yo tuve algunas maestras mujeres que me estimularon mucho. Una de esas fue la profesora de matemáticas, Rosa Yamal. Yo tenía la idea de que no servía para las matemáticas, la trigonometría y el álgebra. Y ella me demostró que sí podía, y llegué a ser de las primeras en su clase, seguramente por el cariño que, cuando uno es muy joven, necesita. Y desde luego también la profesora de dibujo constructivo, Marina del Castillo me ayudó mucho también con su afecto. Me tuvo particular estimación y me demostró lo que puede ganarse con la aplicación y el halago. Mi profesora de literatura, quien fue muy importante en mi vida de estudiante de secundaria, se llamaba Isabel Estrada. Y también contaron mis compañeras, muchas de las cuales siguen siendo amigas mías.

M: ¿Y usted está casada?

MCM: No.

M: ¿Y eso le ha hecho la vida más difícil o más fácil?

MCM: No sé. Creo que nunca ha sido problema, porque si no me casé fue porque no quise. No tuve el suficiente valor. Creo que esa es la realidad. Quizá haya sido sólo un acto de cobardía, pero eso no significa que yo tenga resentimiento.

M: Claro que no. Pero estoy pensando, por ejemplo, que Elena Poniatowska dijo que a veces cree que todas las mujeres de México que realmente han hecho algo, que han tenido carreras distinguidas eran solteras o quizás divorciadas.

MCM: No tienen el peso de esa gran responsabilidad. Bueno, ¡quién sabe! Pero yo no haría afirmaciones tan tajantes. En mi caso personal yo preferí esta otra situación y he tenido en cambio muy buenos amigos. Siempre he trabajado con hombres, siempre me he entendido con ellos. Tengo pues muchos amigos entrañables, muy queridos. Y estoy contenta.

M: Y de todas las cosas que usted ha hecho, ¿qué cosa, qué obra, qué proyecto le hace sentirse más orgullosa?

MCM: Orgullosa, ninguno. Satisfacciones, he tenido varias, porque en determinados sitios en los que me he propuesto hacer algo, lo he conseguido. Hace algún tiempo, y durante diez años, fui directora del Centro de Estudios Literarios. Tuve muchas dificultades pero también algunas alegrías. Una de ellas fue crear el Centro, hacerlo que funcionara, que la gente se interesara por la investigación, que se empezaran a elaborar trabajos. Y respecto a los problemas, tengo una ventaja: las cosas malas las olvido muy pronto. Tan pronto que cuando quisiera yo recordar los detalles, de veras no los recuerdo.

M: ¿Nunca ha encontrado obstáculos por ser mujer?

MCM: ¿Por ser mujer? No. Quizá sea una perspectiva muy limitada la que yo tengo. Quizá algún hombre en mi sitio hubiera hecho más que yo. Eso no lo sé. Pero yo no he sentido ningún rechazo, ninguna molestia, ningún impedimento sólo por ser mujer. O quizá soy tan optimista que creo que no.

M: ¿Es usted muy religiosa?

MCM: Si me pregunta usted si creo en Dios, desde luego, sí; nací dentro de la fe cristiana y eso me da una tranquilidad, una ayuda, un respaldo.

M: Como investigadora literaria, ¿cuál es su opinión de la investigación literaria mexicana?

MCM: Considero que en México hacen mucha falta trabajos generales y monográficos. La mayor parte de los estudios serios que se han hecho sobre escritores o sobre épocas los han hecho los extranjeros. Así que hay mucho que hacer en ese sentido.

M: En general una de las cosas que me interesan personalmente son las mujeres en México, sobre todo las escritoras. No solamente las novelistas y poetas, sino también las periodistas. ¿Usted cree que las mujeres escritoras en México tienen más dificultad que los hombres? ¿En publicar o en cuanto a la crítica o en cualquier cosa?

MCM: Yo francamente creo que no. A mí me parece que cuando se pregunta eso, sería más interesante que yo dijera: "En mi caso o en el caso de las otras mujeres, ¡nos ha costado tanto trabajo llegar aquí, nos ha costado tanto esfuerzo, hemos tenido que vencer tantas dificultades! Pero creo que la única dificultad que hay que vencer es la dificultad personal. Hay que lanzarse con fe. En México no hay diferencia entre lo que gana un hombre y una mujer, como ocurre en un país tan democrático, tan atento al mundo de la mujer, como los Estados Unidos.

M: Ayer oí algunos datos sobre lo que ganó con su periodismo Salvador Novo. No creo que haya una mujer en México que haya ganado tanto.

MCM: Eso no es cuestión de que se trate de un hombre o de una mujer, sino de que él había ganado cierta notoriedad. Yo creo que hay otros señores de talento que nunca lograron lo que Salvador Novo logró. Y además era buen administrador de su dinero. Lo que pasa es que nosotras somos un poco torpes en esas cosas. Yo prefiero que a mí no me hablen de dinero. Que vayan con mi administrador o con mi secretaria que se encarga de esas cosas que a mí me molestan. Y eso es muy tonto. Es una torpeza. Yo debería de decir: "Esto que yo hago vale tanto". Si pueden pagar, bien; si no, no hago nada.

M: Otra vez será cuestión de la educación de las mujeres.

MCM: Es cuestión de habilidad para ciertas cosas. Se tiene para unas y para otras absolutamente nada.

M: Ayer en una cena un editor me habló de las periodistas mexicanas. Piensa que en México no haya ninguna que valga. En cambio, las mujeres dicen por lo general que no encuentran discriminación y casi siempre que se habla con un escritor o con un editor se oye hablar mal de las escritoras.

MCM: Probablemente sí. También depende un poco de la vida personal de cada quien o de la agresividad de algunas de nuestras amigas que son una molestia porque en vez de obtener las cosas por las buenas quieren arrancarlas a la fuerza. Y utilizan el argumento de que son mujeres para ganarlas más de prisa.

M: Eso es una cosa relativamente nueva.

MCM: Claro. Creo que no es fácil para los hombres aceptar de pronto en un reino que era solamente suyo que intervengan las mujeres.

M: Lo que me molesta es cuando una mujer tiene talento y no lo reconocen.

MCM: Pero también a los hombres les pasa. No es exclusivo de las mujeres. Yo quiero siempre hacer hincapié en esto. Cuando hablamos de los hombres y de las mujeres estamos siempre pensando en un grupo especial de mujeres y en un grupo especial de hombres. Por ejemplo, se habla de la debilidad de las mujeres. ¿De cuáles mujeres? ¿Cuáles son las débiles?

M: No sé.

MCM: Las débiles son aquellas que siempre están protegidas y no tienen por qué tomar un primer lugar y resolver problemas. Esas son las débiles. ¡Pero hay tantas que son fuertes! Tantas que hacen al mismo tiempo el papel de hombre y de mujer. Que tienen sobre sus espaldas la responsabilidad de una casa, de unos hijos, de un dinero que hay que ganar, ¡y todo al mismo tiempo! De ser siempre jóve-

nes, frescas, tranquilas, acogedoras, cariñosas, sonrientes, etc. ¿Por qué se les pide tanto a ellas? Aunque los defectos son muy graves en todo ser humano,
son mucho más graves en las mujeres. Pensemos
en un borracho en una reunión, que hace tonterías,
que dice obscenidades, al día siguiente se le perdona. Pero a una mujer no se lo perdonaría nadie.
Los defectos de las mujeres son imperdonables.

M: ¿Cómo la Güera Rodríguez?

MCM: Una Güera Rodríguez también resulta excesiva
para una situación o una sociedad tan cerrada como
la de su tiempo.

M: A propósito de mujeres en la historia, me viene a
la mente la Malinche. Me parece que la han mal-
tratado los historiadores y críticos, sobre todo Octavio Paz. ¿No cree?

MCM: Bueno, porque se toma el asunto desde un solo
punto de vista. Ella traiciona a los suyos.

M: Algunos dicen que simboliza todos los problemas
de México. Yo la veo, en cambio, como una mujer
muy inteligente.

M: Hay una poesía magnífica de Rosario Castellanos
que se titula "La Malinche". Pero lo difícil en la
interpretación del poema es que la Malinche representa también a Electra.

MCM: Hay tantas versiones de lo que fue la Malinche.

M: Creo que la Malinche de Rosario Castellanos se
parece a la Malinche de Bernal Díaz.

MCM: Sí, creo que el poema se basa en la versión de él.
La Malinche fue una muchacha desdichada desde
un principio. Repudiada por su madre. Vendida
por su madre. Ella no conoció las ventajas de haber
sido hija de señores.

M: La cosa es que seguramente no la hubieran vendido si hubiera sido hombre.

MCM: Todavía existe eso ahora. Se ansía entre los matrimonios tener un hijo varón.

M: Eso le dolió mucho a Rosario. Su hermano que era un año menor que ella se murió muy joven. Ella dice que sus padres se habrían quedado más contentos si hubiera muerto ella.

MCM: A las mujeres se las consideraba hasta ayer muy incapaces. Los bienes en manos de una mujer, seguramente se perderían. En manos de un hombre, que es más inteligente, que tiene una profesión, que sabe manejar los bienes, están mucho más seguros. Además el apellido lo conservan los hombres para que se siga la estirpe; las mujeres lo pierden cuando se casan.

M: Muchas mujeres profesionales o escritoras conservan su nombre de soltera.

MCM: Ahora todas las mujeres conservan el nombre original, sobre todo, y por razones prácticas, si trabajan.

M: Es el símbolo de una nueva mentalidad o espíritu. Quiero preguntarle su opinión sobre las mujeres escritoras en México. ¿Cuáles usted considera importantes? No tienen que ser grandes, como digamos García Márquez. Después de todo, los escritores de segunda o tercera categoría han podido llegar a tener cierta reputación o fama después de la muerte. Yo pienso siempre en Manuel Gutiérrez Nájera. Porque en Estados Unidos, como usted sabe, se pueden llenar bibliotecas con las cosas hechas sobre Gutiérrez Nájera. Y después de todo, no fue un gran escritor.

MCM: Ni siquiera tuvo tiempo. Murió demasiado pronto. Y la mayor parte de su producción fue periodística. Sin embargo, Gutiérrez Najera fue un gran poeta. Porque su poesía la hizo con gran cuidado, en sus

295

ratos más íntimos, más personales. Y la prosa la escribía en la servilleta de un restaurante, en medio de un trayecto o en la vigilia.

M: Personalmente, creo que Elena Poniatowska es tan buena como Gutiérrez Nájera, como periodista.

MCM: Es el mismo género, el periodístico, pero son dos maneras diferentes de ver el mundo, de ver la vida. Elena tiene entrevistas que son realmente magníficas. Y sus novelas son muy importantes. Luisa Josefina Hernández también es muy buena en los géneros que cultiva, el teatro y la novela.

M: Una mujer que me interesa mucho es Concha Urquiza que murió en 1945.

MCM: Concha Urquiza es una poetisa de las finas y de las más importantes. Su obra es corta porque vivió poco. Nada más hay un libro cuyo prólogo es de Méndez Plancarte.

M: Realmente, Urquiza fue sólo un poco más joven que los Contemporáneos, pero en las publicaciones de ellos su nombre no figura nunca. No la incluyeron en la revista *Contemporáneos*, que era buena revista.

MCM: No es propiamente del grupo de los Contemporáneos. Ella es una persona un poco aislada porque ni siquiera vivió mucho en la ciudad de México. Vivió mucho tiempo en San Luis Potosí y fue allí donde produjo la mayor parte de su obra. Así que no creo que tenga nada que ver con los Contemporáneos. Hay otra mujer de la que ya no se habla mucho que fue también de 1910, Carmen Toscano.

M: ¿Tuvo alguna importancia?

MCM: Es que fue de la generación de Taller, posterior a los Contemporáneos.

M: ¿Usted nunca ha querido escribir poesía?

MCM: Me interesaría escribir alguna vez, no sé cuándo, novela. Pero una de mis actitudes más comunes es

296

la de hacer que se conozcan las cosas de los demás, hacer valer las obras de los demás, no precisamente las de las mujeres. Hay unos hombres que están tan discriminados como las mujeres. Mi labor ha sido hacer conocer las obras de muchos de nuestros escritores injustamente olvidados.

(México, D. F., 11 de agosto, 1974)

ELENA PONIATOWSKA

ELENA PONIATOWSKA

Hija de madre mexicana y de padre polaco, Elena
Poniatowska nace en París (1933) y reside en México desde
1942. Su formación básica es cosmopolita ya que estudió en
Francia, Estados Unidos y México. Desde 1954 ejerce el
periodismo y ha colaborado en periódicos y revistas como
*Excelsior, Novedades, El Día, Siempre, Mañana, Artes de
México* y otras. En 1954 publica *Lilus Kikus,* novela corta
que trata de las experiencias de una niña. Este relato posteriormente se publica con otros cuentos en una edición de 1957
titulada *Los cuentos de Lilus Kikus.* A su novela le sigue una
obra de teatro, *Melés y Teléo* (1956), que es una sátira de
la vida intelectual y artística de México; después viene *Palabras cruzadas* (1961), colección de entrevistas con personalidades nacionales y extranjeras. Más tarde aparece
Todo empezó el domingo (1963), crónica sobre lo que hace
la gente de la ciudad de México los domingos. *Hasta no
verte Jesús mío* (1969), novela que versa sobre la vida de
una humilde y heroica veterana de la Revolución Mexicana,
Jesusa, ganó el premio Mazatlán. *La noche de Tlatelolco*
(1971), obra traducida al inglés, es una orquestada colección de fragmentos de artículos, entrevistas y cartas que tratan la masacre estudiantil de Tlatelolco en el 68.[1] Estos dos
últimos libros son los que han alcanzado mayor número de
ediciones.

Hasta no verte Jesús mío está escrita con fraseología y

---

[1] *Massacre in Mexico.* Trad. Helen R. Lane, con un prólogo de Octavio
Paz (New York: The Viking Press, 1975).

ritmo conversacionales. Elaborada con cinta magnetofónica, la novela parece estar cimentada más sobre el lenguaje hablado que sobre una estructura preconcebida. La narradora, "La Jesusa", se dirige a un supuesto interlocutor, nuestra autora-periodista, y, a través de ésta, al lector. El lenguaje y los personajes de clase baja no son nuevos en la literatura mexicana como tampoco lo son los relatos de testigos presenciales de la Revolución. Pero el cinismo marxista feminista que caracteriza algunos pasajes de la narración y da colorido a los comentarios de Jesusa, constituye una innovación. La crítica al militarismo oportunista se ve así: "A mí los revolucionarios me caen como patada en los... bueno como si yo tuviera güevos. Son puros bandidos, ladrones de camino real, amparados por la ley... Por eso se pelean todos por ser generales de caballería y en un año o dos ya están ricos." [2] La narradora habla con convicción y confianza en sí misma. Recordando a Zapata, por ejemplo, nos dice: "Por la forma en que nos trató no era hombre malo. Otro, pues le da la orden a su tropa de que arrastre a las mujeres, pero él no... El lo que quería es que fuéramos libres pero nunca seremos libres, eso lo alego yo, porque estaremos esclavizados toda la vida... Todo el que viene nos muerde, nos deja mancos, chimuelos, cojos y con nuestros pedazos hace su casa." [3] Poniatowska, igual que Castellanos, Mendoza y Hernández, nos da formidables personajes femeninos que responden a concepciones de la literatura como "la invención de lo posible" y el mundo como "el lugar de lucha en el que no está comprometido". [4] En

[2] Elena Poniatowska. *Hasta no verte Jesús mío* (México: Ed. Era, 1975), p. 78.

[3] Ibid., p. 78.

[4] Las dos citas vienen de Rosario Castellanos, la primera de "Historia y literatura" en *El mar y sus pescaditos* (México: Sepsetentas 189, 1975), p. 184. La segunda es de una entrevista que le hizo Emmanuel Carballo en *Diecinueve protagonistas de la literatura mexicana del siglo XX* (México: Empresas Editoriales, 1965), p. 415.

cuanto a su oficio de escritora, Poniatowska nos dice en un reciente ensayo: "Escribir es también un modo de relacionarme con los demás y quererlos. Lo que no sé decir en voz alta por timidez, por pudor, lo escribo."[5]

Dentro de su labor periodística, que es la más extensa, sobresalen sus entrevistas con intelectuales y artistas como Alejo Carpentier, Rosario Castellanos, Roberto Fernández Retamar, Diego Rivera, Juan Goytisolo, Jorge Luis Borges y André Malraux. Casada con el astrónomo Guillermo Haro y madre de tres hijos, escribe en la actualidad tres columnas semanales para *Novedades* y colabora en revistas como *Los Universitarios*, *Fem* y *La Cultura en México*. Sus ensayos más recientes son, por lo general, acerca de asuntos culturales o sobre escritoras mexicanas. De este último tema opina que "la literatura de las mujeres en México, después del caso único de Sor Juana empieza ahora y está ligada irremisiblemente al movimiento de la mujer".[6]

Elena Poniatowska ha trabajado en Radio Universidad y ha dirigido programas culturales diarios para la televisión. Asimismo ha hecho guiones para los cortometrajes de Cine-Verdad y colaboró en la fundación de la Cineteca Mexicana y de Siglo XXI Editores, S. A. Ha viajado extensamente por México y por el extranjero. Sus visitas incluyen Norteamérica, Europa y países socialistas como Cuba, Checoslovaquia y Vietnam. Poniatowska fue una de las pocas periodistas iberoamericanas invitadas a visitar Vietnam del Sur y del Norte.

[5] Elena Poniatowska, "Las escritoras mexicanas calzan zapatos que les aprietan", *Los Universitarios* (15-31 de oct. 1975), p. 4.
[6] Ibid.

303

ENTREVISTA CON ELENA PONIATOWSKA

M: Y ¿Tú te consideras periodista?

P: Sí, totalmente. Pero trato de dar el paso del periodismo a la literatura que es el paso más aterrador que pueda darse, ¿no? Es como saltar encima de un precipicio y no llegar al otro lado. Al menos para mí ha resultado tremendo porque estoy acostumbrada a la publicación diaria, a hacer un artículo rápidamente y que la rapidez justifique la calidad del artículo. Durante mucho tiempo me acostumbré a trabajar en una redacción en la cual se hacía un trabajo de equipo y yo me sentía muy halagada en medio de un grupo de gente generosa que me decía: "Esto está muy bien". Hace cinco años que no trabajo en equipo, que no voy a la redacción sino como un chiflonazo a dejar el artículo; que ya no tengo escritorio y no hablo con nadie. Por eso, estoy como me ves, hecha una bruja.

M: Estás muy bien.

P: Me deprimo y es muy difícil para mí escribir en la casa porque me doy cuenta que la gran aventura ante la mesa de trabajo es una aventura absolutamente solitaria. Me siento ante la máquina de escribir y en medio del silencio pienso: "Bueno, ¿qué voy a hacer?" En el periódico oía el ruido de las otras máquinas, veía los rostros de los demás y esto me estimulaba.

M: Todos han hablado muy bien de *Hasta no verte Jesús mío*.

P: Siempre he tenido suerte, siempre he tenido un ángel de la guardia del tamaño del mundo y creo que la gente es generosa. Ahora, desde hace cinco años me doy cuenta que en el fondo es una hazaña poder escribir, no tanto escribir, como organizar la vida para poder escribir con cierta continuidad; organizarse de tal modo que el acto principal de la vida sea escribir. Por eso creo que uno debe ser generoso con los escritores así como ellos lo son con uno porque escribir es una empresa endemoniada.

M: ¿Qué hace tu esposo?

P: Mi esposo, el doctor Guillermo Haro, es astrónomo.

M: ¿Tienes hijos?

P: Tengo tres hijos. La menor tiene tres años y medio, el mayor tiene dieciocho.

M: ¿Te cuesta trabajo combinar el trabajo de ama de casa y el de escribir?

P: Para mí es difícil la vida de ama de casa y sobre todo, sentir la responsabilidad de los niños; nunca me he vuelto a sentir absolutamente libre porque pienso en los niños, en su vida diaria, en su vida futura, en su salud... a veces pienso que todas las mujeres que han logrado hacer algo es porque están solas. Por ejemplo, si miro a mi derredor, Rosario Castellanos, a quien admiro profundamente está divorciada, su único hijo Gabriel ya está grande y resuelve más o menos sus problemas. Todas las mujeres que hacen algo es porque han resuelto este tipo de problemas domésticos ya sea con la soledad, o sea, la no responsabilidad, o con el hecho de haberse entregado exclusivamente a su carrera. Algunas claro, empiezan tarde; cuando los hijos, el marido, ya no las necesita, pero esto también es triste, porque pierdes el brío, el afán de los primeros años.

M: ¿Cuándo empezaste a escribir y cómo?

P: Empecé a hacer periodismo, así de un día para el otro, aquí en México.

M: ¿Naciste en México?

P: No, en París, Francia. Llegué cuando tenía nueve años,

en el barco Marqués de Comillas los cumplí. Fui francesa de origen polaco; a todos los Poniatowska los sacaron de Polonia después de la partición de Polonia. Mi mamá es mexicana, se apellida Amor, y mi hermana, mi mamá, y yo vinimos a México durante la segunda guerra mundial.

M: ¿Qué estás haciendo ahora, Elena?

P: Estoy haciendo un libro sobre un líder ferrocarrilero que se llama Demetrio Vallejo y estuvo once años y medio en la cárcel. Se trata de una novela basada de nuevo en un testimonio, como *Hasta no verte Jesús mío*, pero realmente el testimonio de Vallejo resulta pequeño ya que sólo lo interrogué en forma limitada y esporádica y nuestras entrevistas fueron breves. Me ha costado un enorme trabajo porque no conozco el medio obrero y no sé nada de sindicalismo. Vallejo personalmente es un hombre acostumbrado a decir discursos; habla por medio de *clichés* y, como todo luchador, no quiere decir nada de su vida personal. Un luchador no tiene vida propia; su vida es el sindicalismo: lograr aumentos de salarios y prestaciones para los demás. Entonces he tenido que inventar personajes e incluso he tratado de interpretar sentimientos que desconozco porque realmente no sé bien que es lo que piensan, por ejemplo, las familias de los obreros, qué es lo que les gusta, a qué aspiran. La mujer de Vallejo, por ejemplo, me dice que le interesaría poseer un antecomedor, o sea, un lugar para desayunar, pero a Vallejo no le interesa ni siquiera tener una silla —es absolutamente desinteresado— y como para mí los antecomedores tampoco son mi ambición, me resulta difícil entrar en ese tipo de personajes. Por eso me arranco el pelo, trabajo muy lentamente e invento mil pretextos para no sentarme frente a la novela de Vallejo. Trabajo en artículos periodísticos, en entrevistas, en ensayos, conferencias, encuestas, en fin me hago bolas y pierdo el tiempo miserablemente con tal de no enfrentarme al problema de Vallejo.

M: Pero tú eres muy trabajadora.

P: Sí, creo que lo soy, pero a veces uno hace lo superfluo con tal de no encontrarse a solas con lo esencial. Además yo no estoy organizada para trabajar porque no tengo una real disciplina de trabajo. No la adquirí en la escuela porque mis estudios se detuvieron en el High School norteamericano (el Convento del Sagrado Corazón en Philadelphia).

M: ¿A qué escritoras mexicanas admiras?

P: Desde luego a Rosario Castellanos. Creo que es la primera mujer de letras en México y abarca muchos campos. Es maestra en letras, ha dado cátedras no sólo en la UNAM, sino en los Estados Unidos. Sus dos novelas *Oficio de tinieblas* y *Balún Canán* dan una nueva imagen del problema del indio; no son novelas costumbristas. Rosario Castellanos ha hecho traducciones, críticas, ensayos. Colaboró en *Excelsior* con artículos semanales en la plana editorial. Sin embargo, lo que más me conmueve de ella es su poesía aunque me entristezca porque entrar a ella es como caer en el pozo de la soledad y el desamparo.

Luego hay otra quien fue esposa de Octavio Paz y tiene un gran talento: Elena Garro. Su teatro, sobre todo *Un hogar sólido* es profundamente mexicano, profundamente poético. Equivaldría un poco a lo que hace Tamayo en la pintura. También su novela *Los recuerdos del porvenir* es muy importante. Una escritora poco conocida —porque ella misma así lo ha querido— que me gusta mucho es Carmen Rosenzweig. Su *1956* sobre la muerte de su padre es tan estrujante como *Une mort tres douce* de Simone de Beauvoir. *Nostalgia de Troya* de Luisa Josefina Hernández es muy buena. Ella es, entre las escritoras mexicanas, la de mayor oficio y mayor disciplina. Julieta Campos, sobre todo en *Muerte por agua* tiene un mundo propio, personalísimo, sugerente. Hay dos mujeres que escribieron un solo libro y que son importantes: Josefina Vicens, autora de *El libro vacío*, y Emma Godoy, maestra en filosofía quien ganó el Premio William Faulkner de Literatura. Desde luego las prosistas y poetas, Guadalupe Dueñas, Beatriz Espejo, Ulalume González de León y Amparo Dávila han hecho una aportación muy digna de tomarse en cuenta. Habría que citar desde luego a Nelly Campobello entre las mayores y a Raquel Banda Farfán que siempre ha escrito sobre los oprimidos. Luisa Josefina Hernández es dramaturga además de novelista y maestra (porque la siguen mucho sus alumnos y la quieren enormemente). Asimismo Maruxa Vilalta, traducida a varios idiomas, y Margarita Urueta.

M: ¿Y en cuanto a las escritoras más jóvenes?

P: Elsa Cross y Esther Seligson tienen menos de treinta y cinco años; también Paloma Villegas que a mí me impresiona mucho como ensayista... Ah, pero faltó una escritora notable que escribe muy poco pero tiene un talento muy especial, casi único: Inés Arredondo.

M: Sí. Conozco su libro de cuentos, *La señal*. ¿Y María Luisa Mendoza?

P: Ella es todo un personaje, una fuerza de la naturaleza y su novela *Contigo, conmigo, con nosotros tres* es barroca, henchida, plena, la refleja a ella. Creo que le ha dado una nueva fuerza al lenguaje. Ahora hay escritoras que son también mujeres-personajes, o mujeres clave en la cultura o en el arte de México: Leonora Carrington, Lupe Marín, Frida Kahlo y Bambi, a quien quiero como a una hermana; su ámbito es mágico y absolutamente personal. Por ella me inicié en el periodismo; me gustaron tanto sus artículos que quise hacer lo mismo.

M: Quisiera saber si te han obstaculizado en el periodismo por ser mujer.

P: Bueno, es que uno cae víctima de sus propios obstáculos, ¿no? Al principio sí me encontré con obstáculos de este tipo. La gente le decía a mi mamá: "Ay, ¿cómo dejas andar sola a esta muchacha en un medio tan corrupto? ¡Le va a pasar algo!" Además, ser periodista en el medio al que yo pertenezco era quemarse irremediablemente; en mi familia se consideraba muy mal visto "aparecer" en los periódicos. Eso era sólo para los artistas o los que querían vender algo. Mi abuela, por ejemplo, nunca apareció en un periódico. Además de estas críticas, yo no tenía la menor preparación periodística. Entonces, sí de algo fui víctima, es decir, yo misma era mi obstáculo. Pero, de todos modos, no sentí que hubiera mucha discriminación porque el terreno en el cual me movía era muy virgen —en cierto modo un desierto— todavía hoy tengo la sensación de caminar en un desierto porque me pregunto cómo es posible que no surjan más y mejores periodistas, por qué no surgen nuevas para que ya no se necesiten gentes como yo. Apenas ahora, después de veinte años, están despuntando jóvenes que me llaman la atención. Es bueno que lo desbanquen a uno, que una muchacha diga: "Ahí voy yo y le traigo muchas ganas".

M: Y volviendo a la crítica...

P: En el campo del periodismo me fue muy bien porque hacía unas entrevistas personales que no tenían nada que ver con las de nadie y entonces no tuve problemas.

M: ¿Y crees que es porque tu terreno es un "desierto" en el que las mujeres, las escritoras, no tienen dificultades?

P: Creo que mucha gente se puede inventar dificultades.

Pero una mujer en el periodismo hoy en día puede viajar para "cubrir" en todas partes del mundo los asuntos que le interesan a su periódico. Por eso creo que las dificultades son más subjetivas que reales. No quiero negarlas; pero si le preguntas por ejemplo a Bambi —y las dos somos periodistas— te dirá que ella sólo ha recibido ayuda y te lo dirá en forma más enfática que yo porque se ha sentido siempre en su periódico muy apoyada, muy respetada. Lo que sí creo es que es mucho más fácil que el periódico envíe a un hombre a cubrir un evento que a una mujer.

M: ¿Cuando empezabas hubo alguna mujer que te ayudó o sólo hombres.

P: No hay ninguna mujer que yo sienta que me haya ayudado a escribir bien, en general fueron hombres. Yo no sentí que hubiera solidaridad de parte de las mujeres o de alguna mujer periodista. Alguna vez Elvira Vargas escribió un artículo elogioso sobre un libro mío, *Lilus Kikus*, pero no sobre mi periodismo; nunca sentí que estuviera dispuesta a ayudarme o a guiarme o a decirme: "haz así las cosas". Quizá al final de su vida cambió de actitud porque vio lo mucho que yo la admiraba, pero mientras vivió tenía más bien un espíritu competitivo. Decía que las periodistas jóvenes —lo escribió concretamente— de mi tipo estaban triunfando porque eran jóvenes, porque eran bonitas y porque enseñaban mucho las piernas, por lo que tú quieras y mandes, pero nunca habló de méritos personales.

M: ¿Tú has ayudado a alguien?

P: Por lo menos siento que tengo el espíritu de ayudar, el espíritu de servicio como dirían los "boy scouts". Cada vez que me lo piden, voy a las preparatorias, a las universidades de provincia, a la UNAM, al Politécnico, a los institutos, a la Escuela Carlos Septién

García (por la cual siento un especial cariño). Doy muchas conferencias. También doy dos clases semanales en el Instituto Kairós y también he dado un curso de periodismo en el Instituto de la Juventud Mexicana. Aquí a la casa llegan muchos grupos de estudiantes a hablar de su carrera, sobre todo a raíz del libro *La noche de Tlatelolco*. Hablamos de su carrera, de sus posibilidades. Creo que hay una gran camaradería. Pero así, tener a alguien que me siga a mí, que yo esté así virtiendo conceptos en su oreja, no. Tampoco me siento como un profesor, pero, lo poco que sé, trato de darlo. Creo que es una obligación, una cosa moral que hay que hacer.

M: ¿Hay algo tuyo que se haya traducido al inglés?

P: Sí. *Tlatelolco* se publica este año en Viking Press traducido por Helen Lane que es una mujer espléndida. También se publicaron entrevistas en la *Evergreen Review* y en otras revistas.

M: Octavio Paz tiene una gran influencia dentro de la literatura mexicana. ¿Crees que una mujer habría podido tener tal influencia?

P: No. Creo que Octavio ejerce aquí una influencia muy benéfica porque además es un hombre accesible y es un hombre muy generoso. A mí me ha dado mucho. Su sola presencia es estimulante. Hace años, recuerdo que iba yo a verlo a la Secretaría de Relaciones Exteriores. Atravesábamos el Paseo de la Reforma, entrábamos a la Librería Francesa y él me decía: "Toma. Lee *Caballería Roja* de Isaac Babel... Aquí está *L'Histoire des Treize* de Balzac." Me regaló *La clé des champs* de André Bretón. Se reía mucho porque yo le preguntaba con toda seriedad: "¿Tú divides los mares?" porque él era jefe de Mares Territoriales y yo pensaba que eso equivalía a ser Tritón. También le hizo un poema a un sabino, un gran árbol que había en mi casa. Es un hombre muy cálido. Siempre ha tenido la curiosidad de los demás. No es como la gente que no quiere perder el tiempo con nadie, que no está dispuesto a recibir a nadie. Octavio Paz está totalmente dispuesto a interrumpir la hechura de un poema para hablar con un joven que lo viene a buscar, lo cual es una actitud muy bonita. Está siempre dispuesto a modificar sus opiniones en base a un juicio o una opinión que le atraen. Está siempre dispuesto a cuestionarse, cuestionar la vida y esto es muy bueno, ¿no crees?

M: ¿Por qué dices que es generoso?

P: Todo hombre que crea escuela es generoso. Te puedo dar un ejemplo reciente. Octavio, por ejemplo, no estaba de acuerdo con un joven escritor, Héctor Manjarrez en nada, pero cuando le preguntaron si a Manjarrez se le podía dar la beca Guggenheim, inmediatamente dijo que sí. Octavio es incapaz —al menos eso creo yo— de ejercer el rencor. Su exmujer Elena Garro también pudo ejercer una influencia grande sobre la gente porque tenía un poder de subyugar inmenso, pero su propia vida fue siempre inestable, y esto lo impidió.

M: ¿Y Guadalupe Amor?

P: Bueno, Guadalupe Amor es tía mía, por Amor. Todos los Amor cenamos con ella el día de Navidad. Ella siempre me gritó: "¡Tú no eres Amor, no te vayas a poner el Amor! ¡Muchachita, no te compares con tu tía de oro, no te compares con tu tía de plata! ¡No te me acerques! ¡Yo soy la Reina de la noche! ¡No vengas junto a mí, no ves que yo soy tu tía de fuego!"

M: ¿Consideras que tiene talento?

P: Sí, claro. Pero yo creo que ser escritor para una mujer es mucho más difícil que para un hombre, primero porque hay que organizar la vida para escribir y

312

segundo porque el acto de escribir requiere un esfuerzo y un espíritu de continuidad a toda prueba. Es fácil sucumbir a medio camino. Además, el talento es agudizador de todo, de la soledad, del fracaso, de la impotencia, de las más mínimas sensaciones. Si uno pudiera escribir como avanza un tractor por un campo sería espléndido; un tractor que no volteara para atrás. Pero una duda, se detiene y se pregunta: "¿Qué pasó aquí?". Dan ganas de darse la media vuelta: "¿En qué estoy metida? ¿Qué diablos estoy haciendo?" Por eso es tan difícil.

M: ¿Y tu esposo te ayuda?

P: No. Creo que estoy mejor casada que soltera pero no creo que me ayude a escribir; quizá me ayude a pensar pero al mismo tiempo me limita en mi espontaneidad, en mis actividades y no sé. Mi esposo no lee artículos. A él los últimos libros que le interesaron fueron el *Quijote,* el *Ulysses* y *El siglo de las luces* de Carpentier. Así es que imagínate si puede interesarle lo que yo pueda escribir. Ahora sé que tengo que trabajar dentro de este marco, dentro de los límites, las responsabilidades y las obligaciones que, si quieres, me enmarcan. Y quizá sea bueno trabajar dentro de un campo cercado.

M: Pero realmente, ¿tienes tantas obligaciones?

P: No. Incluso antes estaba yo a la merced de obligaciones que realmente no lo eran y mi esposo me enseñó a decir "No": "no" a reuniones, "no" a cocteles, "no" a *vernissages,* "no" a la TV, "no" al radio, "no" al cine. He tenido que adaptarme a un nuevo ritmo de vida. Claro, ese es mi problema.

M: Sí, yo entiendo. Me doy cuenta que en México los escritores se sienten obligados a muchas actividades sociales y culturales. Pero aunque no vayas a todas las reuniones, si vas de vez en cuando tienes la sensación de estar en el mundo.

P: ¡Claro! Yo creo que un escritor —así como mi esposo tiene intercambio con otros astrónomos— necesita hablar con otros escritores, ver problemas de creación. Hoy mismo estaba yo pensando en cómo hacer mi novela, cosas idiotas como si la hago en presente o en pasado, si en primera o en tercera persona, porque hay muchos personajes. En fin, una serie de problemas. Y me preguntaba: "¿Cómo no puedo consultarle esto a X o a Z o Y?"

M: ¿Tú crees que en *Hasta no verte Jesús mío* o en *Tlatelolco* se puede saber que fue escrito por una mujer?

P: *La noche de Tlatelolco,* no sé. En el caso de *Hasta no verte Jesús mío* los críticos, sobre todo Raúl Prieto, dijeron que parecía escrito por un hombre. Pero como es la biografía de una mujer, yo sí siento que es un libro hecho por una mujer.

M: ¡Algunos críticos dicen eso como un elogio!

P: Sí, como una flor. A mí me lo dijeron como un gran elogio: "este libro parece hecho por un hombre".

M: ¿Por qué decidiste escribir *La noche de Tlatelolco*?

P: Hice *La noche de Tlatelolco* porque en agosto de 1968 empezaron a contarme algunas cosas de las manifestaciones, a las cuales no iba porque acababa de tener a Felipito. El tres de octubre vinieron a mi casa tres mujeres: María Alicia Martínez Medrano, Margarita Nolasco y Mercedes Oliver. Llorando me contaron lo sucedido, lo que habían presenciado en Tlatelolco. Pensé que estaban histéricas, exaltadas. ¡Claro, lo que había salido en los periódicos era en sí lo suficientemente aterrador! Me contaron de pilas de cadáveres tirados en la plaza; cómo habían corrido para salir de allí; cómo Margarita perdió a su hijo y empezó a tocar en todas las puertas de los departamentos en

Tlatelolco, a las seis de la mañana del día tres. Cuando los soldados trataban de dormir, ella gritaba por los pasillos "Manuelito, dónde estás". Enloquecida de horror, a la mañana siguiente fui a Tlatelolco y todavía estaban en las puertas de los elevadores, en las paredes, las huellas de las ametralladoras, las huellas de los balazos, incluso la sangre en el piso. Todavía estaba el ejército. No había agua en los edificios y muchas de las familias habían abandonado sus casas. Me pareció terrible. Empecé a recoger los testimonios de los muchachos que querían hablar, cambiándoles sus nombres. Después, cuando salió el libro, muchos estudiantes me dijeron "yo tengo cosas más terribles que relatarle que las que usted escribió". Eso siempre sucede, al principio nadie quiere hablar, después todos quieren hacerlo.[7]

M: ¿Y cómo hiciste *Hasta no verte Jesús mío*?

P: Es la vida de una lavandera, Jesusa. Iba tres veces por semana a grabar la vida de esta mujer que fue revolucionaria. Corregí el texto varias veces antes de publicarlo.[8]

M: ¿Cómo empezaste a escribir?

P: Hice una novelita, un relato corto: *Lilus Kikus.* Es una cosa chica. Después me absorbió el periodismo porque me dio una serie de satisfacciones inmediatas, el hecho de escribir un día y publicar al día siguiente. Uno se ve entonces envuelto en una bola de nieve hecha de inconciencia y de felicidad y es difícil salir de ese estado y claro cuando se emerge de ese estado

[7] La respuesta a esta pregunta hipotética fue sacada de una entrevista de Margarita García Flores de *Revista de la UNAM*, Vol. 30, Nº 7 (marzo, 1976), p. 27.

[8] Esta pregunta y respuesta hipotéticas fueron basadas en la información aparecida en el libro de María Luisa Mendoza, *¡Oiga usted!* (México: Ed. Samo, 1973), pp. 86-91.

perennemente entusiasta, se sale a la depresión más absoluta. La soledad del escritor es un hecho. La soledad ante la mesa del trabajo —que es una cosa que uno no le desea ni a su peor enemigo— sobre todo cuando uno no logra arrancar con nada, sobre todo cuando uno no cree mucho en lo que hace o no cree casi nada en lo que hace. Yo pienso que a todas las mujeres les sucede un poco lo mismo; es muy difícil tener la tenacidad para trabajar porque ninguna mujer puede ser tan vanidosa o estar tan engreída consigo misma o tan satisfecha como para creer que lo que hace es maravilloso.

M: También porque la mujer siempre tiene otra salida. La sociedad cree que para la mujer basta ser ama de casa, pero no basta para el hombre.

P: Bueno, yo creo que no basta para la mujer ser ama de casa porque ves que muchas mujeres tratan de suplirlo con otra cosa. En Estados Unidos se trata de suplir el quehacer doméstico con máquinas. En los países socialistas los niños comen en sus escuelas y la gente que trabaja —que suele ser toda— también come en su trabajo. En Cuba vi comedores colectivos y creo que eso ayuda mucho, así como ayudan las guarderías.

M: A propósito del periodismo, ¿cuánto te pagaron?

P: Al principio menos de lo que gastaba: quince pesos por artículo. Y como decía cualquier cosa sin estar al tanto de los intereses del periódico, entonces me multaban. Recuerdo que el primer mes por treinta artículos gané más o menos doscientos pesos, o sea, doce pesos por artículo. Aún conservo mi recibo; eran doscientos y pico de pesos pero luego me quitaron todo lo de los timbres fiscales y el Seguro Social.

M: ¿No es esa una razón por la cual no hay más periodistas?

P: Bueno, en realidad, Rodrigo de Llano debe haber pensado: "A ver si sigue esta niña *popoff*, si tiene espíritu de continuidad". Además, seguramente pensó: "Ella no tiene que trabajar... A ver cuánto tiempo le dura el juego." Pensaron que para mí era un juego. Pero cuando vieron que lo hacía con seriedad me empezaron a pagar mejor, pero nunca mucho mejor. Al final me pagaban treinta pesos. Después —por la amistad de mi mamá con Alejandro Quijano; ambos se veían en la Cruz Roja— me cambié a *Novedades*. Tengo ya casi veinte años de trabajar en *Novedades*, y algo así como diez años en la revista *Siempre*.

M: Yo enseño en una universidad y me pagan bien. Además, no podría dejar de enseñar para escribir, al menos que pudiera dirigirme a un gran público o pensar que hiciera una cosa de alguna utilidad para la sociedad.

P: Mi problema también es preguntarme a cada instante: "¿Para qué?" Por eso creo que la escritora necesita un ámbito amoroso, un ámbito que proteja su trabajo, pero eso nunca se le da. Si ella misma no lo sabe conquistar o preservar, nadie se lo da porque nadie está acostumbrado a ello. Por ejemplo, me habla por teléfono alguna amiga y si la muchacha le dice: "La señora está escribiendo" entonces dice: "¡Ah bueno, entonces háblele!" Si le respondieran que la señora se está bañando o la señora está haciendo un pastel, entonces colgaría: "Le hablo más tarde". Pero que una señora escriba no puede significar más que el estar elaborando una carta estúpida a alguna amiga, un diario sentimental e inútil o las cuentas del mercado. Y si lo que está escribiendo no puede importarle a nadie más que a ella misma, entonces no sirve. Por eso estoy en desacuerdo con Virginia Woolf cuando dice que basta tener "a room of one's own" porque en América Latina escribir es más que un combate, con el ángel, es un combate contra toda una atmósfera solapada y sorda que te va cercando, un rumor en tus oídos: "Esta vieja está loca". A Alfonso Reyes en su Capilla Alfonsina mientras escribía reinaba un silencio respetuosísimo y a las once de la mañana Manuelita su mujer (con quien se casó porque él era chaparrito y ella muy alta y le podía alcanzar los libros de los estantes superiores) le llevaba un chocolatito humeante para ver si se animaba a fornicar.

M: ¿Tú haces deportes?

P: Ahora debería caminar o hacer gimnasia o algo; en el fondo toda mi vida es fácil. Lo que no es fácil es lo que tengo dentro de mí; esa desorganización.

M: Cervantes publicó *Don Quijote* a los sesenta.

P: Pues sí, pero yo tengo mucha ansia. Además, no soy Cervantes. Fíjate que siento, no sé, un sentido como moral. Siento que necesito justificar mi presencia, justificar mi estancia, pagarme mis viajes, no sé, pagarme mis viajes al cielo, no sé a dónde, pero justificar la vida que tengo.

M: Pero todavía haces periodismo, ¿no?

P: Sí, tres artículos semanarios en el *Novedades*.

M: Eso está bien, ¿no?

P: No, nada de bien porque los artículos no son buenos...

M: Pero nadie dice nada...

P: No, nadie dice nada porque durante veinte años lo hice con pasión, con curiosidad, y ahora me tratan como a una momia a quien le dejan que haga lo que quiera. Yo sé que estoy haciendo mal periodismo y lo justifico al pensar que voy a dar una buena novela. Pero en realidad es una falacia pensar que el hacer mal periodismo me va a permitir hacer una buena novela, al no darle lo mejor de mí misma al periodismo. El buen periodismo necesita un movimiento y una agilidad que no puedo darle por mi esposo, mis hijos, mi vida casera.

M: ¿Movimiento en qué sentido?

P: Soy reportera; de hacer periodismo activo necesitaría ir al aeropuerto a la una de la mañana a recibir a Borges, por ejemplo, y esto simplemente está fuera de mis posibilidades actuales.

M: Yo creo que tus hijos te van a necesitar menos más tarde.

P: Sí, pero creo que entre tanto hay que combatir el sentimiento de inutilidad, de impotencia, de neurosis, si tú quieres, que regresa sin tener mucho sentido porque la neurosis nunca tiene mucho sentido. Es simplemente como si te echaran una cobija encima y tú ya no pudieras andar. Claro que detrás de toda escritora de toda vida y de toda creación hay una enorme neurosis y una enorme dificultad, pero lo único que importa es la calidad de la obra. Creo que si la neurosis te ayuda a trabajar, bien venida, ¡ni modo! Pero si te hunde... Pienso también que la única manera de liberarse de la neurosis en el caso de un escritor, de cualquiera que se dedique al arte o a una actividad intelectual, es la creación; desfogarlo todo en la creación, vaciarse...

M: Elena, ¿tú sabes quién es Isabel Fraire?

P: Sí, cómo no. Ahora está en Bordeaux dando cátedra de literatura y obtuvo además la Guggenheim. Es una poetisa mexicana muy valiosa y es muy, muy agradable. ¿Te interesa mucho la poesía, Beth?

M: Sí, la poesía realmente fue mi campo. Antes escribía poemas, pero ahora me gusta traducirla y escribir sobre ella.

P: En México ha habido sólo una poetisa realmente grande y que no ha sido superada hasta ahora por ninguno: Sor Juana Inés de la Cruz.

319

M: Es increíble que en todos estos siglos no haya habido más mujeres poetas de renombre. Estoy convencida de que se trata de la cultura sexista y de la política literaria, no de una falta de talento femenino.

P: Sartre dice que no hay genios sin descubrir; el talento real siempre aflora a la superficie. Aunque en el caso de las mujeres hay mucho más obstáculos.

M: ¿Tú te consideras feminista?

P: ¿Cómo? ¿Del lado de las mujeres?

M: Es que yo les he preguntado eso a todas las escritoras que he entrevistado hasta ahora. Casi todas me han contestado que no.

P: No, yo no. Me parece absurdo decir que no soy feminista. Yo estoy totalmente del lado de las mujeres, yo quiero que las mujeres salgan. Quiero que mi hija tenga una carrera tan buena como la de su hermano, que tenga las mismas posibilidades, el mismo poder de hacer y deshacer.

M: ¿Igualdad de oportunidades?

P: Claro, a igual trabajo, igual salario, etcétera. Que las mujeres sepan que lo importante es que trabajen y se valgan por sí mismas y sean económicamente independientes porque entonces lo serán en todos los sentidos: sexualmente, emocionalmente, socialmente. Yo sí creo mucho en la educación. Claro que alegar que la educación puede salvar a la mujer es plantear de nuevo "la élite". Pero creo que la educación le puede ayudar enormemente a la mujer. Además de que a las mujeres se les niegan oportunidades de educación, ellas están tan condicionadas que muchas veces no las toman. Ellas mismas se limitan.

M: ¿La entrevista con Borges la hiciste con grabadora?

P: Un día sí, al día siguiente no. Pero la entrevista con Borges que es realmente buena no es la mía, sino la

de un joven, Ignacio **Solares.** Me pareció mejor que
la mía.

M: ¿Por qué?

P: Porque es más compacta, más concisa, mejor. Podrás
decirme que soy masoquista porque siempre estoy muy
dispuesta a reconocer que lo que hacen los demás es
mejor que lo mío.

M: Estábamos hablando de tu educación. Dijiste que no
habías tenido una buena preparación. ¿En qué sentido?

P: Bueno, yo tuve una buena educación en el sentido de
una educación "femenina" para ser mujer. Aprendí
francés, inglés, español, a bailar, a cantar, tocar el
piano, la guitarra, cosas que una olvida inmediatamente. Nunca hubo alguien que me dijera: "Tú puedes ser una buena doctora, arquitecta, ingeniera, abogada" y nunca tuve el suficiente carácter para escoger una carrera. Cuando regresé de *Hig School* mi
opción fue ser secretaria en tres idiomas. Si hubiera
sido hombre, esto no sucede. Tengo un título de ta-
quimecanógrafa, pero no la sé, nunca me concentré.
Por esto te digo que mi educación no fue en el sentido
de crecer, impulsar, alentar: "Aunque fracases después, pero por lo menos inténtalo".

M: ¿Tus padres no te impulsaron?

P: No se trata de eso, no es que personalmente me hayan
impulsado o no. Es nuestro medio social el que no
alentaba a las mujeres a hacer nada que no fuera sino
ser eso: mujeres.

(Esta conversación fue grabada en la casa de Elena
Poniatowska en enero, 1974, y luego editada en agosto,
1974, por las dos participantes.)

MARGARET RANDALL

MARGARET RANDALL

Poeta, ensayista, redactora, investigadora, revolucionaria y feminista, Margaret Randall nace en la ciudad de Nueva York en 1936. Su familia se muda a Alburquerque, Nuevo México, en 1947 donde estudia en la Universidad de Nuevo México. Vive en España (1955-56), en la ciudad de Nueva York (1959-61), en el Distrito Federal (1961-1969), y desde el sesenta y nueve reside en La Habana, Cuba. Su primer libro de poemas, *Giant of Tears*, sale en 1959. Continúa escribiendo poesía y publica: *Ecstasy is a Number* (1960), *Sound from the Bass Fiddle* (1964), *Songs of the Glass* (1964), *October (1965)*, *25 Stages of My Spine* (1967), *Water I Slip Into at Night* (1967), *The Blue Plastic Poems* (1968). Tiene dos antologías prologadas, *Los hippies, expresión de una crisis* (1968) y *Las mujeres* (1970). Entre sus ensayos se cuentan: *La mujer cubana ahora* (1972), *Part of the Solution* (poemas y ensayos, 1973), *Day's Coming!* (poemas y ensayos, 1973). Fue cofundadora y coredactora de la prestigiosa revista bilingüe *El Corno Emplumado* durante los sesenta en México. En 1974 fue invitada por el Centro de Estudios de Participación Popular de Lima, Perú, para dictar una serie de conferencias, *La situación de la mujer*. Tiene artículos y poemas en revistas como *Review*, *Imago*, *Provincetown Review*, *Casa de las Américas* y *The Nation*. Actualmente trabaja en la División de Ciencias Sociales del Instituto Cubano del Libro.

Margaret Randall ha tenido una vida difícil, marcada

como dice ella por "el hecho de ser mujer". No encontrando sentido en una educación tradicional, dejó sus estudios inconclusos y se casó. Después de cuatro años de un matrimonio desdichado publica su primer libro de versos. Junto con su segundo esposo, Sergio Mondragón, funda y redacta *El Corno Emplumado*. Sin embargo, esta unión también fracasa al cabo de siete años. Desde el sesenta y ocho vive con Robert Cohen. Después de la masacre de Tlatelolco tuvo que esconderse junto con su familia. Se vio obligada a mandar a sus hijos fuera de México cuando la más pequeña tenía tres meses de edad. A pesar de todos estos sucesos sigue luchando y publicando.

Quizá una de las contribuciones mayores de Magaret Randall a la cultura mexicana esté en el radicalismo político y el eclecticismo literario de su revista *El Corno Emplumado*, en la que en los primeros números, hasta el 18 y 19, había en la parte española una influencia de lo místico, un interés en lo exótico y lo cosmopolita. Más tarde hubo un fuerte renacimiento de la influencia marxista: "la idea de que la raíz es el hombre y no el misterio, que la lucha de clases y las condiciones materiales de los hombres determinan las ideologías, las actitudes, la cultura".[1]

Randall y su primer co-editor, Sergio Mondragón, publicaron poemas y ensayos de jóvenes escritores de muchos países, sobre todo de América Latina. Publicaron "La Hora 0" y muchos otros poemas de Cardenal por primera vez en inglés; poemas de Williams Carlos Williams y Ezra Pound en muy buenas versiones en español; "Kaddish" de Ginsberg, un gran poema, por primera vez en español; y mucha obra cubana (Lezama Lima, Retamar, Miguel Barnet).

También familiarizó al público mexicano con tres fenómenos norteamericanos de los sesenta: los hippies, el movi-

---

[1] Margaret Randall, en una entrevista con Nils Castro en *Santiago*, Vol. 1, No. 1 (1970), p. 121.

miento feminista y los Panteras Negras. La actitud de Randall se muestra cada vez más comprometida. Ella llega a creer que "la posición del artista o del intelectual no es independiente, aislada", que su trabajo debe ligarse plenamente con la lucha contra el imperialismo.[2] Estos ideales político-intelectuales reflejan ya su adhesión deliberada con el marxismo y la Revolución Cubana. La posición estético-política que luego adoptan Margaret Randall y Robert Cohen se resume en la cita de Karl Marx, incluida en el número 28 de *El Corno*:

La revolución social... no puede sacar su poesía del pasado, sino solamente del porvenir. No puede comenzar su propia tarea antes de despojarse de toda veneración supersticiosa por el pasado. Las anteriores revoluciones necesitaban remontarse a los recuerdos de la historia universal para aturdirse acerca de su propio contenido. La revolución... debe dejar que los muertos entierren a sus muertos, para cobrar conciencia de su propio contenido. Allí, la forma desbordaba el contenido; aquí, el contenido desborda la forma.[3]

Su contribución al mundo hispánico es el ser un importante e incansable vocero de los derechos de la mujer, del oprimido y de la creencia que "la militancia en literatura está directamente conectada a la militancia en el trabajo político".[4] Sus escritos feministas marxistas y el ejemplo de su vida han ayudado a concientizar a miles de jóvenes hispanoamericanos.

[2] Entrevista en *Santiago, op. cit.*, p. 122.
[3] Carlos Marx y Federico Engels: *Obras Escogidas*. La Habana: Editora Política, 1963, T 1, p. 153.
[4] Entrevista en *Santiago*, p. 120.

ENTREVISTA CON MARGARET RANDALL

M: Dime algo de tu vida, de cómo empezaste a escribir, de la fundación y redacción de *El Corno Emplumado*.

R: Como la mayoría de las norteamericanas de mi generación, me eduqué ignorando la realidad del mundo. Nací en 1936 en la ciudad de Nueva York y viví en sus mejores barrios hasta que, a la edad de once años mis padres se mudaron a Nuevo México. Tengo un hermano y una hermana, ambos más jóvenes que yo. Probablemente el desierto tuvo una gran influencia en mí. Siempre quise ser escritora. Cuando tenía seis años y apenas sabía leer y escribir hice un periodiquito que traté de vender al vecindario. Cuando fui adolescente escribí historietas románticas e idealizadas que salían en el periódico de la escuela. Empecé a escribir poemas en Nueva York en 1959 después de cuatro años de un matrimonio infeliz.

M: ¿Crees que has tenido dificultades en tu vida por ser mujer?

R: Mi vida, como la de cualquier otra mujer, ha sido marcada por el hecho de "ser mujer". Me eduqué antes que la liberación femenil fuera articulada en forma tan masiva como lo es ahora. Gregory, mi primer hijo, tenía diez meses cuando llegué a México en el sesenta y uno. Me casé por segunda vez con el poeta Sergio Mondragón y de esa unión nacieron Sara y Ximena de diez y once años. Mi estancia en México (1961-1969) me influyó grandemente. Dominado por el imperialismo y colonizado por una acartonada fachada de cultura europea, México me politizó. Dejé de ver la importancia de mi papel como escritora y me volví marxista. Sergio y yo empezamos una revista literaria bilingüe,

El Corno Emplumado que fue sólo una de muchas representativa de los esfuerzos literarios y sociales de todo un continente. En todas las capitales de América poetas y escritores se reunían para exponer sus tormentos, sus quejas, sus ideales, y se interesaban por lo que sus hermanos hacían en otras partes de Nuestra América. La revista salía cuatro veces por año y algunos volúmenes eran tan grandes que parecían libros (150-200 páginas). Publicamos poemas, cuentos, ensayos y dibujos. Más tarde dimos énfasis a entrevistas y artículos. Sergio redactaba la mitad en español y yo la mitad en inglés. En general la revista sufrió un gradual despertar político. Después de siete años de casados y de colaboración, Sergio y yo nos separamos. Al salir Sergio de la revista, la redacté con Robert Cohen con quien vivo ahora. *El Corno Emplumado* murió en 1969 por la represión que siguió a la masacre de Tlatelolco. Tuvimos que mandar los niños fuera del país primero. Annie sólo tenía tres meses. Desde 1969 vivimos en La Habana.

M: ¿Cuánto tiempo hace que tomas parte activa en el movimiento de las mujeres?

R: Estaba interesada en los problemas de las mujeres aun antes de mi llegada a Cuba. A finales del sesenta y nueve saqué en México una pequeña antología sobre el movimiento femenil de Estados Unidos, *Las Mujeres*. En colaboración con la Federación de Mujeres Cubanas, publiqué *La mujer cubana ahora* (1972).

M: ¿Te consideras una feminista?

R: Soy feminista si la palabra quiere decir alguien vitalmente interesado en que la mujer gane sus derechos incondicionales en todos los campos: la economía, la sociedad, el trabajo, la política, la familia. La libertad total de la mujer vendrá de su igualdad económica. No creo que la revolución socialista libere inmediatamente

329

a la mujer pero creo que es el primer paso. Todavía hay mucho machismo y sexismo en países socialistas como Cuba y Vietnam pero eso viene de siglos de feudalismo en Vietnam y del dominio colonial español y del imperialismo norteamericano en Cuba. Sin embargo la situación está cambiando: en Vietnam la mujer salió de la cocina para pelear al lado del hombre, en Cuba se celebra este año el Segundo Congreso de la Federación de Mujeres Cubanas. Hay mucho que hacer. Nosotras no podemos ser libres hasta que todas sean libres primero, y eso significa Revolución.

M: ¿Qué diferencias ves en los movimientos feministas de México, Cuba y Estados Unidos?

R: En los Estados Unidos hay varios movimientos. Yo estoy con aquellas que ven la liberación de la mujer como parte íntegra de la lucha contra el imperialismo. Ya que he estado fuera varios años, no sé mucho del movimiento en México. Durante muchos años todas las noticias concernientes a la mujer parecían emanar de escritoras de la pequeña burgusía en las ciudades grandes. Sin embargo hace poco recibí una carta de un grupo de hermanas que se autodenomina *Grupo Femenil Popular*. Tiene su base en el Distrito Federal y quiere promover un movimiento de trabajadoras. En Cuba la situación es diferente. No hay un movimiento femenil en sí. Hay en cambio la Federación de Mujeres Cubanas que es una organización masiva de más de dos millones de mujeres. Su labor principal es orientar a la mujer cubana según las indicaciones del C P Cubano e informar a los líderes de las ideas, necesidades y opiniones de la mujer cubana. Es una de las organizaciones más extraordinarias que he visto.

M: ¿Crees que alguna escritora podría ocupar el prestigioso y poderoso puesto que tiene Octavio Paz en la política literaria mexicana?

R: En términos de prestigio y poder ninguna mujer importante podría hacerlo. Octavio Paz es un político literario de la elite. Es un genio con las palabras y un buen poeta a su manera. Ha influenciado a generaciones de poetas mexicanos y probablemente a muchos otros. Sin embargo, el contenido de lo que dice —para mí, al menos— no significa nada. No puedo olvidar como utilizó la masacre de Tlatelolco para engrandecer su propia imagen. Era el embajador mexicano en la India y aparentemente renunció haciendo declaraciones públicas. La verdad es que sólo cambió de puesto y que siguió recibiendo su cheque del gobierno mexicano. Una buena poeta mexicana es Thelma Nava que escribe y vive con dignidad y con una posición política. Me supongo que en México, como en todas partes, se discrimina a la escritora.

M: ¿A qué mujeres latinoamericanas, escritoras o no, admiras?

R: Muchas que no son escritoras esencialmente han escrito cosas muy valiosas para mí. Admiro a Violeta Parra, gran poeta, cantante, alfarera y voz social de Chile que se suicidó en 1967, antes que el gobierno de la Unión Popular le diera a su país tres años de luz que los gorilas apoyados por los Estados Unidos apagaron temporalmente. También admiro a Haydeé Santa María una de las dos cubanas que junto con Fidel Castro y ciento cincuenta hombres atacaron el cuartel Moncada en 1953. Haydeé es ahora miembro del Comité Central del Partido Comunista Cubano y la directora de Casa de las Américas, institución cultural de peso y prestigio mundial. Ella ha escrito cosas que me han influenciado en mi vida y en mi trabajo. Admiro a Mónica Ertl, burguesa boliviana-alemana, que cambió su vida en la alta sociedad de La Paz por un puesto en el Ejército de Liberación Nacional fundado años antes por el Che Guevara

331

y que peleó mucho y escribió poco y que cayó acribillada por las balas de un enemigo numéricamente superior. Admiro a muchas hermanas en todo el mundo.

M: De los libros que has escrito ¿cuáles consideras funmentales?

R: Aunque no están publicados aun, los más importantes para mí son: *No pueden hacer una revolución sin ellas*, sobre las latinoamericanas, *¡Despierta Cholo, y pelea!* sobre el Perú, y *El espíritu de la gente* sobre las mujeres en Vietnam.

M: ¿Crees que algún día regresarás a vivir a Estados Unidos? ¿Te gustaría?

R: ¡Claro que me gustaría volver a vivir en los Estados Unidos! ¡Me gustaría mucho! Extraño mi patria, mi familia, mi cultura, mis muchos hermanos y hermanas.

M: ¿Qué haces ahora? ¿Cuáles son tus planes para el futuro?

R: Acabo de regresar de una visita a la República Democrática de Vietnam y a las zonas liberadas de Vietnam del Sur. Estoy escribiendo un libro sobre este viaje. Acabo de terminar también un libro de poemas, *Atrévete a luchar*. ¿Mis planes para el futuro? Eso depende de muchas cosas; de dónde estoy, de dónde me necesita la Revolución.

(La Habana, Cuba, 13 de noviembre, 1974)

CARMEN ROSENZWEIG

CARMEN ROSENZWEIG

Carmen Rosenzweig (1925) nace en Toluca. Hace sus estudios primarios y comerciales en su ciudad natal y reside en el Distrito Federal desde 1944. Asidua lectora de Rilke, Camus, Eliot y Cyril Connolly, entre otros, su formación como escritora es autodidacta. Se da a conocer publicando cuentos en revistas como *Estaciones*, *México en la Cultura*, *Nivel* y *Revista Mexicana de Literatura*. En 1957 obtiene una beca del Centro Mexicano de Escritores y en 1962 otra de la Alianza Francesa en París. Como miembro del Comité Directivo primero y como directora de redacción después, dirige la revista literaria trimestral *El Rehilete* (1961-1971).

Esta publicación continúa la tradición de *Rueca* ya que la mesa directiva consiste de mujeres únicamente. Entre estas se encuentran Elsa de Llarena, que acaba de editar un volumen de cuentos por escritoras mexicanas *(14 mujeres escriben cuentos)*; Beatriz Espejo, escritora y profesora en la Escuela Nacional de Maestros; Margarita López Portillo, escritora y mecenas de las artes; y Carmen Andrade, escritora. La larga y fecunda vida de *El Rehilete* se debe en gran medida a la dedicación y a la industria de Carmen Rosenzweig. Entre los colaboradores de esta revista resaltan los nombres de Carmen Andrade, Juan José Arreola, Guadalupe Dueñas, Salvador Elizondo, Isabel Fraire, Octavio Paz, Elena Poniatowska y Gustavo Sainz.

Aunque no tan politizado como *El Corno Emplumado*,

335

El Rehilete se le parece en su afán de dar a conocer los nuevos valores literarios del continente. Publica, por ejemplo, números enteros dedicados a jóvenes escritores chilenos y mexicanos y a poetas latinoamericanos radicados en Estados Unidos. El acto creativo parece haber sido siempre la meta de *El Rehilete*. Sirva como ilustración el número 22 (enero, 1968) consistente en siete colaboraciones breves de conocidos escritores que bosquejan su versión de los siete pecados capitales ilustrados por José Luis Cuevas. Vale mencionar también la sección "Torno de rehilete" dedicada a noticias culturales y a reseñas de libros, de exposiciones o de representaciones teatrales.

El primer libro de Rosenzweig, *El reloj 1956*, reúne trece relatos unidos por el tema del tiempo. Su única novela hasta la fecha, *1956*, publicada en 1958, es un libro autobiográfico a manera de diario que ha sido comparado con *Une mort tres douce* de Simone de Beauvoir.[1] La angustia por la paulatina muerte de su padre enfermo de cáncer y las inquietudes sexuales por el hombre al que está comprometida son los hechos alrededor de los cuales Rosenzweig construye la novela. El estilo es poético en sus mejores momentos pero el texto a veces se torna un diálogo consigo misma que mantiene alejado al lector.

Recuento para recuerdo (1967) recoge anécdotas, recuerdos, relatos y críticas. Entre estos resalta "¿Mujeres en la Academia?" que es una crítica al hecho de no haber entonces ninguna mujer en la Academia Mexicana de la Lengua. Sugiere como posibles valores de dicha organización a María del Carmen Millán —que en 1975 fue la primera mujer admitida— a Rosario Castellanos, a Guadalupe Dueñas y a Luisa Josefina Hernández. *Van Gogh y la juventud* (1970) es una interpretación personal de la vida

---

[1] Elena Poniatowska, "Las escritoras mexicanas calzan zapatos que les aprietan", *Los Universitarios*, Nº 58-59 (15-31 de octubre, 1975), p. 2.

y obra del gran pintor. *Esta cárdena vida* (1975) reúne prosa varia y poemas. Aquí encontramos lo que el escribir significa para Carmen Rosenzweig: "si no hubiera escrito, tal vez me hubiera instalado en la esquizofrenia".[2] De una íntima y sincera preocupación por el destino final del hombre y su significado en *1956*, pasamos a una visión sarcástica de la vida en *Esta cárdena vida*.

Madre soltera al adoptar a dos niños, Carmen Rosenzweig es representativa de un gran grupo de mujeres escritoras que por tener que trabajar en ocupaciones marginadas a la escritura no pudieron desarrollar su talento. Su labor como dirigente de *El Rehilete* es quizá su contribución más significativa a la cultura mexicana.

ENTREVISTA CON CARMEN ROSENZWEIG

M: ¿Cómo te caracterizas como escritora?

R: Soy enemiga acérrima de lo superficial, de la cosa que es exterioridad únicamente. Pero en México somos muy vanidosos, digo, por el gremio a que pertenezco.

M: Debe haber sido muy difícil entonces para ti salir a flote.

R: Terriblemente difícil. En 1957 obtuve una beca en el Centro de Escritores, para novela. Yo contaba con méritos propios, no por otra cosa sino porque había publicado un libro ya y en general casi todos los aspirantes no tenían aún obra publicada. Desgraciadamente, en México debemos tener padrinos para publicar o para obtener algo. Entonces, con la beca ganada a pulso, no pude hacer nada porque me la volatilizaron, y todo porque iba sin padrino.

---

[2] Carmen Rosenzweig, *Esta cárdena vida* (México: Avelar Hermanos, 1975), p. 9.

M: ¿Por qué dices padrinos y no madrinas?

R: Sí, padrinos; es esencialmente masculino esto, en México sobre todo, los padrinazgos...

M: Pero Carmen, es importante el hecho de que no hay madrinas, de que siempre son hombres.

R: Sí, sí, es que aún tenemos eso del machismo mexicano terriblemente acusado. Lo que suene a hombre, vale; si es de mujeres, quién sabe. O aquella otra expresión de condescendencia masculina: para ser mujer está bien... Y es un lastre que arrastramos aún ahora. Universalmente es el hombre y sólo él.

M: Hablas como una vieja sabia que ya no tiene miedo de nadie. ¿Cuántos años tienes?

R: Cuarenta y ocho.

M: ¿Y cuándo empezaste con *El Rehilete*?

R: Con *El Rehilete* en 1961 y yo, a escribir, desde hace muchos años, como a los nueve. Es interesante anotar el primer momento en que te inicias. Es el momento en que te acuestas a dormir como todos los días y tienes algo que quieres expresar, anotar; tienes necesidad de decir algo muy interior, antiguo, interno y lo retienes; pero estás acostada ya y en un brevísimo instante se decide tu vocación ulterior: si no te dejas llevar por lo calientito de las sábanas y no decides dejarlo para el día siguiente, y te levantas y buscas un lápiz y dejas tu idea en el cuaderno; luego viene el escribir y romper cientos de papeles, y por último, después de luchas sordas, puedes lograr una página que, tal vez, tenga sentido no únicamente para ti, sino que sea válida para los otros.

M: ¿Y cuándo empezaste a publicar?

R: A los 14 ó 15 años. Articulitos, suscritos por dos iniciales únicamente. Escritos breves, brevísimos, concisos.

M: Pero, ¿cuándo escribes? Porque tienes dos niños, ¿no?

R: Escribo cuando vivo muy intensamente. Tal vez sin
tiempo, tal vez cuando estoy más abrumada de trabajo
corriente. Recuerdo que mi novela, *1956*, la escribí sin
tener físicamente tiempo para hacerla. En los camiones, en la oficina. Como sabes, también soy secretaria
y me dictaban cartas y entre renglón y renglón de
cosas legales —contrataciones colectivas, conflictos
obreros individuales, teléfonos, laudos y terminajos de
esos— me venían momentos de efectiva inspiración
poética, y sólo escribía las puntitas de las ideas en una
orilla de la libreta para desarrollarlas después. Trabajo en una empresa minera, la antigua American
Smelting & Refining Co., Asarco, posteriormente y por
fin Industrial Minera México hoy. No se gana uno la
vida escribiendo. Un porcentaje insignificante lo pueden
hacer, los altamente consagrados y afortunados. La inmensa mayoría debemos realizar una o dos tareas diferentes para ganar lo suficiente para vivir.

M: Cuenta más sobre la historia de *El Rehilete*.

R: En el Centro de Escritores, en los tiempos de Arreola,
había muchos que queríamos publicar una revista. Por
una razón o por otra, cuando la idea era entre muchachos y muchachas no marchaba, y cuajó únicamente
cuando Beatriz Espejo, Margarita Peña, Elsa Llarena,
entre otras, éramos nueve en total, lanzamos *El Rehilete*. Se formalizó en el año de 1961, y en el primer
número contamos con un cuento de Lupe Dueñas, "La
ira de Dios". La revista tuvo una duración —larguí-
sima— de diez años y se acabó con toda dignidad en
1971. Tuvo una vida heroica porque se hizo sin dinero
casi, con poca publicidad pagada, con un escueto sub-
sidio oficial y con constantes sobresaltos para cubrir
los gastos. Las suscripciones eran muy escasas; por
otra parte, como no había dinero no se pagaban las
colaboraciones y éstas eran conseguidas por "contac-

tos" o relaciones, o por amistad únicamente. Sólo se pagaron si bien recuerdo, los pecados y las virtudes, quinientos pesos a cada pecado y la misma suma para su contrario. No obstante todo lo anterior, la calidad de la revista fue de primera porque nos propusimos que así fuera y además todas las colaboraciones eran inéditas. Pregunta acerca de la revista y todos coinciden en que fue una publicación de primer orden y que ¡duró mucho! Tres épocas nada menos, con nueve miembros en la primera, desde la dirección hasta la secretaría; en la segunda época estuvimos cuatro, y en la última dos, inconcebible pero cierto.

M: Háblame de las otras mujeres de la revista.

R: Beatriz Espejo y Margarita Peña son universitarias. Espejo hizo su tesis sobre López Velarde, y Peña es experta en letras españolas. Elsa es pintora y maestra en artes gráficas.

Antes de nuestra revista hubo otra, *Rueca*, también revista de mujeres, aparecida hace muchos años. Ahora bien, *El Rehilete* llenó la misma función de dar a la luz buenos textos que, con esto de las inexpugnables capillas, era imposible para una escritora publicar en otro lugar. Siempre afrontamos crisis económicas y una obligada —a nuestro pesar— falta de profesionalismo.

M: ¿Podemos hablar algo más sobre el factor económico? Dices que aquí en México es difícil vivir de lo que se escribe. Es decir que profesionalmente no es remunerativa la carrera de escritor. ¿No es eso?

R: Cierto, como autor de libros no se vive, quitando a los tres o cuatro nombres que sabes. Leñero, exbecario del Centro de Escritores y buen amigo, me dijo un día que él iba a vivir de escribir, y creo que lo ha conseguido, aunque ayudándose con la televisión y actualmente con un cargo de dirección en una revista de *Excelsior*. (No *Plural*, por supuesto, revista eminentemente literaria y capitaneada por la capilla de Paz, y naturalmente Paz en la cúspide.). Pero las mujeres, creo que no viven de escribir.

M: ¿En quiénes están pensando?

R: Elena Poniatowska, Luisa Josefina Hernández, Nancy Cárdenas, Lupe Dueñas, Emma Godoy, Margarita Urueta, María del Carmen Millán (ahora, como sabes, académica de la Lengua) y Rosario Castellanos, la más importante, recientemente muerta en una forma absurda. Todas ellas escritoras, pero además catedráticas, o funcionarias del gobierno, o directoras teatrales. Aunque Rosario, además de diplomática y funcionaria universitaria en el régimen de Ignacio Chávez, conocía profundamente el problema indígena y fue incansable en sus gestiones para mejorar la subvida del indígena. Al mismo tiempo, conocía a fondo la literatura francesa actual y admiraba mucho a Simone de Beauvoir. Aquí en México presentó en una ocasión a la última secretaria de la Mistral y habló extensamente sobre la obra y la extraña personalidad de la chilena.

M: ¿Quién crees que suceda en jerarquía a Rosario Castellanos?

R: Probablemente Luisa Josefina Hernández. Pero la lucha es muy feroz actualmente y estamos en desventaja. El mundo es de hombres.

M: ¿Te consideras feminista, Carmen?

R: No estoy a favor del feminismo si éste se toma como un movimiento de rencor por la subvaloración que efectivamente ha sufrido la mujer. Pienso que tal vez el mejor feminismo estribará en dar una muestra de madurez intelectual y humana.

M: ¿Crees que las escritoras sufren de ser ninguneadas? Luisa Josefina Hernández dice que ha tenido iguales oportunidades que sus colegas hombres, que los críticos la han tratado imparcialmente y que nunca ha tenido dificultades por ser mujer. Pero tal vez no sea así. Como extranjera tengo otro punto de vista.

R: El ninguneo existe, sobre todo en cuanto a las escritoras.

M: ¿Cuáles crees que son algunas de las otras escritoras que han sufrido el ninguneo?

R: Elena Garro. *Los recuerdos del porvenir* es una obra maestra. Y quizá Emma Godoy, de estirpe católica. Incide mucho en las cosas esotéricas, pero es buena escritora. En *El Rehilete* le publicamos un fragmento de su *Érase un Hombre Pentafásico*.

M: Ahora recuerdo algo que dijo Elena Poniatowska: que a veces le parece que las mujeres en México que han conseguido hacer algo realmente valioso han sido o solteras o divorciadas. Y a veces me parece que tiene razón.

R: Bueno, antes de darte mi opinión al respecto quiero decirte que Elena tiene mucho profesionalismo; es terriblemente inteligente aunque a primera vista la gente la confunde con una niña más de la *high society*. Sus actuaciones valientes en el espinoso campo de la política dicen mucho a su favor. Ahí tienes su *La noche de Tlatelolco*, sus *Palabras cruzadas*, su descubrimiento de la inmensa personalidad de doña Josefa (Jesusa Palancares) en *Hasta no verte Jesús mío*.

En cuanto al estado matrimonial de un escritor, creo que la creación es fruto del sufrimiento, de la insatisfacción, de un deseo enorme de transformar, o al menos apuntarlo, realidades que no operan ya. El feliz o el mediocre por lo general no son creadores. Recuerdo a un padre belga Troisfontaines, que imputaba a Sartre ser hombre de café, lugar frío, sin relieve, sin nada. Y Sartre le replicó que era un hombre feliz, metódico, común, que creaba. Alberto Moravia en un relato suyo contaba que un hombre feliz, felicísimo, se unió a una mujer y pensaba escribir su obra más perfecta. Y apuró largamente el placer y no creó nada. La vida es creación, pero el testimonio escrito es otra cosa. Crear es consecuente a tener sedimentación, y no todo el mundo sedimenta.

M: Yo creo que el problema es aun más serio en el caso de las mujeres. Sé de un ensayo excelente por una mujer que se llama Tillie Olsen. Lleva por título "Silencios: cuando los escritores no escriben." Según Olsen, las mujeres casadas y con niños y casa que atender sufren más graves y largos silencios que los hombres. En tu experiencia, ¿ha pesado para tu desenvolvimiento el que seas mujer?

R: Sí. En mi provincia únicamente llegaban a estudios superiores los muchachos. Naturalmente las muchachas se malograban si tenían capacidades, o se amargaban; era desusado que una muchacha se cultivara, o llegara a profesionista. Pero eso ha cambiado y estoy feliz (este tema lo toco en mi último libro, *Esta cárdena vida.*). Ya caducó el tiempo de puericultura y criadas. Después de cierto tiempo ellas sienten su invalidez en algunos órdenes. El subdesarrollo intelectual femenino se va superando. Tengo una sobrina muy joven que ya es universitaria. Y me da gran orgullo.

M: ¿Qué crítica recibiste cuando salieron tus libros?

R: En general buena, aunque escasa. Sobre todo *1956*, recibió buena crítica.

M: ¿Y crees que dejas traslucir una "personalidad femenina" en tus obras?

R: Creo que no.

M: ¿Piensas en algún libro próximo?

R: Lo que quisiera hacer, y ojalá lo haga, es una especie de retrato de nuestra vida actual, tan áspera, tan difícil, pero tan terriblemente hermosa, si tenemos tamaños. Expresarme lo más honradamente posible, sin dejarme nada, y del modo más lúcido y claro posible. La prosa debe tener la textura de la vida; nunca debe ser lineal. Y por último deberé incidir en Sor Juana, un ensayo en la misma línea que mi libro sobre Van Gogh.

M: ¿No tenías un libro que iba a salir en las ediciones del Estado de México?

R: Sí. Hace años publiqué con ellos *Recuento para recuerdo*, y ahora va a salir un volumen titulado *Obra reunida*, que incluye la producción desde 1956.

M: ¿Qué es lo que consideras como tu más grande logro personal?

R: Mis hijos. El matrimonio no me interesa. El amor sí y lo he conocido profundamente, pero la procreación habría implicado escándalo familiar. Entonces, adopté a dos chiquitos, y es lo más grande que he tenido en la tierra, como logro personal. Los amo profundamente.

(México, D. F., 17 de agosto, 1974)

ESTHER SELIGSON

ESTHER SELIGSON

Esther Seligson (1941) nace en el Distrito Federal. Se inicia escribiendo poesía pero pronto cambia a la prosa como medio de expresión. Sus primeros relatos, ensayos y traducciones aparecen hacia 1965 en *La Revista Mexicana de Literatura* y en *Cuadernos del Viento* donde funge además como administradora. Más tarde publica en suplementos literarios y revistas como *Diálogos, Diorama de la Cultura, Plural, Revista de Bellas Artes* y *Revista de la Universidad de México*. Fue becaria del Centro Mexicano de Escritores (1969-1970). Ha traducido relatos de E. M. Cioran, Franz Kafka y Robert Musil. Asimismo ha escrito ensayos críticos sobre teatro y sobre la obra literaria de varias escritoras, entre ellas Elena Garro, Clarice Lispector, Virginia Woolf y Marguerite Yourcenar.

En 1969 publica *Tras la ventana un árbol*, libro que recoge diez de sus primeros cuentos. La experiencia amorosa, vista y sentida desde una multiplicidad de perspectivas, da unidad al volumen. En "Un incesto", por ejemplo, el narrador protagonista cambia de la tercera a la primera persona para narrar escenas de los avances sexuales de sus hermanas hacia él. Este cambio enfatiza la indiferencia del hombre: "vi también cómo me poseía gimiendo y agitándose hasta desplomarse con los ojos muy abiertos".[1] Dentro

---

[1] *Tras la ventana un árbol* (México: Ed. Bogavante, 1969), p. 24. Este volumen adolece de múltiples errores tipográficos.

de la literatura mexicana éste es quizá uno de los primeros relatos en que el hombre es el partícipe pasivo en la unión sexual. El fenómeno opuesto, la posesión de una mujer por un hombre, aparece en "Tras la ventana un árbol".

De un ambiente erótico en *Tras la ventana un árbol* pasamos a uno pesadillesco en *Otros son los sueños*, novela publicada en 1973 y ganadora del premio Villaurrutia de ese año. Esta obra es un largo monólogo sobre la identidad y el significado de la existencia. La protagonista narradora se desdobla en dos voces principales: tú y ella. Por la casi inexistente acción, los motivos recurrentes y el ambiente onírico, *Otros son los sueños* sugiere comparaciones con *Tiene los cabellos rojizos y se llama Sabina* de Julieta Campos. La protagonista se encuentra a sí misma viajando en un tren sin saber de dónde viene, a dónde va, cómo se llama ni por qué viaja. Tiene la certeza de haber abandonado a un marido, a un hijo, su propio nombre y su vestido que la ataban y le impedían realizarse a sí misma. Certidumbre que constantemente le acarrea sentimientos de culpa: "Es acaso lícito dejar todo para correr tras la realización de un sueño?"[2] La seguridad de que empezar una vida nueva, escapando por completo a su pasado, es imposible, le atormenta y le presenta la muerte como único escape válido. El acto amoroso y la reproducción como funciones mecánicas desprovistas de la participación activa de la narradora subrayan el panorama pesimista que alcanza su cenit cuando ésta apostrofa a Dios: "¿Y qué será de nosotras, las mujeres solitarias, sin poder llegarnos a su templo?" (p. 83). La narradora ironiza los valores tradicionales de la mujer y acusa a Dios de egoísmo: "Es la nostalgia de un hogar la que nos impulsa a seguir por el desierto... tras las huellas de un Dios también insomne y vagabundo" (p. 103); sin

---

[2] *Otros son los sueños* (México: Ed. Novaro, 1973), p. 67. Todos los números de página entre paréntesis son de esta edición.

la ayuda de mis manos ¿quién construirá y engalanará tu santuario en mitad del desierto?" (p. 195).

Esther Seligson ahonda aun más en el tema de la identidad explorando su herencia hebraica en *Luz de dos* (relatos) y en *La escala de Jacob* (novela).[3] Junto con María Luisa Mendoza y Erica Jong, Seligson es representativa de un nuevo grupo de escritoras que narran la experiencia sexual desde la perspectiva de la mujer activa. En cuanto a su feminismo conservador, cabe citar la observación de Alaíde Foppa: "Quizás podría decirse que una mujer revolucionaria no puede ser feminista, pero sí hay feministas que no son revolucionarias."[4] Por su edad, Seligson pertenece a la generación de escritores estudiada por Margo Glantz en *Onda y escritura en México* (México: Siglo XXI, 1971), en la que no se han destacado las mujeres. De los veintiocho autores en la antología de Glantz, las únicas escritoras son Seligson y Margarita Dalton. Por su sentido crítico, su talento y su prosa pulida, Esther Seligson es una escritora que promete mucho.

ENTREVISTA CON ESTHER SELIGSON

M: ¿Dijiste que empezaste a escribir hace diez años?

S: Bueno, yo escribo desde hace mucho, pero empecé a publicar hace diez años en la revista *Cuadernos del Viento* y en el suplemento cultural de *El Heraldo*. Ocurrió algo muy curioso, pues yo le llevé a Huberto Batis (director de *Cuadernos*) una plaqueta de poemas

---

[3] Estos libros aún no habían salido publicados cuando fue hecha la entrevista.

[4] Foppa, "Las mujeres y la revolución", *Los Universitarios*, Nº 58-59 (octubre, 1975), p. 10.

y él, después de leerla, me dijo que en realidad parecían escritos a finales del siglo pasado y que por qué mejor no hacía con todo eso un relato. Y he ahí cómo mi vocación de poeta derivó en la de escritora secas. En el suplemento empecé escribiendo ensayo y traduciendo, y en otras revistas literarias publicaba mis relatos. En 1969 recopilé varios de ellos y publiqué mi primer libro que creo es malo. Bueno, no malo, era una conquista del idioma español, porque durante más de diez años no hice más que pensar, leer y escribir en francés.

M: ¿Estuviste en Francia?

S: Sí, un año. Después regresé a estudiar aquí letras francesas así que en realidad tuve que aprender a expresarme en mi propio idioma. Por lo demás, los relatos me molestan ahora porque me doy cuenta de que, en el fondo, no he cambiado nada: ellos eran muy negros y deprimentes, horriblemente fatalistas en cuanto al sentimiento y a la relación humana. Creí que había cambiado, y de pronto descubro exactamente el mismo sentimiento fatalista.

M: Hay algo bueno en eso. Por lo menos una se llega a conocer un poco, se ve que esto es igual, lo mismo que antes.

S: Sí, es cierto. Yo pensaba que puedes quitarte la piel y decir "he cambiado", pero no es verdad.

M: ¿Te consideras novelista?

S: Yo digo que soy escritora. Me gusta escribir y eso es lo que me importa.

M: Muchos escritores hombres, en cambio, dicen "soy dramaturgo" o "soy poeta".

S: Pues me gustaría llamarme poeta. Ya te dije que desde chica escribí poemas, la poesía es la cúspide de la expresión, pero me conformo con ser escritora. Es lo que soy, me gusta escribir y hasta cierto punto me da igual hacer creación que, por ejemplo, traducir. Son dos cosas distintas pero me producen la misma satisfacción y la misma depresión. Cuando estás trabajando es la misma exaltación, cuando terminas es el mismo vacío.

M: ¿Y qué es lo que estás haciendo ahora?

S: He estado escribiendo mucho ensayo, terminé un libro de relatos nuevo después de *Otros son los sueños* y estoy preparando una novela —ésta sí en el amplio sentido de la palabra, pues la anterior la considero "nouvelle".

M: ¿Escribes mucho?

S: En realidad no. La "nouvelle" tardé un año en hacerla, la terminé en 1971. La escribí en España y la traje a México para publicarla. Desde entonces hasta ahora terminé el otro libro de relatos, *Luz de dos*, que considero un libro totalmente nuevo y diferente. Primero en cuanto a su tónica absolutamente "demodée", y en segundo por el lenguaje. Por primera vez introduje el ambiente medieval que me apasiona, temas personales como es la vida en las juderías, etc. En fin, para mí representan una nueva etapa de búsqueda y gocé mucho escribiéndolos, algo así como un juego sagrado. En cambio la novela me costó mucho trabajo, trabajo interior —era una dura época de crisis— trabajo espiritual. Los relatos son como una liberación, no en balde me parece que el verdadero y único personaje en ellos es la luz.

M: ¿Y el tema de lo que escribes actualmente?

S: En *La escala de Jacob*, que empecé precisamente hace un año en España —España es un país donde quisiera vivir, es mi Tierra Prometida y ya ves que aprovecho cada vez que puedo para ir allá— trato de encontrar los puntos esenciales de lo judaico. Es, así en abstracto, bastante filosófico, lo sé. Pero creo que tengo una idea muy clara de lo que estoy buscando, y que ya no es únicamente una recuperación de la identidad como en *Otros son los sueños* —pues has de saber que soy una judía renegada que ha asumido que no le queda más que ser lo que es: judía —sino la necesidad de encontrar algo mucho más vasto, que incluye al hombre en general.

M: Estabas escribiendo una serie de ensayos sobre mujeres escritores. ¿Te consideras feminista?

S: No, de ninguna manera. Todo ese movimiento del "Woman's Lib" y lo demás no me interesa. En cuanto a escribir sobre escritoras lo hago en el sentido en que Virginia Woolf dice que el artista es un especie de heterosexual, un ser cuya mentalidad es andrógina. Y en este sentido también, para mí, el artista no tiene sexo.

M: ¿Tuviste alguna vez dificultades para publicar por el hecho de ser mujer?

S: No, nunca. En el fondo el mexicano es muy débil hacia el sexo femenino y basta que sepas coquetear, basta que no seas demasiado fea, para que no te pongan obstáculos. Así que no creo que en México las mujeres que quieren publicar tengan ninguna dificultad por el hecho de ser mujeres.

M: ¿Ni en cuanto a la crítica?

S: No, tampoco. En México hay muchas mujeres que escriben, y si no son todas escritoras, son periodistas principalmente.

M: ¿Puedes nombrarme algunas mujeres que tú consideres buenas en los diferentes campos?

S: Está Elena Garro en primer lugar: Inés Arredondo, Rosario Castellanos —que a mí no me gusta mucho, pero eso no importa—; está Julieta Campos, Luisa Josefina Hernández, etc. En cuanto a las escritoras de mi generación, o más chicas, están Elsa Cross y Elba

Macías, que escriben poco, pero escriben y, por lo menos, yo respeto a las que escriben, sea periodismo o lo que sea, si la escritura es su vocación y su vida. Está Margarita Dalton, a quien Margo Glantz incluye entre la generación de "la onda", esa que fumaba marihuana y todo. Pero no he vuelto a saber de ella.

M: ¿Puedes pensar en alguna mujer, de cualquier país de habla española, grande, así como Neruda o Borges?

S: Bueno, pues está Virginia Woolf.

M: Pero ella escribió en inglés.

S: ¿Latinoamericana? No, todavía no. No sé, es distinta la situación, pues, precisamente, desde el punto de vista social, mientras a la mujer no se le permita tener su "habitación propia", será difícil, en toda Hispanoamérica inclusive, aunque la mujer española parece un poco más liberada que la mexicana e incluso hay mucho más escritoras que aquí.

M: ¿Y crees que una mujer sí puede ocupar un puesto, digamos como el de Octavio Paz, en las letras mexicanas?

S: ¿Preguntas que si hay un poeta como Emily Dickinson o Elizabeth Browning? Sí, ¿por qué no?

M: No, no quiero decir en cuanto a su obra, sino en cuanto a su influencia, a su prestigio.

S: ¿En México? Pues creo que no. Un mexicano jamás se dejará influir abiertamente por una mujer. Jamás. El machismo es muy fuerte.

M: Tú eres la primera que lo dice. Muchas mujeres dicen que sí, "si tiene cierto carácter".

S: Mientras la mujer que escribe esté al mismo nivel que el hombre que escribe, sí, no hay ningún problema; pero apenas trate de avanzar un palmo más, ¡se acabó! No, la mujer tiene que guardar su lugar y admitir —aunque no lo crea— que el "señor hombre" es superior y que la mujer tiene su lugar. En realidad no

353

veo por qué tiene que haber lucha: una mujer es una mujer y un hombre un hombre. El problema empieza cuando la mujer quiere ocupar el lugar del hombre. Dentro de la literatura y el arte pienso que son también dos terrenos distintos.

M: No entiendo.

S: Sí, dos terrenos diferentes de la sensibilidad.

M: Pero no todos piensan eso. ¿Tú crees que leyendo tu novela se ve que fue escrita por una mujer, que tú tienes algo qué decir como mujer?

S: Yo también negaba que el sexo tuviera nada que ver, pero no es posible prescindir de los ovarios, ¿o sí? Esto te determina aunque no quieras. La sensibilidad femenina es femenina, y la masculina, masculina. Eso no quita que dentro del terreno artístico lo ideal sea la androginia de la que habla Virginia Woolf. Por eso te digo que no soy feminista, no puedes poner al hombre y a la mujer en el mismo nivel; intelectual sí, pero eso es otra cosa. Hay mujeres mucho más inteligentes, de acuerdo, pero en cuanto a la sensibilidad, todo es distinto, y qué bueno, ¿no crees?

M: Pues no estoy de acuerdo del todo. Por ejemplo, ¿qué vamos a decir de los Contemporáneos, de los homosexuales? ¿Dónde se clasifican? ¿Su sensibilidad es femenina o masculina?

S: Es distinto. Habría que redefinir, para uno mismo, qué es lo femenino, qué lo masculino. El arte aspira a una síntesis de las dos sensibilidades. Sin embargo, creo que la sensibilidad en sí está determinada. Yo no creo que eso cambie jamás y ya ves en Suecia, en Israel, por ejemplo donde las mujeres están tan liberadas, su forma de expresión generalmente no es el arte.

M: ¿Qué escritoras te gustan?

S: Están principalmente Virginia Woolf y Marguerite

Yourcenar, una extraordinaria mujer que vive en una isla cerca de las costas de Boston. Las escritoras inglesas son las que más me atraen en cuanto al pasado; y, en cuanto al presente, pues está Natalia Ginzburg, italiana; Clarice Lispector, brasileña; Carmen Martín Gaite, española; en fin, son las que primero me vienen a la mente. Debo confesar, sin embargo, que, dentro de la literatura, mis autores preferidos fueron siempre hombres. Es apenas ahora cuando estoy aprendiendo a no diferenciar en mis gustos, a "calibrar" realmente en mi paladar la buena escritura, escritura así, a secas, ni femenina ni masculina, ni marxista, ni nada que no sea eso, escritura.

(México, D. F., agosto de 1974, revisada en julio de 1976)

RAQUEL TIBOL

RAQUEL TIBOL

Nacida y educada en la Argentina, Raquel Tibol (1923) llega al Distrito Federal en 1953 como secretaria de Diego Rivera y se naturaliza mexicana en 1961. Empieza a escribir desde la adolescencia, gana varios premios escolares por sus ensayos y poemas y publica en 1950 un libro de cuentos, *Comenzar es la esperanza*. Durante su estadía en Chile primero y en México después, se inicia en la crítica de arte escribiendo para periódicos, revistas y la radio. En México colaboró en *Excelsior*, *La Cultura en México*, *Mañana*, *Universidad*, y transmitió por Radio Universidad el programa "Comentarios de Artes Plásticas". Además de sus escritos esparcidos en numerosas publicaciones del continente, su producción crítica incluye *Arturo Estrada y sus caminos en el arte mexicano* (1961) y varias obras más. Desde 1969 es miembro del Consejo del Museo de Ciencias y Arte de la UNAM.

Época moderna y contemporánea de la historia general del arte mexicano (1964), que más tarde aparece en italiano (1965) y en alemán (1971), es quizás su obra más conocida. Aquí se traza el desarrollo de la pintura, la arquitectura y la escultura en México desde la independencia hasta 1958. El libro se divide en cuatro capítulos que corresponden a un mismo número de etapas de la historia del arte en México: "Neoclasicismo e Independencia", "El esplendor de la Academia y la organización nacional", "Modernismo y porfiriato" y "El arte contemporáneo y la revolución cultural". En referencia a este libro se ha dicho que "tiene sobre todo una gran utilidad: la de fijar para el estudiante de nuestra plástica, varias de las líneas que andaban difusas y poco definidas." [1]

Raquel Tibol se ha establecido como una autoridad de la obra de Siqueiros escribiendo varios estudios sobre la vida y obra de este gran pintor: en *Peintres Contemporains* (1964), *David Alfaro Siqueiros* (1966) en alemán, *Siqueiros: Vida y obra* (1973), y una selección prologada de los escritos teóricos de Siqueiros en francés, *L'Art et la Revolution* (1973) que aparece al año siguiente en español como *Textos de David Alfaro Siqueiros*. Tibol considera a Siqueiros un clásico del siglo xx "porque supo hallar una forma elocuente para expresar ...la rebeldía ante las carencias y desigualdades". [2]

En *Pedro Cervantes* (1974), estudio sobre este notable escultor, relaciona el movimiento plástico mexicano con la neoplástica europea de entre-guerras. Aunque su prosa es pulida, no cae en el árido tono académico de tantos críticos de arte. Expone sus ideas con vivacidad y humorismo echando mano a anécdotas populares. Al relacionar la escultura de Cervantes con el movimiento plástico mexicano, dice: "Sólo el neoplasticismo y el neorrealismo, entre todas las corrientes, tendencias y expresiones artísticas de esa hora, entendieron que la ciencia y la filosofía se habían calzado las botas de las siete leguas, mientras que casi todas las demás corrientes artísticas se habían quedado como gato acurrucado junto a la chimenea". [3]

Las inquietudes de Raquel Tibol no se limitan al arte. Siendo participante activa del movimiento feminista que se

[1] Salvador Reyes Nevares, "Raquel Tibol y el arte mexicano, *La Cultura en México* (dic., 2 1964), p. 15.

[2] Raquel Tibol, *Siqueiros: Vida y obra* (México: Secretaría de Obras y Servicios, 1973), p. 12.

[3] Raquel Tibol, *Pedro Cervantes* (México: Sep-Setentas, 1974), p. 10.

enfrenta a problemas de la mujer dentro de la lucha de clases, colaboró en varias reuniones feministas y visitó Vietnam en 1970 como miembro de la Federación Democrática Internacional de Mujeres. Su estudio *Julio Antonio Mella en "El Machete"* (1968) es imprescindible en el estudio de los movimientos revolucionarios de los años 20 en Hispanoamérica. Asimismo, sus artículos sobre arte y política en *La Cultura en México* y otras revistas exponen la relación del arte con las conmociones insurgentes de los sesenta y setenta en nuestro continente.

ENTREVISTA CON RAQUEL TIBOL

M: Tú eres argentina, ¿verdad?

T: Sí, nací en Argentina y vine a México en 1953. Me nacionalicé en el 61.

M: Y eres crítica de arte.

T: Bueno, sí, pero no de formación académica. Me he hecho sobre la marcha, empezando por el periodismo cultural y poco a poco avanzando hacia la investigación de historia del arte y al ejercicio crítico.

M: ¿Qué cosas has escrito?

T: Escribía desde muy muchachita. El primer libro que publiqué fue un libro de cuentos en Argentina en 1950 que ganó faja de honor de la Sociedad Argentina de Escritores. Después, todas las otras publicaciones, a excepción de una, son de cuestiones de arte. En 1957 publiqué un número de *Artes de México* acerca de veinte años del Taller de Gráfica Popular. Después en 1961 saqué la primera de las monografías sobre Siqueiros en la Colección de Arte de la Universidad. En ese mismo año salió un estudio sobre un artista joven de México, *Arturo Estrada y sus caminos en el arte mexicano;* en el 64 apareció mi *Historia del arte moderno y contemporáneo de México.* La versión alemana del *Siqueiros* salió en el 66 y en el 68 una antología sobre Julio Antonio Mella. Tengo mucho orgullo de este libro. Mella, líder revolucionario cubano, murió en México antes de cumplir veintiséis y escribió en varias publicaciones, pero sobre todo en un órgano del Partido Comunista Mexicano que se llamaba *El Machete.* El libro se llamó *Julio Antonio Mella en "El Machete"* y tiene un subtítulo que aclara: *Antología parcial de un luchador y su momento histórico.* Hoy es un libro de consulta para los que quieran estudiar la situación social y política revolucionaria de América Latina en los años veinte, porque entonces en México confluían, como hoy confluyen, refugiados políticos de otros países latinoamericanos. Fue un momento de gran vivencia política continental de signo revolucionario.

Después en 1968 publiqué *Un mexicano y su obra,* otro *Siqueiros* totalmente diferente al primero y aun otro en 1974. En el Fondo de Cultura Económica publiqué *Documentación sobre el arte mexicano* y *Orozco, Rivera, Siqueiros, Tamayo;* lo mismo que una antología de textos teóricos de Siqueiros, *Textos de David Alfaro Siqueiros.* Preparé también dos antologías de Siqueiros, una que salió en Francia en 1973 y otra en la *Verlang der Kunst Dresden* que salió en el 75. La francesa es diferente a la alemana y ambas son diferentes a la mexicana. Siqueiros es el único teórico del arte mexicano que ha sido publicado en el extranjero. También un libro sobre Pedro Cervantes. De modo que esto es, a grandes rasgos, lo que he escrito.

M: Entonces, ¿empezaste muy joven a escribir cuentos?

T: Sí empecé muy joven, pero empecé escribiendo poesía y mi primer premio literario lo tuve por un ensayo. En el último año de bachillerato se hizo un concurso en el Club Argentino de Mujeres sobre la participación de la mujer en la vida política de la nación.

M: ¿En qué año?

T: En el 42. Entonces gané el primer premio con un ensayo sobre eso. Nunca publiqué poesía. Yo nací en diciembre de 1923 y mi libro de cuentos apareció en el 50, de modo que no fui demasiado precoz en mi literatura publicada.

M: ¿Te casaste joven?

T: Me casé a los veintiún años, en 1944, y me separé —porque en Argentina no había divorcio— en 1952. Me volví a casar en el 57 y sigo casada con mi segundo marido. Tuve una hija del primer matrimonio que ahora tiene 26 años y un hijo de diecisiete del segundo matrimonio.

M: Como crítica, ¿has encontrado dificultades u obstáculos por ser mujer?

T: En verdad no. Y puedo decirlo muy francamente porque no soy del tipo de escritora blanda. Al contrario, tengo un tono combativo, un tono a veces agresivo. No soy agresiva por principio, pero no me limito en la agresividad cuando es necesario. Y nunca se me ha señalado por ser mujer. En todo caso se me ha señapor el tono de mi crítica.

M: ¿Son pocas las mujeres en México que son críticas de arte moderno?

T: No, al contrario, son muchas las que se dedican a esto. Por ejemplo, en el Instituto de Investigaciones Estéticas casi todas son mujeres. En arte moderno, está una de las mejores críticas en el medio académico: Ida Rodríguez Prampolini. En arte colonial está Elisa Vargas Lugo y en arte prehispánico Beatriz de la Fuente. Hay una muchacha formada en Argentina, pero que ahora está trabajando en Investigaciones Estéticas aquí, que es Rita Blecher. De las gentes independientes, que

363

no nos movemos en la Universidad, están Alaíde Foppa y Berta Taracena. Entre la gente que se dedica con cierta regularidad a escribir sobre arte creo que soy la de tono polémico más sostenido.

M: ¿Eres la única que escribe en *Excelsior*?

T: ¿Dé crítica de arte? Sí. Antes que yo, estuvo Margarita Nelken, que publicó durante muchos años un tipo de columna diferente a la mía. Entonces no existía la sección cultural donde hoy aparece la columna y Margarita Nelken sostuvo su columna en la sección que entonces era de sociales. Ella era una gente muy informada, una crítica profesional. Vino con la inmigración española y fue la gran traductora de la magna historia del arte de Elie Faure al español, que se editó en Argentina. A su muerte no hubo columna de crítica en *Excelsior* por mucho tiempo. La solicité y ya he sobrepasado el número doscientos. Trabajo en *Excelsior* desde hace veinte años. Al principio yo publicaba reportajes, crítica y notas sobre arte en el suplemento dominical, no en el diario. Y en el diario empecé en '74 a sostener la columna.

M: ¿Y qué hace tu marido?

T: El está en estos momentos trabajando con uno de los geógrafos mexicanos de mucho renombre, que es Jorge L. Tamayo. El equipo de investigadores de Tamayo lo dirige mi marido. Han sacado, por ejemplo, el *Atlas sobre la salud* y varias otras cosas. Han editado todos los escritos de Juárez en 15 tomos.

M: En general, ¿dirías que te da apoyo tu marido en tu vida profesional?

T: Bueno, yo ya estaba formada cuando nos casamos. Boris tenía cuarenta años y yo treinta y tres. Entonces no era el problema de necesitar apoyo. Yo ya tenía mi campo de trabajo y él, el suyo. En general, en México, no es fácil para las mujeres desarrollarse con una personalidad independiente, sin tener vínculos de impostación con el marido. Yo tengo un carácter muy independiente. Nuestra relación posiblemente ha sido conflictiva, pero más bien en lo afectivo, no ha habido problemas profesionales. Es una gente suficientemente evolucionada él también para no tener ese tipo de problemas "típicos".

M: Vi una nota que publicaste sobre Elizabeth Catlett en *Los Universitarios*. ¿Por que te interesó la obra de ella?

T: Desde hace mucho me interesa la obra de Betty porque considero que es un caso muy singular. A raíz de su posición progresista, durante muchos años Betty no pudo entrar en los Estados Unidos, habiendo nacido allí. Desde que se nacionalizó mexicana no le permitieron entrar. Entonces ella, que surgió como una expresión del pueblo negro de los Estados Unidos, con un sentido de conciencia social y de lucha, al volver por fin a su país sintió con tal fuerza la identificación con el pueblo negro que empezó a hacer un arte muy militante, muy activo. Ha sido a la vez influida por el carácter del arte social mexicano, pero con una voz bastante propia. Considero que tiene talento y que tiene madurez para ver la problemática de su pueblo. Es una artista a quien le interesa depurar su forma. No tiene una forma estática; es una artista que evoluciona, que busca nuevos medios, que busca expresarse de manera actual. Y se ha ganado el respeto del pueblo negro norteamericano.

M: ¿Te consideras feminista?

T: No en el sentido publicitario. Durante muchos años estuve en la Unión Nacional de Mujeres Mexicanas. Inclusive asistí a reuniones internacionales de la Federación Democrática Internacional de Mujeres, que tiene su sede en Berlín. Me he ligado al movimiento femenil dentro de la concepción progresista del movimiento.

365

Es decir, no en el sentido de liberacionista, de considerar a la mujer como una clase, sino el problema de la mujer dentro de la lucha de clases, desde el punto de vista social. Por ejemplo, durante la guerra de Vietnam fui a muchas reuniones internacionales de mujeres en pro de Vietnam. Estuve en Vietnam con una comisión femenil en 1970 cuando la guerra en el sur todavía estaba muy caliente. Fuimos en una comisión de la Federación Democrática Internacional de Mujeres con su presidenta, que ya murió, Herta Kuusinen.

En Vietnam había enormes problemas para las mujeres y los niños, porque la mujer vietnamita sufría de varias cosas —la escuela de la época colonial francesa donde la mujer había sido muy prostituida. Lo mismo había ocurrido durante la agresión japonesa y después en la agresión norteamericana. Entonces, la mujer tenía secuelas de enfermedades venéreas, deficiencias en la asistencia sanitaria, problemas alimenticios, problemas de compulsión nerviosa por la situación de guerra al tener el hijo, falta de capacidad en los hospitales.

Asistí después a un seminario de mujeres, un encuentro de mujeres que hubo en Santiago de Chile en 1972, año en que ya se podía ver la situación crítica del gobierno de Allende. Era durante el paro sedicioso en que las mujeres burguesas jugaron un papel reaccionario terrible. De modo que vi los dos polos —lo que es la mujer en lucha de liberación junto a todo su pueblo— formando parte de su pueblo sin línea divisoria— y lo que es la mujer reaccionaria. Así que no creo, después de estas experiencias, que se pueda hablar de un feminismo con sentido totalizador, universal.

M: ¿Conoces a Margaret Randall?

T: Sí la conocía todavía cuando sacaba aquí la revista *El Corno Emplumado*. Después la encontré en un avión cubano. Fuimos juntas a Santiago de Chile para ese viaje y ella iba con la delegación cubana en una situación muy interesante, porque ella no formaba parte propiamente de la delegación que participaría en el seminario, sino que iba como periodista para informar no sólo de los trabajos de la delegación cubana dentro del seminario, sino de la realidad a que accedía esa delegación cubana. De modo que trabajó tremendamente. Acababa de editar su libro sobre la mujer cubana en '72. Recuerdo porque me lo regaló en el avión.

M: ¿Quisieras hablar un poquito de las artistas que admiras o que te parecen interesantes?

T: Bueno, a mí me parece que todavía no ha surgido una personalidad del interés de Frida Kahlo, porque Frida Kahlo fue una adolescente combativa. Es decir, aun antes de tener sus enfermedades derivadas del accidente que tuvo a los dieciséis años, como muchachita de catorce, quince años, ya había accedido con mucha fuerza, sin mojigaterías de femineidad, sino con mucho sentido de independencia, a participar en la lucha general del estudiantado de la época. Y luego, debido al accidente que la deja postrada e inmóvil, tiene el valor —una muchachita de dieciocho años que no había salido de México, cuyo campo, cuyo radio de actividades era Coyoacán y el viejo barrio universitario de la ciudad— de casarse con un hombre que tenía cuarenta años y era Diego Rivera. Realmente hubo un amor muy profundo, un amor animal entre ambos. Lo digo porque pude convivir con ellos, porque a mí me trajo a México Diego Rivera. Llegando, yo conviví con ellos, parte en el estudio de Diego en San Ángel Inn, parte en la casa de Coyoacán. Lo que me impresionaba realmente era el afecto que los ligaba. No era ni el amor idílico, ni la ilustración burguesa, ni el amor carnal, porque no podían cohabitar. Dentro de ese clima Frida se desenvolvió con mucha independencia: nunca fue, digamos, una hechura de Rivera. Los dos concibieron una vida muy especial.

Además Frida era drogadicta muy avanzada por los problemas de su enfermedad. Cuando yo la conocí usaba drogas terribles, inclusive con permiso del médico. Aún dentro de eso no perdía conciencia, no perdía anhelo de vivir, no perdía ganas de crear, no perdía interés por los demás. Cultivaba mucho la amistad, el afecto, el odio. Era un ser muy complejo, con muchas culpas, con muchas aristas. En vida casi no le hicieron exposiciones —tenía que mandar a sus ayudantes a que rogaran, casi llorando, ante el Instituto Nacional de Bellas Artes para que compraran un cuadro, porque Rivera y Frida Kahlo nunca tuvieron mucho dinero en la bolsa. Siempre les faltaba dinero en efectivo, aunque él compraba las grandes colecciones de arte prehispánico y vivían rodeados de cosas. Es posible, de acuerdo con el éxito, que haya artistas que han tenido una vida más brillante que la de Frida pero no ha surgido otra personalidad similar en México en cuanto a profundidad, a sentido sarcástico, a sentido del humor, a sentido antiburgués.

Inclusive su fuerza es un detalle bien particular. Frida era muy enamorada desde chiquilla. Después yo consulté al que fue el primero de sus novios, con quien se iba a casar, que es un escritor interesante, Alejandro Gómez Arias. Hombre muy brillante, de su misma edad, mucho más joven que Rivera. Pero ella deja a ese joven y se casa con Rivera. Ella era muy enamorada. Quiso tener un hijo de Diego y no pudo porque en el accidente quedó cercenada su matriz y a los tres o cinco meses se producía el aborto natural. Entonces, el amor de Rivera era suficientemente profundo como para provocar inducciones más allá de las que podría hacer un psicoanalista o un psiquiatra. La con-

368

venció de que un escape para ella, para esa sensualidad de mujer joven, era ser lesbiana. Y ella fue lesbiana y a la vez enamorada de Diego. Fue una especie de fuerza bruta de la naturaleza. Se permitió todo.

M: ¿Y conoces también a Leonora Carrington?

T: Sí. No la he tratado mucho pero sí conozco su trabajo, su pintura.

M: ¿Y crees que Frida es más surrealista?

T: Sí, absolutamente. Leonora es más arte fantástico. El surrealismo necesita salir de la realidad actual, para morder en una hiperrealidad. Leonora Carrington se evade de la realidad totalmente, entonces pierde uno de los elementos fundamentales del surrealismo: el de sobrevalorar la realidad. Frida parte de su elemento autobiográfico como dato para desarrollar su arte, y ese elemento le establece una serie de determinantes, de fijaciones, de ensueños, de tensiones últimas que le dan una condición surrealista a su arte. Creo que es uno de los pocos artistas surrealistas de México, entendiendo el surrealismo como lo puedo entender yo, es decir, no una cosa que va a lo onírico. Creo que lo onírico es un factor más, pero no el más importante del surrealismo.

M: Sí, pero Leonora Carrington dice que nunca pinta cosas basadas en estados oníricos. Hace una distinción entre sueños y estados hipnagógicos.

T: Son sutilezas de expresión. Cuando decimos onírico, desde el punto de vista del arte, no estamos pensando que alguien despertó del sueño y se puso a anotar lo que había soñado, aunque eso también se ha hecho en arte. Pero onírico es el sueño consciente, el sueño voluntario. En el arte onírico entran muchas posibilidades. Eso sería el hipnoarte, una especie de autohipnosis para lograr una fantasía determinada. Pero la Carrington reitera mucho su repertorio.

M: ¿Qué otras artistas crees que son interesantes?

T: Está surgiendo una importante generación de artistas mujeres. Hubo otra que también tuvo mucho interés, sobre todo en su actitud: Celia Calderón. Fue estudiante en la Escuela de San Carlos y tuvo de maestro a otro artista, muerto también que fue Julio Castellanos que la inició como artista y como mujer y como todo. Fue la amante-alumna. Dentro de la pintura realista mexicana le corresponde un lugar sobresaliente por la finura de su trabajo.

Después ingresó al Taller de Gráfica Popular e hizo obras muy buenas. Viajó por China, aprendió la técnica y trajo papeles, tintas, y pinceles de China. Posiblemente son los suyos los mejores dibujos que se han hecho en México a la manera china. En un determinado momento pensó que nada valía la pena. Escribió una carta a la que le estuvo cambiando la fecha varias veces; y al fin se pegó un tiro en el salón de clases. Me sigue llamando la atención esa personalidad porque a la vez era muy fina en su trato, tenía el temperamento de la indígena mexicana, retraída, muy reservada, de pocas palabras, de pocos amigos, de no compartir mucho la vida íntima con nadie.

M: ¿Y en cuanto a las jóvenes?

T: Están surgiendo. En México hay una característica bastante importante: las artistas no son únicamente de extracción burguesa. Hay de pequeña burguesía y de clase trabajadora. Por ejemplo, hay una chica que trabaja de oficinista en el periódico *El Nacional*, María Luisa Paraguirre, que es una de las mejores grabadoras de México. Graba en metal y también en madera. El sentido erótico no es obvio porque lo da a través de plantas, de frutas. A veces el sexo femenino se ve convertido en raíz. Lo hace muy visible y a la vez tiene sentido de la metáfora visual. Y te digo, es una chica oficinista.

Herlinda Sánchez Laurel es hija de obreros. Ella pinta cuadros y ha pintado un mural. Hizo su carrera en La Esmeralda. Fue la dirigente de los estudiantes de su generación y después diseñadora para el libro de texto gratuito.

M: ¿Cuántos años tiene más o menos?

T: Herlinda debe tener como 32 o 33. Sé que hay otros casos. Por ejemplo, Elena Huerta era una buena artista, aunque ahorita ya no lo es tanto, también de extracción popular. En la época del Taller de Gráfica Popular varias de las artistas grabadoras eran de extracción popular, de clase trabajadora.

M: ¿Puedes explicar por qué hay más mujeres pintoras de extracción popular que escritoras?

T: Por la tradición que hay en México que no únicamente corresponde a las mujeres, sino también a los hombres. Mientras que entre los escritores en México no se dieron agrupamientos de tipo revolucionario, sí se dio entre los artistas plásticos. Pintoras, pintores, grabadoras, grabadores, ilustradores, ilustradoras se juntaban para expresar temas del pueblo. Esto no se dio entre los escritores. Si buscas agrupamientos similares dentro de los escritores, no los hay, fuera de la Liga de Escritores y Artistas Revolucionarios, que se creó en los años de la preguerra, durante el gobierno de Cárdenas. Cuando desaparece, no vuelve ya a surgir un solo organismo democrático de escritores. Además el hacer del artista plástico es algo bastante más independiente que el del escritor. En general, el escritor en México se ha movido en un medio más burgués.

M: ¿Puedes pensar en otras mujeres que en México se han destacado en el mundo cultural sin ser artistas o escritoras?

T: Bueno, en México, el ámbito de participación de la mujer está condicionado un poco también por una cosa que desde el punto de vista de una moral establecida es un grave defecto y que a la vez creó condiciones de bastante independencia para la mujer. Es el viejo hábito machista de la casa chica y la casa grande el que es responsable de que un porcentaje muy elevado de los jefes de familia en México sean madres solteras. Entonces la abundancia de la madre soltera le ha dado a la mujer en México una necesidad de desarrollar iniciativas de muy diversas índole. La mujer en México no esperó tener los papeles para casarse, y no únicamente la mujer de los estratos muy bajos. Por ejemplo, muchísimas maestras de escuelas primarias son madres solteras; oficinistas importantes son madres solteras; en la burocracia hay muchísima madre soltera. De modo que eso sería la mayor singularidad de la mujer en México.

M: Yo conozco a media docena.

T: Hay muchísimas. Y eso se debe un poco a ese factor de que el hombre tiene una casa legal y después otra casa sin papeles. Luego, un terreno en donde la mujer en México se desarrolló estupendamente es el terreno de la coreografía. México ha tenido y tiene hoy, para mi criterio, una de las grandes coreógrafas de la danza moderna a nivel continental que es Guillermina Bravo. Guillermina Bravo es una gran creadora de concepciones coreográficas y es una mujer que ha pasado, digamos, por los estadios del desarrollo del arte de México, que ha tenido su etapa nacionalista y su etapa de cierta conmbatividad. Después se ha ido de manera radical al formalismo y está ya, con mayor madurez, volviendo a un arte más completo, expresándose con gran forma artística.

También Ana Mérida tiene una producción coreográfica interesante. Entre las bailarinas coreógrafas contemos a Rocío Sagaón, Rosa Reyna. Valentina Castro,

Gloria Contreras, Josefina Lavalle. La mayoría de las coreografías en México las han hecho mujeres. Es casi una ocupación femenina. Hay muy poca coreografía de hombres.

(México, D. F., marzo 1976)

YOLANDA VARGAS DULCHÉ

YOLANDA VARGAS DULCHÉ

Hija de padre mexicano y madre francesa, Yolanda Vargas Dulché (1923) nace en México, D. F. Sus inquietudes literarias le vienen de dos vertientes. Su madre era periodista y su tía fue la famosa escritora de radionovelas, Catalina D'Erzell. Su formación infantil, que incluye casi un año en Los Ángeles, California, fue precaria. Al llegar la Gran Depresión regresa a México donde continúa sus estudios. En 1939 empieza a escribir cuentos para *El Universal Gráfico* y para el suplemento dominical de *El Universal*. En un concurso del cuento mexicano, organizado por la Universidad Nacional, recibe por aquel entonces un premio por su cuento "Alma mexicana". Más por necesidad que por vocación acepta una oferta para escribir historietas. En 1941 se inicia en este género con *El Chamaco Chico* y sigue más tarde con *Pepín*, alcanzando un éxito inusitado. Su historieta más exitosa es *Lágrimas y Risas* que, según la autora, tiene una venta de más de un millón de ejemplares semanales. *Memín Pingüin* tiene casi esta misma difusión tanto en México como en algunas ciudades de los Estados Unidos.

No contenta con escribir historietas únicamente, Vargas Dulché escribe obras teatrales: *La Solterona* y *Celos*, escenificadas en el radio por aquel famoso cuadro radiofónico de Pura Córdoba y Abraham Galán. Publica también *Cristal*, biografía novelada que abarca los primeros quince años de su vida. Sus telenovelas han gozado de un público muy numeroso. *Yesenia*, por ejemplo, ha sido televisada repetidas veces en muchos países de habla hispana, en las ciudades estadounidenses de Nueva York, Miami, San Antonio y en todo el estado de California. Se han filmado varios de sus argumentos para el cine. Entre ellos resaltan *Ladronzuela, Zorina* y *Cinco Rostros de Mujer,* concediéndole a éste la Academia Cinematográfica el Ariel para el mejor argumento de cine 1947.

Vargas Dulché, pues, es una escritora muy popular. Sus argumentos para telenovelas y películas han entretenido a millones de hispanoparlantes. Desde cierto punto de vista, el valor de sus historietas es haber despertado el interés por la lectura entre el público que apenas sabe leer. Su contribución a la literatura hispánica radica en tres nuevos "géneros" literarios de propagación masiva: la historieta, la telenovela y el cine. Yolanda Vargas Dulché, nombre poco conocido en círculos literarios, es conocidísimo entre el pueblo de México.

ENTREVISTA CON YOLANDA VARGAS DULCHÉ

M: ¿Ha escrito usted para la televisión?

YVD: Sí. Yo me inicié en la historieta y debido al éxito que tuve me pidieron que escribiera para la televisión.

M: ¿Y en la T. V.?

YVD: También he tenido suerte en la televisión. Por ejemplo, el argumento de *María Isabel,* que escribí para la televisión, fue llevado con gran éxito a la pantalla. Otros argumentos felices fueron *Encrucijada* y *Rubí.* Últimamente ha tenido un gran éxito en la historieta y en la televisión *Yesenia.* Sin embargo, en el cine no. Fanny Cano hizo el papel de Yesenia en la televisión, pero en la película no pudo hacerlo por causa de enfermedad. Parece que el público reaccionó contra esto porque la película no tuvo el éxito de la telenovela. Jacqueline Andere en el papel de Yesenia estuvo maravillosamente bien, pero no le valió. Así es el público; se enamora de un personaje y no admite cambios.

M: Parece que el gran público conoce el nombre de los actores pero no el de los escritores.

YVD: ¡Ah sí! ¡Claro que sí! Pero por *Yesenia* recibí tres premios.

M: ¿Cuál es la trama de *Yesenia*?

YVD: Yesenia es una gitana que no es gitana. El asunto es muy intrincado y es así que le di un poco más de duración. No como esas obras que ya han agotado el asunto y se alargan y se alargan queriendo sostener el interés del público y lo que encuentran es su rabia porque ven que es tomada de pelo.

M: Sí, se burlan. ¿Más o menos cuántos capítulos tiene?

YVD: Tuvo treinta y dos. No, fueron cuarenta.

M: ¿Era diaria?

YVD: No, una vez por semana. Es más difícil mantener el suspenso cuando hay siete días en que olvidarlo. De un día para otro es fácil. Fue la primera vez que se hizo una telenovela con un intervalo de una semana.

M: ¡Dura casi un año!

YVD: Sí. Casi un año y de gran éxito. Se televisó en el canal dos y a los cuatro meses estaba pasando por el cuatro. Después hice otra con Sylvia Pinal, *Quién*.

M: ¿Quién?

YVD: Sí. *Quién*. Título raro que se prestó a situaciones cómicas. Por ejemplo, la empleada que me dijo: "Mire señora, ya sé que usted es Yolanda Vargas Dulché. Ahora quiero el título de su telenovela".

"Sí señorita, *Quién*". "No, yo quiero el título". "No señorita. Mi novela se llama *Quién*".

M: ¿De qué trata?

YVD: Es la vida de una mujer que pierde la memoria y que no sabe quién es. Entonces piensa: "¿Quién soy? ¿Quién fui? ¿Qué hice antes?" Eso fue lo último que hice para la televisión.

M: ¿Es usted la decana de la historieta en México?

YVD: Sí, soy la decana. Me inicié muy joven. Escribía yo cuentos para *El Universal* con miras de ir a Filosofía y Letras cuando alguien me preguntó si quería yo escribir historietas. Mi respuesta fue "¿Pagan?" Y así, a los dieciocho años escribí mis primeras historietas. Primero *El Chamaco Chico* y después *Pepín*. Mi esposo, que también argumentaba para esas editoriales, y yo nos independizamos más tarde.

M: ¿En qué año?

YVD: En 1957. Y nos lanzamos con el consabido fracaso que es el mejor cimiento del triunfo.

M: ¿Cuándo empezó *Lágrimas y Risas*?

YVD: Empezó el 11 de febrero de 1963.

M: ¿Tú la escribiste sola y salía cada semana?

YVD: Sí.

M: Al preguntarle a los taxistas si han oído nombrar a Elena Poniatowska me contestaron que no. En cambio, al mencionar tu nombre, la respuesta invariablemente fue: "¡Ah, sí, la de *Lágrimas y Risas!*"

YVD: Logré lo que me propuse. Entrar al pueblo y darle diversión y un mensaje. Tengo otra historieta que ha sido muy bien recibida. *Memín Pinguín*. Trata de un niño negro.

M: Has escrito como veinte historietas, ¿verdad?

YVD: No, mucho más.

M: ¿Cuántas?

YVD: Pues mira, a ojo de bandolero te voy a decir: *María Isabel, Noche, Vagabundo, Yesenia, Encrucijada, Quién, Umbral, Gabriel y Gabriela, Entre Sombras, El Pecado de Oyuqui, Geisha, Carne de Ébano, El Hijo de Yama, Alma en los Labios, La Señorita 1925, Ladronzuela.* Esta última fue llevada al cine y hecha por Blanca Estela Pavón.

M: Entonces, tus telenovelas salieron primero en historietas.

YVD: Sí, y fue una gran satisfacción ver que mis historietas eran bien recibidas en otros niveles como la televisión y el cine.

M: ¿A qué atribuyes tu éxito? ¿Te consideras ahora escritora de guiones cinematográficos?

YVD: No, únicamente argumentos.

M: Entonces, ¿te consideras escritora principalmente,

YVD: Desde luego que sí.

M: ¿Crees que muchas mujeres pueden ganarse la vida escribiendo en México?

YVD: Sí, si se dedican a ello cien por ciento como debe hacerse. ¡Claro que sí! Pero si a las primeras de cambio quieren tener un éxito rotundo y demás, pues van a soltar el arpa.

M: Raquel Tibol dice que muchos de los grandes artistas mexicanos son de extracción popular, excepto los escritores. ¿Tú te consideras de extracción popular?

YVD: Pues mira, "fifty-fifty". Mi familia fue en sus tiempos clase media, tal vez clase media alta, pero cuando yo tuve el chiripazo de llegar al mundo la cosa iba para abajo. Estudié con muchos trabajos y con mucha pobreza. Yo no capto eso que el escritor sale únicamente de una casa acomodada. Al contrario, las mayores experiencias las da la vida, no una biblioteca. Cuando se carece de todo, todo se siente

381

más profundamente. Es fácil para mí escribir sobre las niñas pobres de México porque yo viví esa experiencia.

M: Entonces, ¿empezaste a escribir antes de casarte?

YVD: Sí. Tengo cinco hijos y veinticinco años de casada.

M: ¿Crees que por ser mujer la carrera de escritora es más difícil?

YVD: Pues sí es difícil, muy difícil. Pero se logra, se puede lograr ser madre, ser esposa, ser trabajadora. Se divide una en ochenta cachos pero todos te dan satisfacción. Cuesta mucho trabajo, sobre todo cuando los hijos son pequeños. Yo tuve uno cada año y me llené de pañales y biberones, pero seguí escribiendo. Ahora están formados y me dan una gran satisfacción. No me sentiría completa si mi vida hubiera sido distinta.

M: ¿A qué escritoras mexicanas admiras?

YVD: Me gusta la poesía de Rosario Sansores pero no su prosa.

M: No la conozco.

YVD: Se dedicó más tarde a la cosa social. Yo leía sus versos cuando tenía quince años. Tuve una tía, hermana de mi madre, a la cual admiré yo mucho, Catalina D'Erzell, que escribía para radio.

M: ¿En los veinte?

YVD: No, en los treinta.

M: Hubo en los treinta una escritora que se suicidó, Concha Urquiza.

YVD: Tuve una compañera de la secundaria llamada Concha Urquiza, pero no sé si es la misma.

M: ¿Todavía se venden historietas?

YVD: Ya no tanto, pero sigue siendo un éxito *Lágrimas y Risas*. Es la revista que se vende más en México.

M: ¿Más que *Avance?*

YVD: Sí, se vende más de un millón de ejemplares a la semana.

M: Se dice que a la gente no le gusta leer ya y que prefiere ver televisión. ¿Le ha quitado la televisión público a la historieta?

YVD: Mira eso es un cuento de los pseudo-intelectuales que quieren menospreciar a los que hemos logrado popularidad. Sus libros son tan elevados y tan caros que sólo los leen un número reducido de personas. La historieta ha tenido éxito porque es algo que se lee en diez o quince minutos y entretiene. Tengo honor en decir que la historieta ha enseñado al pueblo a leer mejor. A un libro de texto no le hacen caso, sin embargo, juntan las letras con ansiedad por saber qué le pasó al muchacho o a la muchacha.

M: ¿Las historietas enseñan una lección moral o social,

YVD: La historieta ha servido como *modus vivendi* a mucha gente indecorosa que saca hasta pornografía. Yo, por mi parte, siempre trato de enseñar una lección. Nunca he escrito nada de lo cual pueda avergonzarme. Pero de cualquier manera me tiran mucho.

M: Cuéntame.

YVD: En una entrevista que me hicieron en el canal 8, la entrevistadora me quiso revolcar y quedó mal. Durante la entrevista los teléfonos empezaron a sonar como locos porque yo tengo mucho público simpatizante.

M: ¿Crees que el Movimiento Feminista ha dejado alguna huella en la telenovela?

YVD: ¿Cuál movimiento? ¿Qué huella? ¿La liberación de la mujer?

M: Sí.

YVD: Bueno, desde antes de empezar esto de las mujeres yo hacía personajes femeninos liberados. *María Isabel* es la historia de una indita que llega descalza de la sierra, aprende a leer y a escribir, se abre paso y llega a ser la patrona de la casa en la cual servía. Lo logra a través de sufrimientos, de abnegación, de mil cosas. Yesenia se casa con uno que no es gitano y sin embargo ella se impone. Mis personajes femeninos que quieren llegar, llegan. Es más difícil para la mujer, pero si se propone resaltar, resalta.

M: Tú no aceptas que te llamen feminista, ¿por qué?

YVD: Hay dos acepciones de esa palabra. Una que llega al extremo de rechazar al hombre y yo no estoy de acuerdo con eso. La mujer necesita al hombre. Es su complemento. Tampoco estoy de acuerdo con exigirle manutención a un hombre por ser el padre de un niño. Creo que la mujer tiene la suficiente fuerza y capacidad para no necesitar el respaldo de un hombre. Si no, volvemos a lo mismo, a nuestra dependencia del hombre. Creo que es tremendamente beneficioso que la mujer se esté quitando esa semblanza de mujercita babosa que sólo sabe cocinar, lavar y tender camas. Pero algunas mujeres prefieren aguantar todo a salir a trabajar, a luchar, a liberarse. Prefieren colgarse del pescuezo de un hombre que las mantenga. Es preferible lavar pisos que percibir el gasto con patadas, groserías y vejaciones. Esta mujer ayuda a perpetuar el machismo mexicano. En nuestro tiempo las oportunidades de trabajo son mayores para la mujer y la influencia de la iglesia con eso del divorcio es menos.

M: Entonces, ¿eres feminista en la otra acepción,

YVD: Sí. No hay que echarle la culpa al hombre. La mujer es muy culpable del poder del hombre.

(México, D. F., 14 de julio, 1976)

JOSEFINA VÁZQUEZ

JOSEFINA VÁZQUEZ

Josefina Zoraida Vázquez (1932) nace en el Distrito Federal. Hace estudios en la Universidad de Harvard, en la Universidad del Estado de Louisiana, en la Universidad de Cuyo, en la Universidad Central de Madrid donde se doctora (1958) en historia de América, y en la Universidad Nacional de México donde obtiene una maestría en historia (1956) y su doctorado en el mismo campo (1968). Para estudiar en España obtuvo una beca del Centro de Cultura Hispánica (1956-1958), otra para la Louisiana State University de la misma institución (1959), una más de la Organización de Estados Americanos para Argentina y Chile (1960) y otra más de la Rockefeller Foundation para Harvard (1962-1964). Si su formación es cosmopolita, su experiencia como maestra y conferencista no lo es menos. Ha ejercido la docencia en la UNAM, en la Universidad Femenina de México, en la Universidad Iberoamericana, en el Colegio de México, en Duke University y en la Universidad de Texas (Austin). Asimismo, ha dado numerosas conferencias en escuelas superiores del país y del extranjero. Entre éstas se encuentran las universidades de Córdoba y de Cuyo en la Argentina, la de Montevideo, la de Santo Tomás en Manila, la de Indonesia en Jakarta, la de Tokio y la de Chicago. Desde 1960 está afiliada al Colegio de México y en la actualidad es directora del Centro de Estudios Históricos.

Vázquez ha sido editora de *Historia Mexicana* (1964-

1965) y de *Anglia* (1967-1973). Cuenta además con numerosos y valiosos artículos y ensayos de investigación en revistas como *Historia Mexicana, Anuario de Historia, Revista de Indias, The Journal of Contemporary History, La Palabra y el Hombre, Diálogos, Deslinde, Latinoamérica* y *Anglia*. Ha escrito también la sección de historia latinoamericana para la *Enciclopedia Británica* y tradujo *The Millennial Kingdom of the Franciscans* de John Phelan.

Dentro de su campo, Vázquez se interesa en la historia mexicana y norteamericana. Cuenta con dos libros teóricos, *Historia de la historiografía* (1965) y *La formación del mundo moderno* (1975) en colaboración con L. Knauth y A. Villegas. Ha publicado también *Mexicanos y norteamericanos ante la guerra del 47* (1971), y tiene otro libro en prensa, *La revolución de independencia norteamericana y mexicana* en colaboración con R. Morris y E. Trabulse. Sobre la historia de su país se han editado *La imagen del indio en el español del siglo* xvi (1962), *Miguel Hidalgo y Costilla* (1970) y *Un recorrido por la historia de México* (1975) en colaboración con Alfredo López Austin y Edmundo O'Gorman.

En *Nacionalismo y educación en México* (1970), la profesora Vázquez explora el difícil problema del nacionalismo mexicano a través de la trayectoria de la enseñanza de la historia ya que ésta es "una de las formas en las que la sociedad transmite, intencionalmente, a las nuevas generaciones la red articulada de símbolos que constituyen la verdad básica de los ciudadanos acerca de su propio país".* La autora divide esta trayectoria en cinco etapas: (1) fase en que se postulan los caminos que debe seguir el país para

* Josefina Z. Vázquez de Knauth, *Nacionalismo y educación en México* (México: El Colegio de México, 1970), p. 1. Josefina Z. Vázquez fue, durante más de diez años, Josefina Vázquez de Knauth ya que estuvo casada con L. Knauth, historiador norteamericano.

alcanzar el progreso (1821-1857); (2) etapa de fórmulas utópicas que deberían de conducir el país a la felicidad (1857-1889); (3) época iniciada por el primer Congreso Nacional de Instrucción Pública que establece las bases de una reforma educativa (1889-1917); (4) etapa de búsqueda por realizar las promesas que el porfiriato nunca cumplió (1917-1940); y (5) fase en que se trata de unificar la educación en todo el país sentando las bases de una verdad única (1940-1960), esto es, el uso de un determinado texto en todas las escuelas oficiales del país.

Las preocupaciones de Josefina Vázquez no se limitan a la historia ni a la educación superior. Ha publicado artículos sobre la mujer norteamericana, y, como escritora de libros de texto obligatorios, a partir de 1970 ha participado activamente en una de las reformas educativas más trascendentales de la presente centuria. La innovación consiste en concientizar a la juventud acerca de los grandes cambios históricos del momento. El libro de sexto año en particular —texto que cubre la independencia, las revoluciones francesa, mexicana, rusa, china y cubana, y la guerra de Indochina— suscitó grandes polémicas.

ENTREVISTA CON JOSEFINA VÁZQUEZ

M: Dentro de la historia, ¿cuál es tu especialización?

V: Bueno, he sido historiadora de historia de México durante muchos años, pero en 1962 cuando me casé y me iba a Harvard, el Colegio de México me ofreció una beca para estudiar historia de Estados Unidos. Desde entonces he estado enseñando historia mexicana. Mi campo de especialización es el siglo XIX y me ha interesado especialmente la historia de la guerra con los Estados Unidos, que es un poco el intermedio entre mis dos campos.

M: ¿Quieres hablar algo sobre las cosas que has escrito?
V: Empecé trabajando historia colonial y escribí sobre el siglo XVI mexicano. Después me preocupó muchísimo que la historia mexicana, en términos generales, fuera tan nacionalista y que la historia que se enseñaba en las escuelas era muy partidarista. Me dediqué a estudiar la educación y los libros de texto durante mucho tiempo, y escribí un libro que se llama *Nacionalismo y educación en México*. Este campo resultó especial, y en la Tercera Reunión de Historiadores Mexicanos y Norteamericanos que tuvo lugar en Oaxtepec en el 69, yo critiqué los libros de texto escolares. De esto resultó que cuando cambió el gobierno, el secretario de Educación me invitara a hacer los libros de texto escolares.
M: Entonces has podido hacer teoría y después la has puesto en práctica.
V: Sí, y creo que con algún éxito. Es decir, siento que es un éxito el hecho de poder escribir para diez millones de niños mexicanos. Además he escrito sobre la historiografía alrededor de la guerra del 47 —la guerra entre México y los Estados Unidos. También he escrito algunas cosas sobre el pensamiento histórico en general y artículos sobre muchos otros temas; incluso uno sobre la mujer en la historia norteamericana, escrito en '71 Así, en general, los temas de todo lo que he escrito tienen relación con México y con los Estados Unidos, sobre todo en el siglo XIX.
M: ¿Me podrías hablar de las investigaciones del Colegio?
V: En el Colegio, en el Centro de Estudios Históricos, somos diecisiete investigadores; nueve mujeres y ocho hombres, somos bastante productivos. En el Colegio hay bastantes más mujeres que en casi ninguna otra institución en México. En un plan muy realista, diría que nos hemos impuesto tanto, que dos centros tienen directoras mujeres. En el pasado ha habido hasta cuatro

directoras al mismo tiempo, por lo cual creo que siendo mujer y teniendo inquietudes al respecto, es una institución muy agradable para trabajar.

M: Parece extraordinaria la falta de discriminación contra las mujeres en el Colegio.

V: Hay menos mujeres que hombres entre los alumnos, pero creo que es una institución en donde no es tan importante el sexo. Todavía no ha habido ninguna presidenta del Colegio de México, pero creo que no será remoto que suceda. Se ha admitido que la calidad es muy alta entre las investigadoras, y en general son de las más antiguas colaboradoras del Colegio de México. Así, la mujer investigadora no es una cosa nueva ni especial, sino que ya es una tradición en el Colegio.

M: No estás hablando sólo de tu departamento, sino en general.

V: En general hay muchas mujeres. Creo que Historia y Estudios Lingüísticos y Literarios son los dos centros donde hay más mujeres.

M: ¿Crees que ya no existe discriminación en absoluto? ¿Por ejemplo, en cuanto a las posibilidades que ellas tienen de conseguir becas o en cuanto a la recepción de su trabajo?

V: No. En el Colegio no creo, y tampoco lo sentí muy directamente en la UNAM. Sí, hay a veces algunos prejuicios y siento que algunos son reales. Por ejemplo, el hecho de que las mujeres casadas muchas veces descuidan sus obligaciones como investigadoras de tiempo completo. Algunas son lo suficientemente discretas que si creen que no pueden cumplir con su trabajo, piden medio tiempo. Pero creo que eso, cuando existe la queja, es real. Es decir, yo creo que un trabajo no debe ser una beca para criar hijos. Pero muchas lo consideran así.

M: ¿Por qué?

V: Tal vez es que nos ha costado menos trabajo llegar
    al estado que tanto trabajo les ha costado a las norte-
    americanas. Yo personalmente no me di cuenta de la des-
    ventaja de ser mujer hasta que llegué a Harvard. Me
    molestaba recibir las invitaciones que decían Dr. and
    Mrs. Las mujeres éramos como transparentes.

M: ¿Pero tus experiencias aquí en México, han sido muy
    diferentes?

V: En México más bien he tenido problemas por ser discí-
    pula de un maestro muy polémico, Edmundo O'Gorman
    y no por ser mujer. Nunca sentí discriminación sexista
    pero sí he tenido más problemas que muchos hombres.
    Sin embargo, de los hombres que he tratado, sólo
    O'Gorman tiene cierto prejuicio hacia las mujeres. Dice
    que somos menos racionales, que tenemos menos ima-
    ginación, menos poder de abstracción. Sin embargo,
    en México a veces el ser mujer ayuda.

M: Otras mujeres me han dicho lo mismo. A veces lo creo
    y a veces no.

V: Habiendo vivido tanto tiempo en el medio americano,
    a veces también me sorprende. Tal vez sea porque no
    hemos hecho nunca una lucha abierta, porque hemos
    provocado menos resistencia.

M: Puede haber varias interpretaciones. Según investiga-
    ciones que se han hecho en otros países latinoameri-
    canos lo que pasa a veces es que los hombres aceptan
    a una mujer de su misma clase antes que a un hombre
    de una clase más baja.

V: No creo que sea el caso mexicano. A mí me preocupa,
    en cambio, en la historia de Estados Unidos, por qué
    la mujer norteamericana ha tenido tantos problemas.
    Fue la primera mujer liberada en el mundo porque se
    puso en igualdad de condiciones, al principio de la co-
    lonia, con los hombres. Pero a medida que se imponía

la cultura, a medida que se organizaba la civilización, inmediatamente la mujer volvía a su lugar. Esto me preocupó mucho, porque además, es una cosa legal. Realmente la mujer norteamericana es una de las más fuertes del mundo. El marido casi parece un títere delante de una mujer norteamericana, y algo semejante pasa con las españolas. Las ve uno y dice: "Bueno, éste es un matriarcado, en Estados Unidos y en España". Pero las leyes no reflejan esta realidad. En México es diferente, igual que en Japón. Parece que las mujeres están muy en segundo plano. Pero es que han preferido un poco el papel de chantajista: "Yo me sacrifico por mis hijos" o "Yo, que me sacrifiqué toda la vida por ti". Y a la hora de la verdad, mandan al marido y manipulan a los hijos aun casados, lo cual es el caso general de las madres fuertes. La madre judía en todas partes se parecería un poco a esto. Pero la tradición de la cortesía indígena mexicana hace que las mujeres aquí cuenten con ella para suavizar las relaciones entre los dos sexos, excepto las que realmente son tan poco mexicanas que se atacan para espantar a esta sociedad o para sacar ventaja.

M: ¿Y no notas ningún efecto del Movimiento de las Mujeres sobre estas relaciones entre los sexos?

V: Yo sí noto que desde que se habla de feminismo en México y desde que se refleja el movimiento femenino en México, los hombres están más agresivos. Y muchas de mi generación estamos siendo víctimas de este movimiento. Nos hemos divorciado.

M: ¿Tienes hijos?

V: No. Yo no estaba casada con un mexicano; estaba casada con un alemán norteamericano y no aguantó que tuviera yo éxito. Este fenómeno es muy curioso. Me doy cuenta que muchos amigos también me resienten ahora que tengo cierto papel en la sociedad. Sin embargo, creo que el resentimiento es mucho menos que lo que yo vi en Estados Unidos. Las norteamericanas no pueden imaginarse que en un país subdesarrollado estén mejor las mujeres en alguna manera.

M: ¿Por qué dices eso?

V: A Gloria Steinhem yo le pregunté: "¿Cómo explica usted el hecho que las mexicanas tenemos ventajas que no tienen las norteamericanas? Por ejemplo, no hay un permiso de gravidez para las trabajadoras en los Estados Unidos. En México todo el mundo tiene derecho a tres meses para tener un hijo." Y me dijo: "Bueno, es que ustedes son muy pocas, ¿no?" ¡Pero en México hay muchas trabajadoras! Aunque sí hay menos intelectuales. Y este privilegio es más bien para usufructo de las trabajadoras.

M: En Estados Unidos hay muchas que tienen el mismo derecho. Depende del sindicato, por ejemplo.

V: Bueno, pero aquí todas las maestras que están en la Secretaría de Educación tienen derecho. Y en Estados Unidos, mis amigas, cuando iban a tener su hijo, se retiraban como al cuarto mes. En Massachusetts, por ley no podían seguir, estando embarazadas, porque "ofendían a los niños".

M: Eso en gran parte ya ha cambiado.

V: Pero, fíjate me sorprendió muchísimo tal actitud cuando en México existía desde hacía muchísimo tiempo el permiso de la gravidez.

M: Pues entonces, entiendes perfectamente que sí hay cosas muy concretas que ha logrado el Movimiento de las Mujeres y que también hay derechos que las mujeres norteamericanas no tienen todavía y por los cuales están luchando.

V: Ah, yo lo entiendo perfectamente. A mí no me sorprende nada.

M: Habíamos empezado a hablar de la discriminación.

Como historiadora, ¿podrías nombrar a algunas historiadoras mujeres a quienes admiras, de cualquier país?

V: ¿De cualquier país? Bueno, me gusta mucho como escribe Antonia Frazer. Lady Frazer es muy buena biógrafa y me parece estupenda escritora. Hay una historiadora joven en Estados Unidos, Pauline Meier, que también me parece que tiene mucho futuro. Hay otras muy interesantes como Peggy Liss y Nancy Farris, también norteamericanas. Admiro a Nettie Lee Benson, por supuesto, que además de bibliotecaria de la Latin American Collection de la Universidad de Texas es buena historiadora, y es una de las más increíbles mujeres que yo he conocido, víctima de no haber podido ser profesora de historia hasta recientemente. Por eso fue bibliotecaria y fue una suerte para la historia latinoamericana en los Estados Unidos, porque ha organizado la colección más importante de libros sobre Latinoamérica que existe. En México tenemos sobre todo historiadoras del arte. Yo diría que la más admirable sería Ida Rodríguez Prampolini, pero hay algunas otras, como María del Carmen Velázquez. Aunque no hay tantas mujeres en historia yo creo que la generación joven va a dar algunas buenas historiadoras.

M: Además de ser directora de un Centro en el Colegio, escribes libros de texto gratuitos. ¿Podrías hablar un poco de esa labor?

V: Bueno, la labor de hacer libros para los niños de la escuela elemental es muy importante. Coordino todo un equipo de científicos sociales, sociólogos, antropólogos, maestros y pedagogos. Para mí, éste es sin duda el trabajo más bonito que he hecho en mi vida y el que más satisfacción me ha dado. Estos libros de texto son libros que tienen que estudiar los niños mexicanos, y aunque no todos los lean, una gran parte sí los leen, como nos dicen las cartas que recibimos de los niños.

M: ¿Y has hecho muchos cambios importantes?

V: Sí. Ha sido posible cambiar el enfoque de enseñar las ciencias humanas en México, quitar esa horrible materia que se llamaba Civismo —que no era más que una serie de cosas aburridas y absurdas— y darle una proyección pragmática y activa al nacionalismo. Es decir, formar a los niños para que sean buenos ciudadanos y entiendan la sociedad en la que viven; para que quieran servirla y quieran cambiarla, lo cual a mí me parece el mejor de los mundos. En cinco años y medio que hemos trabajado, hemos hecho catorce libros: seis del niño, seis del maestro, y dos de consulta. Casi cada obra ha tenido tres correcciones, tres versiones diferentes. Algunos de ellos hicieron mucho escándalo, pero en general creo que conmovieron a la sociedad mexicana. Es la labor más importante que siento haber hecho en mi vida, la más útil.

M: ¿Y por qué causaron escándalo algunos de estos libros?

V: Fue sobre todo el libro de sexto año, que va desde la independencia y la revolución francesa hasta nuestros días. Entonces tuvimos que incluir la revolución cubana, la revolución china, la guerra de Vietnam; la gente siempre sospecha cuando ve estas cosas, que el libro tiene que ser comunista. O quieren que el libro diga que las revoluciones son malas. Tratamos de dar una visión objetiva del asunto, pero claro que es muy difícil ver objetivamente el mundo que nos rodea. Tachamos casi cualquier adjetivo, pero decidimos que los niños tienen que saber lo que está pasando, tienen que conocer el mundo que les vamos a legar, el mundo que van a tener que vivir. Yo no inventé ni a Mao, ni a Ho Chi Minh, ni a Fidel Castro; existen.

M: Además, si van a ver a esas gentes en posters, ¿por qué no en sus libros?

V: Bueno, eso es lo que yo peleaba. Pero esta es una cosa inesperada aun en los Estados Unidos. No se estudian estas cosas tampoco en otros países; y he revisado libros de texto de todo el mundo. Son excepciones los de Cuba, por ejemplo. Los mexicanos terminaban por ahí por los años veinte o al empezar la revolución mexicana; los argentinos están peor, se quedan en el siglo pasado para no comprometerse. Por el miedo al socialismo nos hicieron una entrevista en "Veinticuatro horas", que es un programa de Jacobo Zabludovsky que ve todo el mundo. La tranquilidad con que yo hablé de las cosas convenció a muchos padres de que no podía ser tan monstruosa como decían mis críticos. Y parece que se curó un poco el ambiente. Además, la segunda edición quedó más afinada. Habíamos tenido que trabajar muy aprisa y había frases desafortunadas.

M: ¿Y qué opinas de la labor que hicieron José Vasconcelos y Jaime Torres Bodet y otros precursores tuyos hace tiempo?

V: Bueno, debemos mucho a la labor de aquellas gentes; desde luego, cada quien en su época. Vasconcelos se empeñó en devolver el autorrespeto a los mexicanos y movilizar al país para que todos se educaran. Esta generosidad increíble despertó y conmovió al país. Torres Bodet, desde otro punto de vista, fue muy importante. A él se debe la Institución del Libro de Texto Gratuito que les da a todos los niños mexicanos un instrumento común.

M: ¿Cuál es el mayor problema educativo en México ahora?

V: Cada vez mayor población, aunque multipliquemos las escuelas a cualquier ritmo, los mexicanos se multiplican más aprisa. Y realmente hay que enfrentarse con unas realidades (en el libro de *Nacionalismo y educación*) me di cuenta de que el esfuerzo educativo mexicano era gigantesco, con todo y sus faltas, y que éstas

397

provenían de la terrible necesidad de multiplicar maestros y escuelas al ritmo que lo han hecho. Pero no me di cuenta de los problemas angustiosos tanto como ahora que estoy en contacto con el sistema. A pesar de eso, se han hecho cosas increíbles, como las escuelas agrícolas y técnicas, por todo el país. Por primera vez están inyectando un sentido de servicio social, de una profesión para servir a la sociedad, y no sólo para ganarse la vida. Ese es uno de los más grandes males latinoamericanos, esa especie de egoísmo de los profesionistas y de los intelectuales.

M: Hay jóvenes ahora e intelectuales que, de acuerdo con la línea mixta, dicen que el control natal sirve sólo a los intereses capitalistas.

V: Bueno, francamente, eso es una idiotez.

M: ¿Entonces, no estás de acuerdo?

V: No. Demuestra lo malo de aplicar ideologías prestadas. Nosotros tenemos una pobreza de recursos y un contraste social espantoso. Tenemos que dar de comer a la gente. Si la gente se multiplica más rápido que nosotros mejoramos los campos, pues se van a morir de hambre. Y lo peor es que los que se mueren de hambre son los más amolados, no los que piensan. A mí me parece que la posición en contra del control natal es una estupidez de unos cuantos que no lo han pensado bien.

M: ¿No piensas que afecta mucho la falta de control natal a las mujeres?

V: Yo creo que ese es uno de los problemas más importantes y que es el que mantiene a la población femenina en una situación de desventaja. Siempre le hemos echado la culpa a la Iglesia, y creo que no es justo. Creo que las mujeres, en cuanto conocen la forma de tener control, lo ponen en prática. Lo malo es que las pobres Marías esas mujeres que piden en las esquinas no tienen siquiera el mínimo de educación para que puedan entender cómo tomar una píldora o para que pidan que les pongan un dispositivo intrauterino.

M: También dicen los marxistas que la campaña del gobierno mexicano en pro del control natal obedece a los mismos intereses "imperialistas".

V: Yo creo que definitivamente tenemos que hacer algo para controlar la natalidad y espero que lo hagamos con tiempo suficiente para que no tenga que ser una cosa tan horrible como lo que sucede en la India. Es decir, quisiera que fuera en términos voluntarios; pero habiendo estado en la India no me extrañan algunas de las determinaciones tomadas. Es un crimen social tener más hijos de los que pueden vivir. Aquí el problema de la sobrepoblación es obvio. Estando en la Secretaría de Educación una casi se ahoga de ver el aumento del tiraje de los libros de texto, año con año. No pueden mejorar las escuelas si hay que mantener ese ritmo de crecimiento. ¿Cómo vamos a mejorar la educación?

M: ¿Podrías hablar un poco de tu propia formación?

V: Bueno, yo soy producto de una clase media baja en México. Estudié en la escuela oficial, en escuelas públicas todo el tiempo. Estuve en la Universidad Nacional de México, después mediante una beca paupérrima, fui de 56 a 58 a España y me doctoré en Historia de América. Luego regresé a México. Había aprendido el camino y conseguí una beca de la OEA. Me fui a Chile y a Argentina. Después, ya casada, con una beca Rockefeller fui a Harvard. Estuve allí dos años, que fueron muy fructíferos, a pesar de que sufrí muchísimo. Creo que aprendí mucho y disfruté del medio académico norteamericano. Desde 1960 estoy en el Colegio de México, y también ha sido una formación trabajar con don Daniel Cosío Villegas, que ya murió. Creo que mis dos maestros en México fueron, por un lado, Edmundo O'Gorman y por el otro, Daniel Cosío Villegas. En Harvard, Bernard Bailyn y Oscar Handlin me sembraron inquietudes por la historia social e intelectual norteamericana. Me educó también estar casada con un historiador dedicado a la historia de China y Japón. A través suyo fui alumna de algunos de los grandes sinólogos y japonólogos norteamericanos.

M: ¿Cuál fue el resultado de esta mezcla intelectual?

V: Abrió mi percepción; mi obsesión es ver una historia mundial como la historia del esfuerzo humano por lograr mejorar la vida. Es decir, la cultura como el producto del esfuerzo de todos los pueblos. *Todo* grupo humano ha contribuido de una manera u otra a la cultura. Mi más grande esfuerzo en los libros de texto es reproducir una verdadera historia universal, no una historia de Europa. Para mí, no hay Oriente, hay Asia. Quiero romper estos viejos prejuicios —de pensar que África no tuvo cultura, que las culturas latinoamericanas o indígenas no tenían la grandeza de la cultura griega— este tipo de cosas que han servido para separar a los hombres. Hay que destacar la unidad de la *experiencia humana*, sobre todo para preparar a los niños para que sean más generosos y más humanos. La gente piensa que este tipo de prejuicios sólo se da en Estados Unidos y en Europa. Pero no, todos hemos estado amaestrados: aquí si es una cosa francesa tiene que ser buenísima. Pero ahora cuando vemos esculturas africanas, nos quedamos maravillados.

M: ¿Y crees que es difícil dar una educación humanista o humanitaria a los niños?

V: No. En México hay bastante tradición al respecto. Aquí lo más difícil es darles una educación conceptual, que también estamos introduciendo, como forma de comunicación moderna. Pero hay una tradición muy humanista, aunque algo informativa. A mí me gustaría *formar* más que *informar*; los datos están en cualquier libro.

M: También la enseñanza de la Iglesia ha sido humanista.

V: Bueno, pero la Iglesia ya está casi fuera de la educación en México hace prácticamente un siglo. Claro, un grupo, una élite pequeña, se educa en escuelas privadas, pero incluso ya la mayor parte de las escuelas privadas tampoco son clericales. En todo caso, la Iglesia es mucho más progresista que los padres mexicanos. El problema más agudo se presenta, por ejemplo, en las Ciencias de la Naturaleza con la educación sexual. Cualquier cosa que huele a que los niños sepan cómo nacen los niños, horroriza todavía a la sociedad mexicana.

M: Eso no pasa sólo en México.

V: Claro que no. Cuando uno ve los problemas en California sobre el darwinismo, se da uno cuenta de que las sociedades pueden parecer a veces muy modernas en algunos aspectos, pero son básicamente reaccionarias. Los padres quieren que los hijos estén atrás; es como si no asimiláramos nuestra propia experiencia. Algunos padres de clases populares han reaccionado así porque alguien les ha dicho que nuestro libro de texto es peligroso. Esto también se produce en la mejores escuelas de la capital, a pesar de que estos libros son mejores que los que compran los padres; pero los rechazan porque los hace el gobierno.

M: La desconfianza en el gobierno es común.

V: Sí, cualquier cosa que haga el gobierno, sin discriminar.

M: Ya hemos hablado algo de las investigadoras y las historiadoras en México que trabajan en el Colegio. ¿Tú crees que las escritoras, que tienen un quehacer más independiente quizás, han tenido dificultades por su sexo?

V: Yo no lo veo. No creo que nadie diga: "No leo esta novela porque es de una mujer". Yo nunca lo he oído entre mis colegas. Es decir, tengo muchos compañeros que tienen más prejuicios hacia las historiadoras que hacia las escritoras; parecen pensar que esa labor creativa les es natural.

M: ¿Y puedes nombrar a algunas escritoras mexicanas a quienes admiras?

V: Bueno, a la que más he admirado es a Rosario Castellanos. Tal vez porque tocó tantos temas que me llegaban muy de cerca. También me gustan algunas novelas de Luisa Josefina Hernández. Me gusta *Hasta no verte Jesús mío* de Elena Poniatowska. Apenas leo poesía, porque no es uno de mis gustos naturales. En general, siento que hay más prejuicios, por ejemplo, para las que seguían la carrera de medicina que para las que escribían poesía. Cuando yo era chica, recuerdo haber escuchado: "¡Ay! pero cómo vas a llevar a tu hijo con una mujer?" Y no recuerdo haber oído nunca que un libro debiera ser malo porque fue escrito por una mujer. Tampoco recuerdo problemas especiales en la Facultad de Filosofía contra las mujeres. Sí recuerdo que cuando empecé a tomar clases, mis compañeras, muchachas de mi generación, no querían tomar clases con profesoras. Yo en general he preferido profesionistas y colaboradoras de mi sexo, porque creo que debemos darnos el lugar que queremos para nosotras mismas.

M: Sí, tener confianza en nosotras mismas.

V: Es dicho muy común que "es muy difícil trabajar para una mujer". Nunca he tenido problemas con mis secretarias, ni en el libro de texto, ni en el Colegio de México. Siempre he trabajado bien con mujeres. En mi equipo no quedan más que mujeres y trabajamos muy a gusto.

M: Cuando empezaste tu carrera, no había muchas mujeres que enseñaban historia, ¿verdad?

V: No. Casi no había. Y cuando yo estudié en la preparatoria, también éramos muy pocas las alumnas. Los maestros nos solían molestar diciendo que íbamos nada más a buscar novio. Sí, ha habido un gran cambio. Cuando yo tomé clases, por ejemplo, en preparatoria, éramos poquísimas y cuando llegué a dar clases en la prepa había ya el mismo número de mujeres que de hombres. El cambio fue muy dramático en los cincuenta. Se notó una enorme y rápida apertura a la educación femenina. Creo que se nota ahora que la actitud de las jóvenes es más confiada. Nosotras nos sentíamos más tímidas.

M: ¿No crees que esa timidez era uno de los síntomas de un problema de identidad en muchas de las mujeres de entonces? ¿Y que su falta de confianza era en parte el resultado de su tratamiento por los hombres?

V: No siento que sea una discriminación; es más bien falta de costumbre. Como pasa en las fiestas —se separan hombres y mujeres. El sábado estuve en una reunión de intelectuales para José López Portillo, y sólo invitaron a dos mujeres.

M: ¿Quién era la otra? ¿María del Carmen Millán?

V: Sí, y deben haber sido unos treinta hombres. Antes nunca me fijaba en cuántas mujeres había, pero esta vez me quejé de la injusticia. Es realmente difícil admitir a las mujeres, pero no siento que sea discriminación.

M: Entonces será por tradiciones culturales y costumbres sociales.

V: Costumbres sociales, diría yo. Es una cosa muy curiosa que es difícil de curar y que va a costar muchos años, hasta que las chicas más jóvenes —que ya se acostumbraron a estar más en un mundo que antes era exclusivamente de los hombres sean adultas. Yo me acuerdo una vez que la Embajada de Indonesia mandó una invitación para mi marido y expresamente decía abajo: "Sólo caballeros" o algo por el estilo. Pero mi marido no lo leyó bien y me llevó. Pasé todo el coctel, dos horas y media, sin darme cuenta que no había otra mujer. Lo cual después me espantó. Dije: "¿Por qué no me di cuenta?". Y es que estoy acostumbrada a vivir y a trabajar en un mundo donde predominan los hombres. Hoy no me hubiera pasado porque soy más sensible. Ahora siempre cuento a las mujeres.

(México, D. F., 21 de junio, 1976)

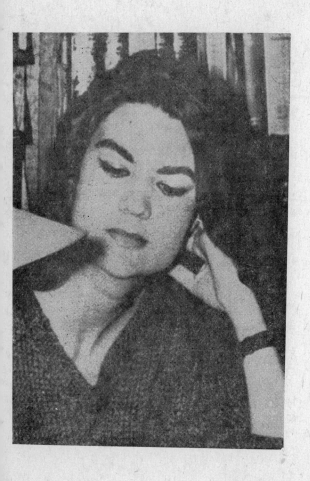

MARUXA VILALTA

MARUXA VILALTA

Maruxa Vilalta (1932) nace en Barcelona, España y vive en México desde 1939. Cursa estudios de literatura en la UNAM y en la Universidad de Cambridge. Durante dos años hizo crítica de teatro para la televisión y después hace lo mismo en *Diorama de la Cultura* y para *Jueves de Excelsior*. Dirigió además una columna en *Excelsior*, "Mujeres que trabajan" donde se exponían los problemas de la mujer. Como escritora se da a conocer en 1958 con una novela, *Los desorientados* (1958) —adaptada y llevada a escena en 1960— y más tarde publica otra, *Dos colores para un paisaje* (1961). A pesar de iniciarse en la novela, es en el teatro que sobresale Maruxa Vilalta. Sus obras han sido representadas en varias ciudades de México y del extranjero y se han traducido al inglés, al francés y al checo. Durante 1973 aparecieron en inglés traducciones de sus obras en *Latin American Literary Review*, en *The Best Short Plays of 1973* y en *Modern International Drama*.[1]

Desde su primera obra Maruxa Vilalta se aleja de las formas tradicionales del teatro optando por las más experimentales. *Los desorientados* trata los problemas de una juventud sin una escala de valores cuyas acciones frecuente-

---

[1] Maruxa Vilalta, *El 9*, tr. de W. Keith Leonard y Mario T. Soria en *The Best Short Plays 1973*; *Un día loco* y *Soliloquio del tiempo*, tr. de Edward Huberman en *The Latin American Literary Review* (Spring, 1973); *Esta noche juntos...*, tr. de Willis K. Jones en *Modern International Drama* (Spring, 1973).

mente carecen de explicación lógica. La autora satiriza los valores pequeño-burgueses de sus personajes exagerando a éstos y aunque ocasionalmente se acerca al melodrama, logra comunicar efectivamente las aspiraciones a corto plazo y el desafecto de sus jóvenes protagonistas. La segunda puesta en escena de esta obra en 1965 marca la iniciación de Maruxa Vilalta como directora teatral.

Un país feliz (1963) tiene como tema la opresión política en un país de habla hispana. Kurt, turista proveniente de un lugar desarrollado, visita un sitio subdesarrollado. Poco a poco el presunto paraíso se va revelando como un infierno en el que los ciudadanos no tienen ninguna libertad ni garantía. El suceso central es el asesinato de Víctor, hijo de la familia anfitriona de Kurt. El turista regresa a su país convencido que el apoyo de su gobierno al tirano opresor perpetúa la situación en el aparente edén. A partir de esta obra el teatro de Vilalta se identificará con el teatro de vanguardia (experimentación, absurdo) y con el de protesta.

El 9 (1965) es una sátira a la mecanización inescapable del mundo moderno. La obra se desarrolla principalmente a través del diálogo entre dos obreros, MM099 y el YX157, denominados el 9 y el 7. El constante contacto con una máquina hace que el 9 se sienta reducido a artefacto. El diálogo es furtivo y el trato humano casi inexistente pues todo el tiempo lo absorbe el trabajo. Desesperado al darse cuenta que no hay escape posible a este mundo rutinario y deshumanizante, el 9 se suicida.

Durante 1964 se estrenaron en México tres obras, monólogos en un acto bajo el título de *Trío: Soliloquio del tiempo* (1964), *Un día loco* (adaptada de un cuento de 1957) y *La última letra* (1959). La primera obra se trata de una persona que encarna el tiempo y que filosofa acerca de su relación con la humanidad. La segunda se ocupa de la tentativa de evasión de la protagonista durante un día en que intenta realizar sus ilusiones. La tercera versa sobre un escritor que se dirige a un interlocutor imaginario exponiéndole los sinsabores de su oficio. En un acto de desesperación jura no volver a escribir, pero inconscientemente toma de nuevo la pluma para seguir escribiendo. *Cuestión de narices* (1967) es una farsa trágica que satiriza la guerra donde por lo general se pelea por cuestión de narices, por alguna cuestión baladí.

Esta noche juntos amándonos tanto (1970), ganadora del premio Juan Ruiz de Alarcón, es una farsa trágica sobre el egoísmo y el odio de una pareja enferma de agorafobia que finge amarse como recurso para dañarse mutuamente. Él y Ella viven encerrados en un apartamento aislado del resto del mundo. Como en *El 9*, se reitera la idea de estar atrapados, de no haber escape. Sin embargo, aquí no se busca el diálogo; al contrario, se rechaza y produce terror. El par de viejos, atrapados física y mentalmente, desoye problemas del mundo y se burla de ellos. Cada vez que Él lee un encabezado sobre algún desastre humano, aparecen diapositivas en el trasfondo mostrando escenas como la represión estudiantil, el hambre en Biafra o la guerra de Vietnam. Asimismo, cada vez que se menciona al opresor (general, verdugo, policía) aparece éste actuando como juguete mecánico desprovisto de humanidad. A partir de *Teatro* (1972), volumen que reúne todo su teatro, Vilalta ha escrito y puesto en escena *Nada como el piso 16*.

Cambiando un tanto su vehículo de expresión, Maruxa Vilalta publica en 1974 *El otro día, la muerte*, volumen de relatos cuyo prólogo está dividido en dos partes: una poética que crea el ambiente de sexualidad-muerte que da unidad a los cuentos, y otra que es una serie de datos y explicaciones sobre el génesis de las cuatro narraciones que integran el libro. En los dos primeros textos, "Diálogos del narrador, la muerte y su invitado" y "Romance de la muerte de agua", la muerte es una bella mujer que, aunque causa dolor, ofrece amparo y placer a un solitario. La unión aquí representa el principio de una nueva, aunque desconocida, existencia. Si en los dos primeros la muerte seduce y atrae, en los dos finales, "Aventura de la muerte de fuego" y "Morir temprano mientras comulga el general", persigue y repele. En aquéllos el encuentro con la muerte es una unión sexual, en éstos es la separación de la vida; en los primeros el escenario es un castillo y un lago, en los segundos el trasfondo es la guerra de Vietnam y una manifestación estudiantil. Si en los dos primeros relatos la muerte es una solución a la soledad y a la enajenación del protagonista, en los dos últimos es una tragedia que siega las vidas de niños y jóvenes. La prosa cambia desde una exposición poética contrapunteada con una serie de datos en el prólogo hasta la efectiva manipulación de la voz narrativa en los relatos.

A pesar de escribir crítica teatral para *Jueves de Excelsior* y de sus programas en la televisión, Maruxa Vilalta es conocida principalmente como dramaturga y como directora de teatro. Se ha dicho que "Las obras de Maruxa Vilalta constituyen en su lectura la aportación más consistente hecha por un joven dramaturgo al teatro mexicano en los últimos años".[2] En efecto, por su compromiso social y por sus técnicas experimentales, la producción de Vilalta refleja acertadamente las inquietudes del teatro de nuestra época.

ENTREVISTA CON MARUXA VILALTA

M: ¿Estudiabas cuando te casaste?
V: Sí, yo estudiaba en la Facultad de Filosofía y Letras de la UNAM la carrera de letras españolas y él estudiaba ingeniería pero dejó la carrera para trabajar.

[2] Carlos Solórzano, "Teatro", *La Cultura en México* (20 de enero, 1971), p. 14.

M: ¿Y qué hace tu esposo?

V: Es jefe de oficina en una sección cultural y recreativa de la Secretaría de Obras Públicas.

M: Si él no trabajara, ¿te podrías mantener de tu trabajo?

V: No. Creo que por eso puedo trabajar muchísimo. Mi marido trabaja 13 o 14 horas diarias y yo unas 12.

M: Son muchas.

V: Mucho. Pero nunca nos aburrimos y es siempre una renovación volvernos a encontrar. Tenemos tantas cosas que decirnos, que explicarnos. Quizá gracias a esta vida tan activa de los dos, nuestro matrimonio haya funcionado.

M: ¿Tienen hijos?

V: Sí, tenemos dos hijos; de trece y dieciocho años ya.

M: ¿Qué haces en *Excelsior*?

V: Yo tengo un puesto que se llama "cabecero" que quiere decir hacer cabezas y pies de grabados y de fotografías. Es un trabajo que me gusta mucho porque es anónimo y no quita mucho tiempo. Lo que sí firmo es la crítica de teatro que hago para la edición vespertina y para una revista que se llama *Jueves de Excelsior*.

M: ¿Es cultural esta revista?

V: No, es un magazine familiar y popular pero tiene una sección de crítica de teatro y es uno de los más antiguos de México y de mayor circulación.

M: ¿Cómo y cuándo empezaste a escribir?

V: Mira, yo empecé escribiendo novela. Mi primera se llamó *Los desorientados* y tuvo tanto éxito que pensé que seguiría por el camino de la novela. Inclusive escribí otra que se vendió bien, *Dos colores para el paisaje*. Pero un buen día se me ocurrió adaptar *Los desorientados* al teatro y desde que probé la magia, el atractivo del teatro, no volví a escribir novela y seguí con el teatro.

M: ¿Piensas seguir escribiendo teatro?

V: Sí, pero en estos días se publicó un libro de relatos. Yo pensaba escribir una obra de teatro cuyo tema era la muerte pero en el momento de sentarme a la máquina, surgió en forma de relatos *El otro día, la muerte*.

M: ¿Qué dramaturgos crees que te han influenciado?

V: No lo sé. Muchas veces, cuando estoy escribiendo una nueva pieza, me he sorprendido releyendo a los clásicos desde Tito Livio, Cicerón, Virgilio, hasta Racine y Corneille. Molière nunca me interesó, quizás porque carezco del suficiente sentido de humor.

M: ¿Cuál de tus obras es tu favorita?

V: Supongo que siempre estamos más de acuerdo con lo último que escribimos. Probablemente mi pieza favorita será aquélla en la que estoy trabajando ahora. No me preguntes. Todo está en gestación y si sale mal la tiro en la basura; si sale bien ya te enterarás.

M: ¿Cuál de tus obras, en tu opinión, ha tenido más éxito?

V: *Esta noche juntos, amándonos tanto* ganó el premio nacional de teatro en 1970, ha sido traducida a varios idiomas, representada con éxito en el extranjero y obtenido una crítica favorable, prácticamente unánime.

M: Dijiste que *Esta noche juntos, amándonos tanto* es una defensa del amor. A mí me parece todo lo contrario y muy deprimente, además.

V: Es muy deprimente porque los dos personajes principales precisamente no se aman. Se trata de una sátira del egoísmo y del odio; por lo tanto es una defensa implícita del amor.

M: ¿Y qué me dices del matrimonio en esa obra?

V: Mi pareja de personajes son viejos y están casados, pero lo mismo podrían ser jóvenes y solteros, tener cualquier parentesco entre sí. La sátira no es contra el matrimonio como institución sino contra el egoísmo y aislamiento de dos seres negativos totalmente, dos no-héroes. No he tenido inconveniente en, por ejemplo, autorizar y hasta en urdir con el prestigiado director de escena checoslovaco Jiri Dalik que la puesta en escena en Praga sea con varias parejas de personajes a la vez.

M: ¿Hay ciertas técnicas dramáticas o problemas teatrales que interesan actualmente?

V: Procuro olvidarme. Cuando escribo me olvido totalmente de la técnica, de la teoría. Eso es trabajo posterior para los críticos.

M: ¿Qué opinas de la crítica teatral en México?

V: En mi opinión, los mejores críticos teatrales de México son dramaturgos: Carlos Solórzano, Wilberto Cantón, Vicente Leñero, Marcela del Río, Sergio Magaña, Fernando Sánchez Mayáns. Todos ellos escribieron excelentes críticas de teatro.

M: ¿Crees que se podría vivir en México escribiendo para el teatro?

V: En México como en otros países, quizás se puede vivir de ello escribiendo piezas de cara a la taquilla. Yo no lo he logrado porque nunca me ha interesado.

M: ¿Qué te parece importante del teatro mexicano de los últimos diez años?

V: Que el nefasto "costumbrismo" (léase borrachos, tiros, pistolas, etc.) de aquellas gloriosas, llamadas "Temporadas de oro" que proliferaban hacia los años 60, cuando yo empecé, por fortuna han desaparecido. Los que escribían de aquella manera han desparecido o evolucionado. En los últimos diez años, grupos de teatro integrados ante todo por elementos surgidos de la Universidad Nacional han logrado espectáculos de categoría, a nivel mundial.

M: ¿Qué corrientes o tendencias te parecen significativas actualmente?

V: Creo que los grupos que trabajan en equipo, un poco a

413

la manera de la *commedia dell'arte* y eliminando muchas veces al autor, se han propagado y han dejado huella. Tienen la desventaja de ayudar muchas veces al vedetismo de directores de escena e inclusive de los actores.

M: ¿Crees que el teatro tiene un futuro en México?

V: Claro que tiene un futuro en México, como en todas partes del mundo. Ahora tenemos, sin embargo, una temporada de teatro popular que auspicia el gobierno y que ha resultado mal. Se están programando obras obsoletas con un reparto horrendo.

M: Quizá porque tienen miedo de arriesgarse con gente joven y con cosas nuevas.

V: Esto no ha invadido la cartelera, pero desde luego sigue el esfuerzo de los jóvenes, de los estudiantes, del teatro que patrocina la Universidad.

M: ¿Es como teatro "Off-Broadway"?

V: Hay varios pero no se puede decir que es experimental. Ya lo están haciendo a nivel profesional. Si quieres ver teatro en México ve a ver "Los insectos". Lo dirige Julio Castillo y se basa en unos textos extranjeros.

M: Cuando escribes algo, ¿la publicas primero o la pones en escena?

V: No, primero la estreno. El teatro tiene que cobrar vida ante el público. El contacto con el público es imprescindible y definitivo.

M: ¿Se ha traducido tu teatro?

V: Sí. Muchísimas están traducidas al francés, al inglés, al checo. En checoslovaco acaban de editar *Esta noche juntos, amándonos tanto* y en francés la están traduciendo. Casi todas mis obras de teatro han sido traducidas al inglés.

M: ¿Has trabajado para la televisión?

V: Tuve en un tiempo un programa de crítica de teatro diario durante casi dos años. Muchas de mis obras se

414

han presentado en la televisión, pero alguien las adapta. A mí no me gustaría escribir para la televisión porque hay que hacer muchas concesiones.

M: ¿Has hecho guiones de cine?

V: Me he negado con cierta coquetería porque es el mismo problema. El cine agarra un argumento y lo comercializa, lo reduce a una cosa lineal donde lo que importa es la anécdota y yo me aparto cada día más de ella.

M: ¿Te consideras feminista o no has pensado mucho en ello?

V: Sí he pensado. Creo que todas las mujeres que hacemos algo, que participamos en la vida activa de un país, ya somos implícitamente feministas aunque no agarremos una pancarta y nos la colguemos y digamos que nuestro vientre es nuestro.

M: He notado que muchas veces las mujeres por no ser feministas piensan mal de otras mujeres profesionales y las tratan como los hombres más "sexistas".

V: Bueno, para empezar, nunca me ha importado en la vida lo que piensen los demás, hombres o mujeres. En segundo lugar, en mi carrera siempre he tenido gran apoyo de parte de los hombres. En primer plano mi padre, mi marido. Además en las relaciones con compañeros de trabajo, de escritores, de amistades, yo siempre he sentido más afinidad y me he entendido mejor con hombres que con mujeres.

M: Sí, es una cosa antigua. ¿Puedes pensar en alguna mujer que te haya ayudado en tu carrera?

V: No. Por desgracia no. Es difícil, ¿no?

M: ¿Has ayudado a mujeres en su carrera?

V: Yo lo he hecho independientemente con hombres y con mujeres porque he dirigido bastantes obras de teatro. En un tiempo yo dirigía una columna (lo hacía gratis, como labor social) "Mujeres que trabajan" adonde les dábamos tribuna libre a las mujeres que

trabajaban y querían expresarse. Además de eso se me
ocurrió poner las primeras piedras en lo que vino a
llamarse "El día de la mujer" que se celebra actualmente en todo el mundo.

M: ¿Crees tú que hubieras tenido más o menos éxito si
fueras hombre?

V: No lo sé. Y además por nada quisiera yo ser hombre.
Yo estoy muy contenta de ser mujer.

M: ¿Crees que haya sido un obstáculo ser mujer?

V: En mi caso personal no. Nunca. Pero sí comprendo que
las mujeres son obstaculizadas. Yo no puedo asumir
una actitud egoísta y decir, "porque a mí no me ha
discriminado nadie, la discriminación no existe". Pero
a veces es la mujer que se merece que se le discrimine.

M: Sí. Eso es otra cosa. ¿Has notado alguna diferencia en
la recepción crítica de una obra de un hombre y de
una mujer? A veces se nota que el crítico se refiere a
la gracia, a la sutileza de la obra de una mujer, como
si se tratara de un estereotipo.

V: Mis obras son más bien rudas, sin concesiones. Si
quisieras saber si aquello lo escribió un hombre o una
mujer no lo podrías decir.

M: ¿Es también lo que dijeron los críticos?

V: Los críticos lo dijeron. Ellos no enfocaron hacia la
gracia y la ternura femenina y el romanticismo porque no hay nada de eso en mis obras. Más bien se
ha calificado de teatro de ideas. Al nivel de ideas
quizá el sexo no importa tanto.

M: ¿Crees que las otras escritoras han tenido problemas
por su sexo?

V: No. La mujer intelectual, la que ha triunfado no tiene
ninguna frustración, ningún problema. Mis amigas
como Margarita Urueta, Rosario Castellanos, Luisa
Josefina Henández nunca han tenido impedimentos por
ser mujeres. En el nivel de escribir menos. Quizá la

mujer de un albañil sea más desdichada que el albañil.

M: Eso es. En parte tiene que ver con eso de las clases sociales. No sé nada de tu familia pero me parece que es más fácil triunfar si uno viene de clase acomodada.

V: Mi madre es abogada y mi padre también. Mi madre siempre evolucionaba normalmente como mi padre. Más que gente de una situación económica desahogada hemos sido gente y familia de trabajo. Yo creo que la mujer discriminada es así por pobreza intelectual, por ignorancia y no por falta de dinero.

M: ¿Que escritoras mexicanas admiras?

V: No me hagas nombrar porque es un lío; se me van la mitad y todo el mundo se va a enojar. Hay una chica joven que se llama Ulalume González de León.

M: ¿Qué opinas de Octavio Paz?

V: A mí me gusta mucho la poesía y el ensayo de Paz.

M: ¿Conoces a su ex-esposa Elena Garro?

V: No la conozco personalmente. Hace mucho que ha desaparecido y nadie sabe dónde está. Recuerdo haber leído una obra de ella muy bella, *El árbol*. Yo era miembro del jurado de un concurso y le dimos el premio a ella. Me gusta cómo escriben teatro Elena Garro y Marcela del Río.

M: ¿Sería posible que una mujer ocupara el puesto de Octavio Paz en la literatura mexicana?

V: ¿Por qué no? Inclusive podría llegar a ser, como Paz, el centro de un círculo literario. Lo que pasa conmigo es que soy muy franco-tiradora, muy solitaria. Tengo un carácter excesivamente independiente.

(México, D. F., el 17 de enero, 1974 y el 5 de enero, 1975)

PALOMA VILLEGAS

PALOMA VILLEGAS

Hija de exiliados españoles, Paloma Villegas (1957) nace en el Distrito Federal. Desde temprana edad escribe cuentos y poemas y hace estudios de letras españolas en la UNAM. Se inicia publicando notas críticas para Radio Universidad y más tarde (1972) se incorpora al equipo de colaboradores de *La Cultura en México*, que dirige Carlos Monsiváis, contribuyendo con ensayos críticos sobre la nueva narrativa mexicana y acerca del movimiento feminista. Hacia 1975 deja de escribir en forma sistemática para el suplemento y en la actualidad es redactora de libros en la Comisión de Nuevos Métodos de la Enseñanza de la UNAM.

Aunque ha escrito para otras revistas (como *La Gaceta*), el trabajo de Villegas en *La Cultura en México* es hasta la fecha su aportación más significativa. En el molde de otros grandes comentaristas del suplemento, Emmanuel Carballo y Huberto Batis, su crítica es incisiva y polémica. Escribe oraciones balanceadas y frases concatenadas al mismo tiempo que muestra un gran conocimiento del idioma. Parece que los dirigentes del suplemento veían en Villegas la misma promesa que nosotros ya que le publican "Nueva narrativa mexicana", ensayo que cubre la mitad de la revista. El publicar tanto sobre un mismo tema es incomún en la historia del semanario. Entre los pocos que lo habían hecho antes se encuentran Carlos Fuentes y Gastón García Cantú.

En "Nueva narrativa mexicana", después de dar el trasfondo histórico literario que precede a los nuevos prosistas mexicanos, agrupa a éstos en tres núcleos. El primero, representado por Carlos Fuentes y Salvador Elizondo, se caracteriza por haber alcanzado la excelencia técnico-temática a la que aspiraban sus antecesores; el segundo, ejemplificado por José Agustín y Gustavo Sainz, significa una ruptura ya que sus valores y metas (la música rock, el lenguaje de la onda, la falta de respeto, las drogas) son radicalmente distintos de aquéllos del primer grupo; y el tercero, que representan Jorge Aguilar Mora y Héctor Manjarrez, se determina por un pesimismo atribuíble a la represión de los movimientos estudiantiles y populares de los sesenta que culmina con la matanza de Tlatelolco en el sesenta y ocho. Ha reseñado asimismo obras de autores como Octavio Paz, Sergio Pitol, Alejo Carpentier y José Bianco.

Representativa de un nuevo tipo de mujer liberada de tradicionalismos por su afán de libertad —es muy independiente y vive con el poeta David Huerta— ha escrito ensayos sobre libros feministas y acerca de los problemas de la mujer en México. Ha escrito también sobre el aborto en México, por ejemplo, y sobre escritoras como Djuna Barnes, Juliet Mitchell y Virginia Woolf. Paloma Villegas se siente más cerca de escritoras como Elena Garro y Rosario Castellanos, que se enfrentan con la realidad circundante, que del tipo de escritora que se embarca en el viaje interior. Será interesante ver el desarrollo de Paloma Villegas en el futuro.

ENTREVISTA CON PALOMA VILLEGAS

M: ¿Cuándo empezaste a escribir?

V: Bueno, empecé a escribir muy niña, pero más en serio, en la adolescencia, muchos poemas, sobre todo poemas muy líricos, larguísimos y casi automáticos a veces. Luego corté totalmente con eso, también porque tuve muchos problemas y ganas de separarme de esos problemas, de olvidarme de todo, de estudiar, de trabajar en serio, digamos, de pensar. Además, en ese momento me ofrecieron hacer notas críticas para Radio Universidad. Fue el primer trabajo crítico que hice. Lo demás había sido ensayos cortitos para la Facultad de Filosofía y Letras, para mi carrera. Pero eran cosas muy sencillas. Al mismo tiempo que empecé a escribir esas notas para Radio Universidad, conocí a David Huerta, que es poeta. Mi familia es más o menos culta, profesionistas liberales, pero nadie dedicado a la literatura.

M: Entonces conocer a David y a su familia fue importante para ti.

V: Sí, era un conocimiento para mí muy importante por muchas razones, claro. Pero entre ellas porque nunca había pensado claramente en ser escritora. Al mismo tiempo que empecé a escribir para Radio Universidad y tuve oportunidad de publicar, también tuve oportunidad de que me criticaran las notas. Esto fue bueno.

M: ¿Y cómo empezaste a publicar en *La Cultura en México*?

V: Después de eso, conocí a Carlos Monsiváis que estaba dirigiendo en ese momento el Suplemento de *Siempre!* y estaba intentando empezar con un estilo crítico distinto del que hasta entonces había habido. El medio literario mexicano es y se ha hecho muy restringido, sobre todo para la crítica. Hay una serie de intereses, de conocimientos personales bastantes íntimos; los directores de los suplementos culturales, los críticos y los escritores (y ahora los políticos) se conocen, se consiguen chambas, etc. Casi no hay grupos marginales, ni figuras marginales, o muy pocos. José Revueltas y Efraín Huerta serían dos figuras marginales. Se trataba de hacer un estilo crítico distinto, un poco salvaje, de no hacer ninguna concesión a niguna cosa y nin-

gún compromiso a ningún conocimiento personal. No
había una línea definida, aparte de cierta exigencia
de calidad y de ningún culto a la mediocridad, el respeto, los premios, las becas. Entonces tuve una época
de sentimiento grupal literario muy fuerte con la gente
del Suplemento.

M: ¿Quiénes?

V: Héctor Manjarrez, por ejemplo, que como crítico no
me gusta tanto, pero de todas maneras tiene estas actitudes. Jorge Aguilar Mora, que es de las gentes que a
mí más me interesan, formado en la nueva crítica y
bastante genial. Además, estaba Monsiváis, que también
tiene un punto de vista especial sobre la cultura. Luego,
los teóricos marxistas y gentes como Ayala Blanco para
el cine, que aunque escribe muy mal, tiene un punto
de vista interesantísimo sobre el cine. En fin, era un
grupo interesante. Luego la gente joven que estábamos
muy verdes; yo lo estaba, por lo menos.

M: ¿En qué año fue esto?

V: Eso fue en '72. Durante todo el '72 publiqué notas
pequeñas que no te traje porque son muy verdes, de
principiante. Pero estaba aprendiendo. Monsiváis es
una gente muy generosa y ayudó mucho, no sólo a mí
sino a muchas gentes que empezaban a formarse en
ese momento, en ese Suplemento. No te exigía haber
publicado antes, ni hacerle la barba, no te exigía nada
más que esto: escribir sobre los libros, escribir cosas
que tú pensaras personalmente.

M: Y en '72 apenas tenías veinte años.

V: Sí, nací en el '51. Cumplí veinte años a fines del '71.

M: ¿Y ahora te consideras crítica, no otra cosa?

V: He hecho crítica desde que empecé. Pero ahora, sí
estoy intentando escribir otro tipo de cosas. Lo que
pasa es que realmente me siento muy confusa. Tanto
tiempo de hacer críticas y se vuelve una más autocrí-

tica de lo conveniente si no hay al mismo tiempo un desarrollo.

M: Pero Cortázar, por ejemplo, no publicó cuentos hasta que tenía como treinta y seis años.

V: Sí. Ese tipo de cosas me alienta, supongo. A principios de '73 publiqué el balance de toda la narrativa que se había publicado durante '72, un panorama.

M: ¿En ese artículo incluyes a alguna mujer?

V: Sí, pero les va mal a todas las que incluyo. A mí no me gustan. No tenía todavía ningún contacto con el feminismo. Había oído de un grupo feminista que en ese momento ya se estaba formando en México, en el cual estaba Marta Acevedo, que tú conoces, y algunas mujeres más que ahora conozco muy bien, pero me parecían un poco extrañas.

M: ¿No te identificabas todavía con el Movimiento de las Mujeres?

V: Además, tenía realmente esta creencia de una gente que le ha ido toda la vida bien, en su familia, de que si hay mujeres oprimidas casi es porque quieren. Una tontería. Era la hija mayor; siempre se me había tomado como inteligente, y nadie había dicho que yo fuera más tonta que mi hermano. Tengo un hermano que es más chico y yo siempre tenía mejores calificaciones, por ejemplo. También ayudó que mi madre tiene una carrera, que es muy inteligente, muy fuerte y seca, nada abnegada, nada chantajista. Entonces, en fin, yo tenía una formación que me permitía más o menos hacerme tonta respecto a los problemas de ser mujer.

M: ¿Y nunca notaste sexismo en tu grupo?

V: En el Suplemento había cosas que a mí no me molestaban porque las aceptaba totalmente, pero entiendo ahora que no eran justas. Eran puros hombres y yo sola, la única mujer. Entonces yo servía el café y hacía

425

todas esas cosas. Me gustaba hacerlo, me sentía muy bien en hacerlo. Pero de todas maneras también me ayudaban ellos mismos. Me hacían burla por ser dulce y por no querer hablar, por ser tímida, por servir el café y todo esto. Ayudaban, pero los hombres que ayudan acaban por perjudicar. De todos modos no eran machos y no había ninguna discriminación en contra mía en el Suplemento, ni mucho menos. Sólo que yo era un Tío Tom.

M: ¿Y qué se dijo del artículo que publicaste a principios del '73 sobre la narrativa?

V: Hubo reacciones muy fuertes, a veces incluso insultantes, y algunas reacciones buenas. Esto creo que es raro en México. Cuando te ocurre, debes dar gracias al cielo porque normalmente todo lo que haces cae en un pozo profundo de absoluto silencio. En fin, los amigos te hablan por teléfono y te dicen dos o tres cosas, pero es muy poco el *feedback*. Entonces en ese sentido también me fue bastante bien. Y como he tratado mal a algunas gentes que se enfurecían, encontré que hacer crítica era muy divertido. Obtenía respuestas furibundas, cartas terribles —con mucha gracia, de la China Mendoza, porque hice un comentario breve sobre algún texto de ella que no me gustaba.

M: ¿Y cómo te sentías?

V: De algún modo me sentía conocida, comentada, muy bien, muy crítica. Pero no estaba desarrollando absolutamente nada nuevo, ningún criterio nuevo, ni poniendo en juicio mis propios criterios.

M: Pero el trabajo de crítica sí te forzó a leer cosas que quizá no hubieres leído, ¿no?

V: Sí. Toda mi cultura —llena de lagunas por lo demás— es bastante extranjerizante porque mis padres son refugiados españoles y su cultura primordial es española y, luego, francesa. De todas maneras, ya en México hay un afrancesamiento corriente. Tenía en cambio muy pocas lecturas norteamericanas y mexicanas, muchas lagunas, pero impresionantes. Y el hecho de estar publicando todo el tiempo sobre mexicanos, me tenía que esforzar a situarlos en el panorama, a leer a muchos que no había leído. Fue muy bueno en ese sentido. Esa es mi poca formación académica; fue como ir a una buena cátedra. Terminó toda esa etapa en un ensayo largo sobre la nueva narrativa en México, la joven narrativa.

M: ¿Y no tuviste ningún problema crítico?

V: Tuve un problema —político cultural— para empezar, porque las dos gentes que a mí más me gustaban eran las dos gentes que estaban en el Suplemento: Héctor Manjarrez y Jorge Aguilar Mora. Entonces yo no quería hacer el ensayo porque sabía lo que iba a pasar. Se pensó en el Suplemento hacer una serie de revisiones críticas sobre México y la literatura mexicana que se está haciendo. Pero aquél se publicó muy solito y no tan sólido como para defenderme de la acusación de mafiosa.

M: Por fin escribiste el ensayo.

V: Sí. Incluí a José Agustín, Gustavo Sainz, Luis González de Alba. Éste es un escritor que entró y salió de la literatura, porque no volvió a publicar nada desde hace mucho tiempo y sólo ha publicado unos pocos cuentos y una novela larga que se llama *Los días y los años*, sobre el '68. Era un caso literario muy especial porque se trataba de una crónica sobre el movimiento estudiantil. Otro muchacho, estetizante, muy bueno que incluí se llama Hugo Hiriart. Es una gente muy brillante y creo que puede llegar a escribir muy bien. También incluí a un montón de gente menor, o lo que yo consideraba menor. Son un poco los discípulos de Paz y de Elizondo y de García Ponce. A todas estas gentes yo las atacaba muy fieramente. Después de eso, vino una crisis muy fuerte, porque casi las únicas reacciones que obtuvo el ensayo fueron de esta gente ofendida y fueron terribles, muy descorazonantes, horribles. Estos ataques me hicieron ver algunas cosas; porque eran del tipo: "esta estúpida, que su marido le escribe las notas, que está en el Suplemento porque su marido está en el Suplemento".

M: ¿Es que se dan muchos casos de eso en México, de hombres que les escriben los artículos a sus mujeres?

V: No, ¡por supuesto que no! Pero en mi caso, eran los propios atacados que lo decían. También es cierto que el escritor a veces no se puede defender de su crítico, todo lo que diga será usado en su contra. Y después empecé a ver que no tiene mucho sentido que alguien que está empezando se dedique a hablar de gente que no sabe hacer las cosas "bien", porque ésos no presentan ningún problema. Que realmente una forma de la crítica, si se quiere criticar a quienes no te parece que valen gran cosa, es no hablar de ellos. Sería mucho más interesante que yo hablara de gente que me gustara.

M: ¿Y de allí son las notas sobre José Bianco y Djuna Barnes?

V: Sí. Los dos son escritores que me gustan mucho. Estaba haciendo un esfuerzo mucho mayor que antes, porque siempre, incluso cuando hablaba de gente que sí me gustaba, siempre eran panoramas, en los cuales había que hacer notas muy breves, diciendo dos o tres cosas y, además, en ellas siempre se hablaba bien de una persona en comparación con otra.

M: Pero has escrito mucho para ser tan joven. ¿Qué más haces, ¿Cómo ganas la vida?

V: Trabajo en la Universidad. Primero, cuando me fui a vivir con David, como secretaria mecanógrafa. Yo estaba estudiando Letras Españolas, que no es una carrera muy productiva. Como mecanógrafa la pasé muy mal, nueve meses. Después conseguí una chamba un poco mejor: redactar cosas, corregir estilo, revisar prensa, hacer resúmenes de prensa, traducir también. En un lugar que se llama Comisión de Nuevos Métodos de Enseñanza, de la Universidad.

M: Entonces no estás casada. ¿Piensas casarte algún día?

V: No. No sé. Tal vez si tengo hijos. Tendría que estudiar la situación en ese momento para con los hijos, porque no la conozco muy bien. Quizá valdría la pena casarse por eso. Yo no creo en el amor eterno y no me atrae eso de las pensiones y los arreglos, y de quién se queda con los niños. Pero quizá el papelito es bueno para los niños mismos, como protección. No estoy segura de eso. No me gusta nada la institución, la intervención legal, ni para proteger a los niños.

M: Tú aparentemente tuviste muy buena suerte con *Siempre!*. ¿Crees que en general el ser mujer le hace más difícil la carrera a una escritora?

V: Sí, mucho, mucho. De eso me di cuenta cuando entré en un grupo feminista y empecé a escribir sobre el feminismo. Es muy, muy difícil. Mi medio es muy pequeño y de inmediato se sabe que tú eres feminista. Entonces la vida empieza a ser realmente dificultosa. *Toda* la vida. En cualquier reunión todas son bromas. Además, la gente empieza a ponerse nerviosa. En el Suplemento, por ejemplo, me ofrecieron —supongo por el hecho de ser yo feminista— incluirme en el directorio. Como *token*, ¿no? Yo hubiera sido la única mujer, pero no acepté. Realmente no lo merecía; por eso no lo acepté, no porque no quisiera servir de *token*. Además, las cosas que escribíamos sí fueron rechazadas en muchos lugares, en *Excelsior* y en *Siempre!*, por ejemplo, cartas sobre problemas que estaban sucediendo, sobre la legalización del aborto.

M: ¿Hay otras dificultades que encuentran las escritoras, aun las no feministas?

V: Sí. Hay una dificultad más interior, me parece, que no tiene tanto que ver con el rechazo de los hombres. Hay una serie de problemas graves, de identidad, y que son realmente los que me interesan en el hecho de ser escritora. El lenguaje es de los hombres. Nosotras lo adoptamos. Y es más paralizante que eso: no solamente el lenguaje es de los hombres, también el modo cómo se entiende el lenguaje es de los hombres. Entonces, ¿a quién te diriges cuando escribes? ¿De quién estás hablando cuando tú escribes? ¿Te estás sintiendo una mujer que no es tan mujer como las otras? ¿Te estás sintiendo una mujer oprimida? Te sientes no tan mujer como las otras en la medida en que estás más liberada y te pareces más al hombre. ¿Quién eres en el momento de escribir? ¿Cuál de las mujeres eres? Igual que cuesta mucho trabajo saber cómo vestirse porque te das cuenta de todos los signos del vestido, o cómo moverte, cómo sonreir o no sonreir. Igual sucede con la escritura.

M: ¿Dónde, concretamente, ves el problema de la identidad de las escritoras?

V: Una cosa que me aterra mucho de muchas mujeres es el viaje interior, que es muy típico de la literatura femenina, sobre todo en México. Me gustan mucho las narradoras vigorosas, como Elena Garro, incluso como Rosario Castellanos. Pero me gustan también porque encuentro una cosa muy masculina, una renuncia a ser mujeres. No hay este viaje interior abstracto, muy poetizante, como una necesidad de hacer una prosa poética a fuerzas, incluso cuando no sale. Pasa con muchas escritoras jóvenes; yo creo que con Esther Seligson, que podría ser una buena escritora porque escribe bien y tiene ideas.

M: El problema es aun peor cuando las mujeres no tienen tiempo para crear una obra grande. La mayor parte, sobre todo las escritoras de generaciones anteriores, se enfrentaron con muchos problemas vitales que muchas veces acabaron con su poder creativo.

V: Allí es donde encuentro que el problema es más terrible. No quiero ser mecánica, pero abundan los ejemplos de vidas tormentosas, terribles, de un modo de ejercerse muy violento; una falta de capacidad para lograr una obra redondeada, bien hecha, que diga algo sobre el mundo para siempre: "el mundo según Proust", "el mundo según Gide". Eso no sucede con las escritoras, sucede con muy pocas. Supongo que se puede decir de Virginia Woolf o de Sylvia Plath o de algunas otras.

M: Cuando vine a México en enero de 1974, recuerdo que Sylvia Plath era completamente desconocida aquí. Realmente hay poetas mayores que ella que están escribiendo ahora mismo. Pero fue su suicidio la que la lanzó a la fama, sobre todo fuera de Estados Unidos. Ella no tiene una obra muy grande. Pero Virginia Woolf sí. Y quizá gente como Doris Lessing y Gertrude Stein contribuyeron, crearon cosas importantes, no sólo en cuanto a su visión del mundo, sino también en el estilo y el lenguaje. Tú escribiste un artículo sobre las cartas de Virginia Woolf. ¿Te interesa mucho ella?

V: Sí, me interesa mucho. Ella sí crea un mundo. Pero la inmensa mayoría, no. Sucede con casi todas: o es el suicidio o es el silencio absoluto porque renuncian a escribir, y se acabó. O se convierten en un *token*, precisamente, en una figura para el sistema: la Mujer Escritora. Esto le sucedió a Rosario Castellanos, la mujer escritora que habla de las mujeres y además es emba-

431

jadora. "Muchas mujeres están dentro del PRI; así que no hay problema, sí están representadas". Creo que eso agotó mucho a Rosario Castellanos. Todas las cosas que escribió desde que se fue a Israel —los artículos recopilados en *Mujer que sabe latín* y el teatro— las siento muy, muy pobres en comparación con la obra anterior.

M: Pero *Mujer que sabe latín* fue la primera obra feminista por una escritora de algún renombre en México.

V: Sí, claro. Pero de todas maneras, cuando ella escribe sobre feminismo escribe peor que cuando escribe sobre otras cosas. Escribe sobre los mayas espléndidamente. Las primeras novelas son realmente buenas. Y muchos poemas también.

M: En cuanto al por qué es más difícil ser escritora para una mujer, o al por qué le va peor, me contestaste que es por la cultura y por las consecuencias más o menos internas que experimenta una escritora.

V: Yo encuentro ahora que es mucho más grave eso que, de plano, una agresión externa.

M: Sólo que mucha gente, hombres y mujeres, todavía leen los escritos de una mujer con ciertos prejuicios. Se han hecho estudios experimentales en varias universidades con profesores, críticos profesionales y estudiantes. Tachan el nombre de la escritora o intercambian los nombres de escritores y escritoras para que el lector no sepa a quién lee. Según estos estudios, estimamos más los escritos de hombres, incluso escritos aparentemente de hombres.

V: Aunque hay una cosa y es que yo creo que las mujeres deben escribir distinto que los hombres. Un crítico no debería decir que un texto es malo porque tiene el nombre de una mujer y que es bueno porque tiene el nombre de un hombre, o calificarlo mejor cuando no sabe de quién sea, y calificarlo peor cuando sabe que es de una mujer. El texto debe decirle si es de una mujer.

M: ¿Cómo? ¿En qué sentido?

V: No sé. Pero sé que tiene que ser diferente porque somos diferentes. Decididamente, hasta ahora, somos diferentes. No se trata de decir que somos iguales. Somos iguales para muchas cosas; por supuesto en cuanto a capacidad. Pero el mundo interior no es igual. No tiene ningún sentido tratar de masculinizar lo que tenemos adentro porque sería simplemente imponernos una imagen. Lo han hecho ya muchas mujeres y no creo que resulte.

M: ¿Puedes nombrar a algunas escritoras a quienes admiras? Mexicanas, primero.

V: Bueno, Rosario Castellanos me gusta mucho. También Benita Galeana, aunque sólo ha escrito una novela autobiográfica. Elena Garro me gusta. Y luego me gustan algunas cosas de Elena Poniatowska, no todo. Me gusta una joven poeta que se llama Coral Bracho. Creo que es muy buena.

M: ¿Y latinoamericanas?

V: Me gusta mucho, mucho, Clarice Lispector, brasileña, y las uruguayas Cristina Peri Rossi y Alegría Sommers.

M: ¿Y escritoras de otras nacionalidades?

V: Annie Leclerc, Sylvia Plath, Doris Lessing, Monique Wittig, mucho, Dacia Maraini. Estoy empezando a leer poesía norteamericana nueva. Me gusta mucho Carson McCullers, y también me gusta Mary McCarthy, aunque no como mujer, no porque me diga cosas como mujer.

M: Háblame un poco de Djuna Barnes. ¿Por qué te atrajo?

V: Justamente porque el suyo es un mundo especial donde valen mucho los gestos, la ropa, la vestimenta, pero no del mismo modo violentamente barroco como en Severo Sarduy, por ejemplo, o en algunos escritores del teatro

433

moderno. Me gusta mucho por la época en la que vive
y cómo es capaz de escribir una literatura tan margi-
nal. Hay algo que encuentro en ella muy femenino,
que es este mundo de gestos, duro, terrible; de vestidos
atroces; de caracteres sexuales indefinidos y a la vez
violentos. Es un mundo mágico, lírico, pero no es un
lirismo que concede, sino que es agresivo, contrario a
la opinión común. Sus mujeres están muy poco caracte-
rizadas por el sexo, algo hermafrodíticas.

M: ¿Andróginas?

V: Sí, andróginas. Y eso viola una serie de normas. Tú
coges una novela de Agatha Christie y cambias los nombres de personajes mujeres por los nombres de hombres,
y te sale un monstruo. No se puede entender nada de
lo que sucede, ni descubrir el misterio, ni nada. Hay
una serie de atributos que se suponen de las mujeres,
otros de los hombres. Y claro, en toda gran literatura
esto no sucede así, de esa manera tan violenta y tan
obediente, pero sí sucede. Encuentro que en Djuna Barnes no sucede para nada. Podrías cambiar los sexos
si quisieras sin una violencia extrema. El hecho de que
sean mujeres dice algo más de los personajes, le añade
datos nada más. No se trata de: "Una mujer es una
mujer" y que esto te baste para describir una serie de
cosas de ellas. Aquí es al revés, y eso me gusta mucho.
Siento que Djuna Barnes hizo una cosa muy, muy agresiva contra todo el *establishment* literario y contra su
lenguaje.

M: Quisiera que hablaras un poco más —aunque sea teórico y difícil si no podemos recurrir a clichés— de la
diferencia entre obras escritas por hombres y por mujeres. Tú dijiste que sí crees que debe haber una diferencia.

V: Creo que la hay. Sólo que yo no estoy segura, porque
no puedo estarlo, de si esto es algo que le atribuyo yo

a los libros. Me imagino que no. Cuando yo he leído un libro de una mujer, ahora o en cualquier momento de la vida, mi reacción es muy distinta de cuando leo un libro de un hombre. Hay una búsqueda especial mucho más inmediata. No la encuentro incluso en la obra de hombres que están muy cerca de mí o que tienen un punto de vista muy cercano del mío.

M: Siempre se ha pensado —o hasta recientemente— que hay una diferencia notable entre la obra escrita por mujeres y por hombres, que la obra de mujeres era inferior, era más trivial. La razón dada era determinista, era biológica. Se decía que tus ovarios te determinan, ovarios en el sentido estricto de la palabra, no en el sentido figurativo. En cambio, Virginia Woolf decía que no, que un escritor debe ser andrógino.

V: Yo no estoy de acuerdo con Virginia Woolf. Ella misma no es andrógina.

M: Estoy de acuerdo contigo.

V: Además, creo que es valiosísima la experiencia de las mujeres. Hay un montón de cosas que políticamente no somos capaces de ver. Por eso es importante el feminismo, pero también es importante todo el discurso que se haga sobre esto. Es todo un campo de exploración en el que creo que las mujeres tenemos muchas posibilidades.

M: Claro que es el mismo campo de exploración que han explorado siempre los poetas y los escritores.

V: Pero la experiencia real de las mujeres es otra: la trivialidad de la vida, precisamente el hecho de que no es fácil que una mujer haga grandes cosas en la vida o cosas que considere grandes. De todas maneras, hay un momento en que hacen el trabajo doméstico y un momento en que coquetean para conseguir algo, hay un momento en que se acuestan con un hombre sin tener ganas de acostarse. Hay todo un campo de experiencia que es una voz oprimida, un campo de experiencia negado, rechazado. Hay poco contacto con el poder. Y el campo de experiencia de la mujer, los hombres difícilmente lo pueden explorar, aunque sea su interés explorarlo. En realidad, es la vida de todos, pero las mujeres tal vez lo viven más directamente. Por eso creo que tiene que ser diferente y que es muy bueno que sea diferente lo que escriben las mujeres.

M: Leí tu reseña sobre el libro de Juliet Mitchell, *Women's Estate (La condición de la mujer)*. ¿Crees que ella, de una manera abstracta, ayuda a explorar algo más ese campo de experiencia o a explicar cosas que antes no estaban muy claras?

V: Sí, pero siempre es este otro discurso, que no es propiamente de la experiencia, sino que es un discurso generalizador. En Juliet Mitchell hay un esquema estructuralista, *husserliano*, hasta donde entiendo. Pero encuentro que su división por estructuras de la opresión de la mujer —estructuras casi independientes que se sobredeterminan unas a otras, pero que de todas maneras tienen cierta independencia— no es real. Para mí la suya es una explicación modificadora de la realidad, porque las cosas no suceden así.

M: Estoy de acuerdo, aunque hay muchas feministas muy inteligentes que están tratando de trabajar con ella, de estudiarla, de ir por los mismos caminos, porque quieren teorías.

V: Sí. Hacen mucha falta las teorías, sobre todo para elaborar estrategias, más que para tener las teorías.

M: Y si alguien te preguntara si te consideras feminista.

V: Sí, claro. Desde luego.

M: ¿Y por qué les cuesta tanto trabajo a gran número de las escritoras en México decir que son feministas?

V: Bueno, primero porque no hay una difusión grande de lo que es exactamente el feminismo.

M: ¿Aún ahora, en 1976, después de la publicidad del Año Internacional de la Mujer?

V: Un poco más, pero muy poco. Es que no hay una difusión grande de las experiencias del feminismo. Hay muy pocas gentes que hayan participado políticamente como feministas, que hayan estado en grupos feministas, muy pocas. Y todos los problemas y la riqueza del feminismo no se entiende, o sólo superficialmente.

M: ¿Y si tú preguntas a estas mujeres si se siente oprimidas?

V: Lo más probable es que digan que sí. Pero tienen de esa opresión la versión del Año Internacional, que es bastante pobre, que no implica nada más que "vete a trabajar rápidamente" (aunque estamos en un país con desempleados). Resulta una cosa impuesta por el gobierno o por la ONU, si quieres. Todas las campañas para "liberar" a la mujer o más bien para sacarla de su casa y hacer que se capacite, que participe en el *desarrollo* y que tenga pocos hijos —todas las campañas ahora vienen del gobierno. No hay un grupo feminista conocido nacionalmente, ni siquiera conocido en la ciudad de México. Entonces se siente la campaña como una imposición más de un aparato del Estado, absolutamente desprestigiado, sin ninguna confianza.

M: ¿Y qué labor hacen los grupos feministas mexicanos?

V: Los grupos feministas en México se han ahogado, se han asfixiado muy rápidamente, sin desarrollarse con la rapidez suficiente para salir del primer momento. Es un problema ser feminista por toda la campaña para ridiculizar el feminismo: la risa que provocas y el pudor de provocarla.

M: ¿Eres todavía la única mujer en el Suplemento de *Siempre!?*

V: No. Hay más mujeres ahora que antes. No encuentro que haya una discriminación en el Suplemento, pero yo ya no estoy allí.

437

M: ¿Ya no escribes en el Suplemento de *Siempre!?*

V: Bueno, no estoy de esa misma manera como estaba. Si yo escribiera algo, probablemente lo publicaría todavía en el Suplemento, o en alguna otra revista de la misma corriente. Lo de Djuna Barnes que salió en mayo de 1974 fue lo último literario que publiqué allí.

M: ¿Qué hiciste después?

V: Después entré en el grupo feminista, y casi dejé la literatura totalmente. Para entender todo esto, me puse a leer teoría política y algo de teoría económica.

M: ¿Y cuál fue la reacción de tu hombre?

V: No tuve muchos problemas con David. No me dijo: "No te doy permiso de ir a la reunión", por supuesto. Nada así. Y aguantó mucha presión, muchos comentarios molestos.

M: ¿Y cómo terminó esa etapa?

V: Después de esto, me fui a Europa por ocho meses y medio y me dediqué a "vivir la vida", flotando. Habíamos ahorrado durante dos años y juntamos lo suficiente para el viaje. Además, en México, tenía miedo de la represión —realmente tenía miedo.

M: ¿Y decidiste entonces no volver a participar en grupos feministas?

V: Me di cuenta de que no debía participar en un grupo que estaba muy débil en ese momento porque no había en ese grupo gentes con experiencia política.

M: Decidiste que no querías ser una líder.

V: No las había. Había quien hablaba y quien oía, nada más. Creo que no debe haber líderes en estos grupos. Me repugna mucho cualquier papel que tenga carga de poder.

M: Sí es cierto que las mujeres en general no están acostumbradas a tomar papeles directivos. Estoy pensando en eso porque acepté un puesto de administradora para el año que viene, pero con muchas dudas. Realmente no es el tipo de trabajo que quiero hacer, aunque creo que es importante hacerlo.

V: Pero, ¿es una situación de poder? ¿O de responsabilidad nada más?

M: Bueno, también de algún poder dentro de la situación concreta.

V: Eso es lo que me aterroriza mucho. No es que sienta que no puedo, es que siento una repugnancia muy fuerte.

M: ¿Crees que hay mujeres, aunque no escritoras, que te han ayudado hasta ahora.

V: Sí, cómo no. Hay una que es Marta Acevedo, una gente espléndida, muy bella. Luego hay otras, no conocidas. Mi madre, por supuesto, que es maravillosa. También me ayudó la persona que me "inició" en el feminismo que fue Isabel Vericat, muy inteligente. Aparte del feminismo —que fue una cosa muy importante para mi formación— no. Fueron todos hombres.

M: ¿Porque estaban allí?

V: Y porque fueron generosos cuando pudieron no haberlo sido, y además porque eran gente especial que no me trataban con desdén por ser mujer.

M: ¿Y hay cosas que quisieras hacer en la literatura, o no sabes todavía?

V: Sí. Estoy haciendo de todo. Hago muchos intentos. Quisiera hacer literatura creativa, más que crítica. Estoy tratando de escribir poesía, que me cuesta mucho trabajo porque no quiero caer en ningún lirismo. Me cuesta trabajo escribir por los prejuicios que tengo. Con tanto escribir ensayo, me salen cosas muy ensayísticas.

M: A mí me parece que tu caso es excepcional porque muy pocos escritores se inician escribiendo crítica. Yo no veo nada malo en tu punto de partida. Lo encuentro interesantísimo.

V: Puede ser. No sé. Habrá que ver, ¿no?

(México, D. F., 16 junio, 1976)

ESPERANZA ZAMBRANO

ESPERANZA ZAMBRANO

Esperanza Zambrano (1907) nació en Dolores Hidalgo, Guanajuato. Su padre fue militar de carrera, hombre de negocios y reportero, su madre ama de casa. Otilia Zambrano, su hermana, es periodista y líder sindicalista. Esperanza Zambrano se casó a los veinticuatro años de edad con el actor teatral Miguel Wimer. Su vida familiar ha sido marcada por la tragedia. Perdió a su primer hijo al nacer y a su esposo y a otro hijo en dos accidentes distintos. En 1943 trabajó en el teatro con el Grupo Proa. Gran parte de la producción literaria de Zambrano ha sido recopilada en cinco libros de poemas: *La inquietud joyante* (1927), *Los ritmos secretos* (1931), *Canciones del amor perfecto* (1939), *Retablos del viejo Guanajuato* (1943) y *Fuga de estío* (1952). Su poesía versa principalmente sobre el amor y tiene sonetos, corridos y romances en revistas y periódicos. Algunos de sus poemas como "Tarea de mujer" de *Canciones del amor perfecto* tratan la posición social de la mujer y revelan la influencia de poetisas sudamericanas como Delmira Agustini y Juana de Ibarbourou, escritoras leídas por toda una generación de mujeres poetas. Recibió en 1947 medalla de bronce y palmas literarias de la República Francesa por un poema suyo que versa sobre la Francia cautiva.

Zambrano fue una de las iniciadoras del Ateneo de las Mujeres en México. Fue presidenta del mismo por varios años y en este puesto ayudó a difundir la obra de jóvenes poetas, algunas de las cuales como Emma Godoy, Margarita Michelena y Margarita Paz Paredes han adquirido fama. Entre las actividades que promovió en el Ateneo se encuentran concursos de poesía y de novela, recitales de poesía y exposiciones de pintura y escultura. Su contribución a la cultura mexicana radica en su labor como impulsadora de la poesía de mujeres y como escritora y difusora de la misma. Fue también una activa partícipe en los primeros congresos por los derechos políticos y civiles de la mujer en América. Las raíces de su feminismo tal vez sean tanto vitales como intelectuales. (Menciona, por ejemplo, cómo su madre aprendió a leer por su cuenta, a escondidas de su padre).

En la entrevista que a continuación sigue se encontrarán referencias a las pioneras del movimiento de las mujeres contemporáneo y a varias escritoras olvidadas. Esperanza Zambrano pertenece a un grupo de mujeres valerosas —sobre todo en México— que sin una educación formal labraron el cauce que habrían de seguir literatas y feministas más jóvenes y conocidas en nuestros días.

ENTREVISTA CON ESPERANZA ZAMBRANO

M: ¿Cómo empezó a escribir poesía?
Z: Yo estaba en la escuela Miguel Lerdo de Tejada y mi maestra de español se interesó por mis escritos. Ella era escritora.
M: ¿Cómo se llamaba?
Z: Eugenia Torres. Había sido artista de teatro y daba clases de declamación también. Me hizo leer ciertas cosas que yo no conocía.
M: ¿Qué cosas?
Z: Bueno, a poetas mexicanos y a poetisas sudamericanas.
M: ¿Como quiénes?

444

Z: Como Juana de Ibarbourou, Gabriela Mistral, Alfonsina Storni (que todavía vivía), y todo lo que había de nuevo en ese momento. Y además, claro, a Gutiérrez Nájera, a Díaz Mirón, poetas de la época de mi padre.

M: ¿Cuántos libros de poemas ha publicado?

Z: Cinco. El primero, que no tengo a mano, se llama *La inquietud joyante* que salió más o menos en 1927. Un nombre muy rebuscado, pero nombre de juventud, ¿no?

M: Veo en *Poemas del amor perfecto* un poema llamado "Tarea de mujer" dedicado a Amalia Castillo Ledón.

Z: Ya entonces éramos amigas.

M: ¿Usted tiene la misma edad que ella?

Z: Bueno, más o menos.

M: ¿Usted es vanidosa en cuanto a la edad?

Z: No.

M: El poema "Tarea de mujer" dice así: "Tarea de mujer, paciente, ingrata. / Mañana igual que ayer". ¿Por qué tenía esa visión de la mujer en esos días?

Z: En esa época estaba yo completamente retirada. Sola con mis hijos en casa.

M: ¿Aquí en México?

Z: Sí, aquí. Todos mis hijos vivían y yo estaba completamente fuera de circulación.

M: ¿Usted cree que la carrera de escritora es más difícil para la mujer por su sexo aquí en México?

Z: Sí y más para las de nuestra generación. Ahora las jóvenes trabajan con otras armas. Nosotras éramos autodidactas y éramos unas cuantas. Siempre teníamos en contra a los señores. Me decían con frecuencia "¿qué necesidad tienes de meterte en esas cosas? Eso se deja para las viejas quedadas que no tienen otro camino". "¿Qué tiene que ver una cosa con la otra?", les decía yo. Pero ellos siempre salían con eso. "Esas cosas no tienen nada que ver con las mujeres, son ganas de presumir.

M: ¿Qué otras mujeres escritoras o intelectuales conoció usted?

Z: En mi época México era mucho más reducido y tenía yo la suerte de tratar a casi todas las gentes que significaban algo en el mundo cultural. También fui compañera de colegio de Isabela Corona, una actriz cinematográfica. Acabo de llegar de una misa por Gloria Iturbe, artista de teatro que escribía también. De mi generación éramos unas pocas: María del Mar, Concha Guerrero Kramer que murió joven, Graciana Álvarez del Castillo que era mayor que yo, pero de la misma onda, Laura Palavicini, Lázara Meldiú y Magdalena Mondragón.

M: ¿Conoció a Concha Urquiza?

Z: Muy buena pero no la conocí personalmente.

M: Se murió muy joven.

Z: Sí, se la comió casi un tiburón. Fue una cosa dramática, tremenda. Lo mismo pasó con otras poetisas de esa generación como Storni que se dejó ir al mar. ¿Usted conoce el libro sobre Delmira Agustini de la colección "Genio y Figura?"

M: Sí. Compré uno sobre Storni en esa misma colección.

Z: Hay uno también sobre Gabriela Mistral. De la nueva generación están Amor, Margarita Michelena y Margarita Paz Paredes. Ya son posteriores a nosotras. Para mí la más completa es Pita Amor.

M: Dicen que ahora está...

Z: Pues siempre ha estado chiflada. Se me hace la más completa porque guarda la forma mientras que las demás escriben verso libre. Pita Amor es una contradicción entre el espíritu poético y su mundo turbulento lleno de sombras.

M: ¿Qué diferencias ve usted entre su generación y la de Pita Amor?

Z: Ellas tuvieron más oportunidad. Fueron a la universidad, tomaron clases y nosotras, como quien dice "con las manos" nos hicimos solas.

M: ¿Ha conocido o leído a algunas de las que nacieron en los treinta?

Z: En general no, porque para mí son muy jóvenes todavía. De las nuevas, nuevas no conozco.

M: ¿Admiró a María Enriqueta en su juventud?

Z: No. Demasiado pueril. Se quedó atrás de nosotras que trajimos una nueva tónica basada más bien en las sudamericanas y en nuestra Sor Juana Inés de la Cruz.

M: ¿Cree que hay diferencia en la poesía escrita por hombres y la escrita por mujeres?

Z: Yo siempre he creído que el hombre es más cerebral y la mujer más sensitiva. Pero las nuevas ya también son muy intelectuales. Ya se puede equiparar la poesía de un hombre con la de una mujer. En el pasado sí había una división.

M: ¿Recuerda la aparición de los Contemporáneos, un grupo literario exclusivamente de hombres? José Gorostiza, Enrique González Rojo, Torres Bodet, Villaurrutia, Salvador Novo y los otros.

Z: Sí. Precisamente mi hijo se ha dedicado mucho a estudiar a este grupo que fue el más completo de esa etapa literaria y que hizo una labor de conjunto que se puede poner como ejemplar.

M: Yo también lo he estudiado y me molesta que no hubiera una mujer en el grupo.

Z: Es cierto. Pero no me parece que Blanca Cortés, por ejemplo, pudiera haber tenido un sitio destacado. Era muy dedicada a la poesía pero su obra no era de gran aliento. Magdalena Mondragón publicó poemas en periódicos y revistas pero para mí era más periodista que poeta.

M: ¿Estuvo usted en el grupo del Ateneo?

Z: La iniciación fue allá por el treinta y tres o treinta y

cuatro. Muchos años fue presidenta Amalia Castillo Ledón, después fueron Leonor Llach, Graciana Álvarez del Castillo. Posteriormente fue Josefina Zendejas. ¿Conoce algo de ella?

M: Muy poco.

Z: Bueno, ella es maestra pero está muy enferma. Ella tenía su propia imprenta y se imprimía sus libros. Tiene muchísimos. Creo que son cincuenta. Yo fui presidenta del Ateneo cuando cumplió veinticinco años la organización y quería comenzar una nueva etapa. Serví como presidenta durante ocho o nueve años. En esa época la revista *Mujeres* en combinación con el Ateneo hacía concursos literarios. En una ocasión el premio de novela fue otorgado a Margarita López Portillo, hermana de nuestro futuro Presidente. Ella escribe ahora poesía. Hubiera sido magnífico que ella estuviera al frente del Ateneo, ella renunció, pero de cualquier manera, ella podrá ayudar al Ateneo a echarlo a andar, ya con nuevos elementos, con gente más joven. Cada gente tiene su época.

M: Me dijo Caridad Bravo Adams que usted me podría hablar de María Luisa Ocampo.

Z: Cómo no. Precisamente venimos mi hermana y yo de acompañar en una misa fúnebre a la hermana de ella. María Luisa Ocampo inició su carrera literaria con comedia. Formó parte de un grupo que se llamaba "Los Pirandellos" y creo que era la única mujer. Se sacó un premio de lotería y lo invirtió en el grupo y por supuesto que lo perdió. Después escribió novelas, ensayos, en fin cultivó todas las formas literarias menos el verso. Era esencialmente una dramaturga que después dejó de escribir para el teatro por las dificultades para llevar sus obras a la escena.

M: ¿Conoció a una mujer que escribía baladas hace mucho tiempo que se llama Concha Michel?

448

Z: Sí, tenía una voz preciosa. Ahora está muy vieja. No sé si todavía conserva la voz, pero sé que todavía canta. Yo agregaría el nombre de Aurora Reyes, poetisa muy inteligente y muy política, como Concha Michel. Es muy buena poetisa ella, y pintora. Es hija ilegítima de uno de los Reyes, de la familia de Alfonso Reyes.

M: ¿Conoció a Concha Michel como cantante o como mujer política?

Z: Aquí ya entramos a la vida privada. Ella fue compañera íntima de un líder comunista, Hernán Laborde.

M: Creo que vivió con él doce años. ¿Y usted se casó joven?

Z: Me casé en enero del 31.

M: ¿Qué le parece lo que dice Elena Poniatowska, que casi toda escritora mexicana que ha sobresalido es soltera o divorciada?

Z: Quizá. No sé, en esta nueva generación. Elena Poniatowska es relativamente nueva. Una periodista más vieja que ella, muy interesante —y gran luchadora por los derechos políticos para la mujer— es Adelina Zendejas. Otra mujer de la misma onda, que comenzó con el Ateneo, fue Caridad Bravo Adams. Cuando yo me hice cargo promoví que se diera a conocer la obra de las jóvenes poetisas de entonces: Emma Godoy, Margarita Michelena, Margarita Paz Paredes y también de una nueva de provincia que se regresó, Margarita Villaseñor.

M: ¿Y Guadalupe Amor?

Z: Casi hubo un lío con Pita Amor. Los periodistas me preguntaron por qué no la considerábamos y cuando les dije que la estimábamos mucho pero que era una persona difícil, nos quisieron enemistar pero ella se portó muy bien.

M: ¿Cuándo consiguieron el voto las mujeres de México?

Z: Eso es una cosa muy larga, pero el primer acto se lo

debemos a Ruiz Cortines. Fue una medida política. Todas luchábamos, cada quien a su modo, con sus propias armas. Luego dejó pasar el tiempo para que no sirviera la iniciativa. Después se otorgó el voto municipal que era peor porque las únicas mujeres que estaban organizadas e interesadas estaban aquí en la capital y aquí el voto municipal no cuenta.

M: ¿Cree que muchas mujeres lucharon por el voto?

Z: Sí, cada quien a su modo. En algunas entidades, como en Yucatán y Guanajuato, estaba incluido en la Constitución del Estado el voto a la mujer, aunque no se hizo uso.

M: ¿Cuál es su actitud hacia el Movimiento de las Mujeres de ahora?

Z: Bueno, no sé qué dirá usted. Cuando la ocupación de Francia, yo escribía en *La Francia Libre*. Y en esa época también escribía la página literaria de una revista que dirigía Amalia Castillo Ledón. Se llamaba *El Hogar* y era de corte antiguo, de recetas de cocina y esas cosas. Allí publiqué con motivo del 14 de julio poesías de la Condesa de Noailles y después, de mi propia cosecha, "Oración por la Francia cautiva", que fue traducida al francés y al inglés. Después de la desocupación, en Francia me dieron las palmas académicas por servicio de letras y una medalla de reconocimiento. Entonces estaba yo en Washington, en la Comisión Interamericana de Mujeres, trabajando justamente por la igualdad jurídica. Hicimos recomendaciones pero no nos hicieron caso.

M: Me gustaría mucho ver esos documentos sobre las mujeres.

Z: Bueno, yo le voy a mandar copias. Lo curioso del caso es que el primer país que otorgó el voto y derechos políticos a la mujer aquí en América Latina —México fue uno de los últimos— fue el Ecuador, pero no hicieron uso.

M: Fue sólo en papel.

Z: En papel sí. Yo tengo algunos impresos al respecto.

M: En Estados Unidos fue una lucha tremenda porque tuvieron que ir ganando estado por estado. ¿Usted trabajó mucho en esas cosas?

Z: Sí. Yo trabajé con una norteamericana, Doris Stevens, una de los pilares de las feministas. Ella, sin ningún apoyo económico, hizo una labor por la mujer que resultó en un estudio de legislación comparada que señalaba las discriminaciones contra la mujer en cada país. Había cosas tremendas. No recuerdo en qué país de Centro América decían —en los derechos civiles— que estaban exentos de responsabilidad criminal los menores, las mujeres y los idiotas. En ese plan estábamos. En un seminario de los derechos de la mujer que tuvo lugar en Centro América fueron representantes de varios países. Una juez de Texas dijo que las mujeres en su estado tenían el voto pero que andaban muy mal en derechos civiles. Por ejemplo, estando casada, ella no podía contratar sin el permiso de su marido. Estaban atrasados en otras partes de tu país también?

M: Sí, también.

Z: Pues Doris Stevens fue la que echó a andar la Comisión. Iban a las conferencias aunque no las invitaran. Allí se plantaba Doris Stevens y se batía a gritos. Ellas hicieron una labor muy valiosa. Luego hubo conferencias sobre los derechos de la mujer en Chile, unos dos años después en Cuba, luego en Montevideo, y después en Bogotá.

M: Ya para entonces se escuchaba la voz de las mujeres en las conferencias interamericanas.

Z: Pues a fuerza. Incluso aquí en la Conferencia de Chapultepec sobre problemas de la guerra y de la paz a fuerza se metió una cosa de mujeres. La Unión Panamericana no quería hacerse cargo de eso y entonces se metió una recomendación en Chapultepec a despecho del grupo de delegados que no estaban conformes con la actuación de mujeres en su reunión.

(México, D. F., 14 de julio, 1976)

ÍNDICE ONOMÁSTICO

455

457

461

TALLERES DE B. COSTA-AMIC EDITOR
Terminóse el día 10 de enero de 1979
Edición de 2 000 ejemplares